WU

WU

HET WAARGEBEURDE VERHAAL
VAN DE EERSTE EN ENIGE VROUW
IN DE CHINESE GESCHIEDENIS
DIE REGEREND KEIZERIN WERD

Jonathan Clements

TIRION

Dit boek is gepubliceerd door
Tirion Uitgevers BV
Postbus 309
3740 AH Baarn

www.tirionuitgevers.nl

Omslagontwerp: Hans Britsemmer, Kudelstaart
Vormgeving binnenwerk: Mat-Zet BV, Soest
Vertaling: De Taalscholver, Leiden

ISBN 978 90 4391 040 8
NUR 320

Voor het eerst gepubliceerd in Groot-Brittannië in 2007 door Sutton Publishing Limited –
Phoenix Mill

Oorspronkelijke titel: *Wu*

© 2007 Muramasa Industries Ltd, 2007
© 2007 voor de Nederlandse taal: Tirion Uitgevers BV, Baarn

Van alle afbeeldingen berust – tenzij anders aangegeven – het copyright © 2007 bij Muramasa Industries Ltd

Voor Chelsey

Inhoud

	Dankbetuigingen	9
	Stamboom van de Tang-dynastie	12
	Stamboom van het geslacht Wu	13
	Inleiding: bloemen in de winter	15
EEN	De Poort van de Donkere Strijder	27
TWEE	De gunst van regen en mist	42
DRIE	De familiekwestie	53
VIER	De verraderlijke vos	73
VIJF	Het ultieme offer	85
ZES	De gifbeker	100
ZEVEN	De hen bij het ochtendgloren	117
ACHT	Het Paviljoen der Verlichting	134
NEGEN	De stralende leegte	151
TIEN	De wijze moeder der mensheid	164
ELF	Het ministerie van de Kraanvogel	180
TWAALF	Het Paleis van de Dageraad	194
	Appendix I: Andere verzinsels over Wu	202
	Appendix II: Aantekeningen over namen	211
	Appendix III: Chronologie	216
	Bibliografie	225
	Noten	230
	Register	247

Dankbetuigingen

Mijn buitengewone dank gaat uit naar Routledge voor hun toestemming om een passage uit *Real Tripitaka and Other Pieces* van Arthur Waley te mogen opnemen; hetzelfde geldt voor de raad van bestuur van de Leland Stanford Jr Universiteit (Stanford University Press), voor hun toestemming ten aanzien van drie gedichten uit Chang en Saussy's *Women Writers of Traditional China*, de Curtis Brown Group Limited voor de toestemming om twee passages over te nemen uit *Lady Wu* van Lin Yutang, en Snow Lion Press om een passage uit Jeffrey Hopkins' *Buddhist Advice for Living & Liberation: Nagarjuna's Precious Garland* op te nemen. Cambridge University Press erkent dat mijn gebruik van materiaal uit C.P. Fitzgeralds *Son of Heaven* binnen de copyrightbepalingen valt, waarvoor mijn dank. Afbeeldingen van door Wu gemaakte nieuwe karaktertekens komen van de website van Dylan W.H. Sung en zijn hier opgenomen met zijn toestemming. Al het mogelijke is gedaan om rechthebbenden op te sporen. Eventuele omissies dienen onder de aandacht van de uitgever te worden gebracht, zodat deze in een volgende druk kunnen worden gecorrigeerd.

De oorsprong van dit boek ligt bij Jaqueline Mitchell van Sutton Publishing die, verlangend naar iets anders dan piraten, filosofen en keizers, mij overhaalde om ditmaal iets over een vrouw te schrijven. Ik heb haar gewaarschuwd dat een waarheidsgetrouwe studie van keizerin Wu af en toe zó obsceen zou zijn, dat het onmogelijk in kranten of voor de radio kon worden geciteerd. Ze vond dit geweldig spannend klinken en ik hoop maar dat ze er achteraf geen spijt van heeft. Ze klaagde zelfs niet toen ik het manuscript zes weken te laat inleverde omdat ik er nog wat nieuw materiaal in wilde verwerken, maar ze heeft wél een tovenaar ingehuurd om me te vervloeken.

Het hart van een slang en de aard van een wolf komen het best tot hun recht bij middeleeuwse tirannen en eigentijdse literair agenten, met name Chelsey Fox van Fox and Howard. Zelf eens bijna het onderwerp van een pornografische roman, verdient ze een klein percentage van mijn inkomen en mijn totale bewondering voor de meedogenloze en wrede manier waarop ze haar vijanden verplettert. Ze is al meer dan tien jaar mijn agent en mijn opdracht in dit boek aan haar komt eigenlijk veel te laat.

Motoko Tamamuro ploegde zich voor mij door diverse Japanse teksten om gebieden te selecteren waar mogelijk nieuwe informatie te vinden was. Het schrijven van dit boek betekende een aanzienlijke hoeveelheid onderzoek ter plaatse, waarbij mijn reisgenoot Andrew Deacon hielp met hotels, het pingelen met straatventers en het nodige begrip in restaurants. Hij was ook altijd in de buurt om vragen te beantwoorden over onderwerpen die uiteenliepen van Chinese schaakstukken tot tafelmanieren, en zelfs nu ik deze woorden typ, zie ik in de hoek van mijn beeldscherm zijn Messenger-icoontje knipperen omdat hij wil vragen wanneer hij het manuscript kan lezen. Mijn moeder, Penny Clements, kent maar twee uitdrukkingen in het Chinees. Een daarvan is walgelijk en kan hier om die reden niet worden herhaald. De andere is een opsomming van de paarden van keizer Taizong, wier namen in het Engels zwaar steunen op haar begrip van het ruiterjargon.

Mijn fotograaf, Kati Mäki-Kuutti, stelde haar smetteloze nieuwe camera bloot aan gruis en vocht in ondergrondse tomben, op koude bergtoppen en alle hete stoffige plekken daartussenin. De camera is nooit meer de oude geworden, maar juffrouw Mäki-Kuutti's bereidheid om mevrouw Clements te worden lijkt er niet onder te hebben geleden. Anderen die een gewillig oor, advies of hulp voor mij hadden, waren Naomi Benson, Victoria Carvey, Yvette Cowles, Jim Crawley, Mary Critchley, Jane Entrican, Kimberly Guerre, Georgina Harris, Gwyneth Jones, Martin Latham, Adam Newell, Ellis Tinios, Hilary Walford, Bow Watkinson, Jeremy Yates-Round en de rest van de ploeg bij Sutton, en een verbazend groot aantal vrouwen tijdens feestjes, diners en trouwerijen, die mij niet langer choqueren met hun enthousiaste verbale ondersteuning voor een historische figuur die zij zien als een veel belasterde, zusterlijke verwant. Mijn dankbaarheid betreft eveneens het personeel in de bibliotheek van London's School of Oriental and African Studies, die me constant een geweldige service verleenden, ondanks dat ze daarvoor berispt dreigden te worden. Wat dat betreft bedank ik Ken Livingstone en vele niet met naam genoemde personeelsleden en studenten van SOAS; hun protest heeft het bestuur er in 2005 toe gebracht een aantal onverstandige ontslagen terug te draaien. De geest van rechter Tie leeft voort.

En ten slotte mijn chauffeur, meneer Ran, ook bekend als meneer Langzaam, die lijf en leden riskeerde door mij naar de graftombe van keizer Taizong te rijden, een plek zo afgelegen en verlaten, dat hij zijn keurige taxi een aantal malen moest inzetten als terreinwagen. Hij redde mij waarschijnlijk ook het leven door ervoor te zorgen dat ik bij het beklimmen van de Huashan de juiste schoenen droeg, en hij klaagde niet toen ik de graftombe van keizerin Wu persoonlijk wilde zien, waardoor hij pas erg laat aan zijn warme maaltijd toe kwam.

De vroege Tang-dynastie
(sterk vereenvoudigd)

Gaozu
keizer
566–635

Zhangsun Chengwei
(Wei-dynastie adel)

keizer Taizong = keizer Wende
599–649   600–635

Zhangsun Wuji
c. 599–659

anderen

Gaozong
keizer
628–683

Prince Cheng-qian
'de Turk'
619–644

Prinses
Gaoyang

WU ZHAO
KEIZERIN WU =
625–705

Prinses Anding
d. 654

Prins Xian*
654–684

Zhongzong
keizer
656–710 huwde
keizerin Wei

Ruizong
keizer
662–716

Taiping
(vredesprinses)
664–713

Prins Li Hong
653–675

Prins van Bin
672–741

Prinses Anle
684–710

Prins Chongmao
695–713

(twee oudere
zonen)

Xuanzong
keizer
685–762

Tang-dynastie
(tot 907)

Prins Chongfu
681–711

Prins Yide
682–701

Prinses
Yongtai
683–701

* Wordt verondersteld Helans zoon van Gaozong te zijn

Het geslacht Wu
(inclusief doodsoorzaak)

Wu Hua

Vrouwe Xiangli = Wu Shihou 577–635 = Vrouwe Yang 579–670

(andere dochter)

Helan* c. 621–c. 660 (vergif?)

Wu Zhao Keizerin Wu 625–705 (natuurlijke dood)

vere neven van Wu

Yuan Ching (sterft in ballingschap)

Yuan Shuang (sterft in ballingschap)

Guochu d. 666 (vergif)

Minzhi d. 670 ('suïcide')

Wu Yuji (executie) huwde prinses Taiping (2)

Sansi relatie met keizerin Wei

Chengsi d. 698 (natuurlijke dood)

Weilang (executie)

Yanxiu (moord) huwt Prinses Anle (2)

Yanji (suïcide) huwt Prinses Yongtai

Chengxun (moord) huwt Prinses Anle (1)

Huaiyun (executie)

Prins Chongfu 681–711 (executie)

Prins Yide 682–701 (executie)

Prins Li Hong 653–675 (vergif?)

Prinses Anding d. 654 (moord?)

Prins Xian* 654–684 (suïcide)

Zhongzong keizer 656–710 (vergif) huwt keizerin Wei

Ruizong keizer 662–716 (natuurlijke dood)

Prinses Taiping 664–713 (suïcide)

Prinses Yongtai 683–701 (executie)

Prinses Anle 684–710 (moord)

Prins Chongmao 695–713 (moord)

Xuanzong keizer 685–762

→ Tang-dynastie (tot 907)

* Wordt verondersteld Helans zoon van Gaozong te zijn

Inleiding: bloemen in de winter

Toen keizerin Wu in 705 n.Chr. overleed, werd ze bijgezet in het graf van haar tweede echtgenoot, keizer Gaozong. Hun gezamenlijke graftombe is de enige in de Chinese geschiedenis die de overblijfselen van twee keizerlijke heersers bevat. Hoewel de muren en gebouwen die deel van de dodenstad uitmaakten, allang zijn verdwenen, is de tombe zelf nog intact, tachtig kilometer ten noordwesten van de stad Xi'an.

De geografie van de regio is volledig doortrokken van de folklore over keizerin Wu. Het eerste wat de bezoeker ziet, is niet de tombe zelf, maar de twee heuvels aan weerszijden van de ingang, elk met een wachttoren oprijzend op de top. Volgens de plaatselijke legende herinnerden de heuvels Gaozong aan de borsten van de vrouw voor wie hij zijn keizerrijk riskeerde door met haar te trouwen – Chinese kaarten uit die tijd hadden het zuiden aan de bovenzijde, waardoor de plek leek op een uitnodigende vrouwelijke torso met uitgestrekte armen.

Tussen de twee heuvels vindt de bezoeker de lange Hemelse Weg, een anderhalve kilometer lang geplaveid pad dat leidt naar de tombe, geflankeerd door standbeelden van reusachtige, met zwaarden bewapende wachters, paarden en twee nogal uit de toon vallende struisvogels. Deze laatste figuren, een schenking van bondgenoten in Afghanistan, gemodelleerd naar de levende dieren, geven nog een aspect weer van het leven en werken van keizerin Wu en het toegenomen contact dat haar keizerrijk met vreemde mogendheden onderhield.[1]

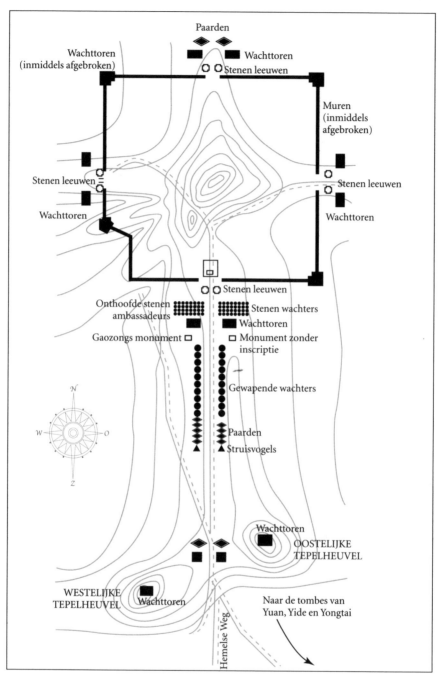

Het mausoleum van keizerin Wu

De tombe van Wu bevindt zich in een berg, met zo'n lange, steile klim naar de top, dat de plaatselijke middenstand een goedlopende pendeldienst met paarden en kamelen langs dit kronkelende bospad onderhoudt. Onder de top staan diverse rijen standbeelden, stuk voor stuk weergaven van de buitenlandse ambassadeurs die op audiëntie kwamen naar het hof van Wu en haar echtgenoot. In Wu's tijd onderhield China uitgebreide diplomatieke relaties en onthaalde het Perzische prinsen, joodse kooplui en Indiase en Tibetaanse missionarissen. In het verre Westen stuurden de laatste erfgenamen van het Romeinse Rijk ambassadeurs vanuit Constantinopel, terwijl veel van de Japanse kunst en architectuur voor een groot deel afhankelijk was van de contacten met de Tang-dynastie. Als vrouw van twee keizers en moeder van nog twee keizers stond keizerin Wu aan het hoofd van een gouden eeuw. Ze was ruim een decennium lang zelf de erkende heerser, de enige vrouw in de Chinese geschiedenis die in haar eigen naam heeft geregeerd. Bij haar dood plaatste het eerste edict van haar opvolger haar op een voetstuk voor haar 'wezenlijke intelligentie, perfecte deugd en diepe wijsheid... een leven van harde arbeid in het belang van de keizerlijke troon'.[2]

En toch zijn er bij de tombe van Wu aanwijzingen te vinden voor de schandalen die haar zo berucht maakten. Twee grote gedenkstenen staan bij de ingang, een voor elk van de daar rustende heersers. Aangezien Gaozong vóór haar stierf, schreef Wu zelf de tekst van zijn grafschrift, waarin ze zijn grote daden en nobele karakter prees. Haar eigen gedenksteen doemt op aan de andere kant van de Hemelse Weg, een indrukwekkende stenen plaat versierd met gebeeldhouwde draken. Dit was de plek waar Wu het eerbetoon van haar nazaten aan haar verwachtte; de levende god, heerser over alles onder de hemelen, de enige als zodanig erkende vrouw.

In plaats daarvan lieten de kinderen van keizerin Wu haar gedenksteen beangstigend leeg – voor zover bekend de enige keer in tweeduizend jaar keizerlijke geschiedenis dat dit is voorgekomen. Volgens de diplomatieke beschrijving in de hofarchieven was dit omdat woorden deze geweldige vrouw onmogelijk recht zouden kunnen doen. Tussen de regels proeft men echter andere, meer duistere motieven, zoals de verbittering en haat van de familie die zij had gedomineerd en van de troon hield.[3]

Op korte afstand vindt men de tombe van haar zoon en gedoodverfde opvolger prins Xian, die werd verbannen naar een verre provincie en later tot zelfmoord werd gedwongen. Ook de tombe van haar mooie kleindochter prinses Yongtai is daar te vinden. Daarop staat de leugen dat het zeventienjarige meisje stierf in het kraambed, terwijl ze in werkelijkheid werd terechtgesteld in de wereling van beschuldigingen en samenzweringen die deel uitmaakten van Wu's laatste jaren. Yongtai had een onuitsprekelijke misdaad begaan met haar jonge halfbroer, die ook werd gedood. Hun beider tombes werden pas gebouwd na de dood van keizerin Wu, alsof haar nabestaanden uit pure wrok hadden besloten om de zondigende kleinkinderen een laatste rustplaats binnen haar blikveld te geven.

De eeuwen hebben hun tol geëist, zoals bij vele andere graven uit die tijd, maar er hangt een sfeer van kwaadwilligheid tussen de ruïnes rond het graf van Wu. De beelden van de buitenlandse ambassadeurs zijn om onverklaarbare redenen onthoofd, verwoest door onbekende vandalen. Gedenkstenen in de gehele omgeving zijn verminkt door schatzoekers, in de hoop dat hun wrijfsels van de tekst in waarde zouden stijgen als de originelen waren vernield. Er is een gevoel dat er een verschrikkelijke vloek is verbonden met keizerin Wu en haar familie, die iedereen in hun omgeving met tragedie teistert. Gedurende haar leven werd de keizerin door zo veel geesten geplaagd, dat ze vele jaren doorbracht buiten de hoofdstad waar ze haar beruchtste wreedheden had begaan [in haar tijd was Chang'an, het huidige Xi'an, de hoofdstad, vert.]. Toen archeologen in de jaren zestig van de twintigste eeuw de graftombe van prinses Yongtai blootlegden, ontdekten ze dat de tragedie van de Tang-heersers zelfs tot voorbij het graf reikte. Gravers vonden de overblijfselen van een grafrover *in* de tombe, vermoord door zijn maten tijdens een ruzie om de buit.

Het leven van keizerin Wu stelt de historicus voor aanzienlijke problemen. Het is al moeilijk genoeg om in middeleeuwse biografieën waarheid van fictie te onderscheiden; zeker als het onderwerp zelf bewust een beleid van desinformatie voerde. Bijna alle bronnen voor de hofgeschiedenis van de vroege Tang-dynastie zijn officiële documenten, onderhevig aan vele verborgen agenda's; men dient voortdurend tussen de regels – en de leugens – door te lezen. De documenten die betrekking hebben op Wu's eigen bewind werden al vrij snel na haar dood bijeengebracht door een neef die de reputatie had een redactionele bemoeial te zijn, wat ertoe leidde dat hij tijdens een paleiscoup werd vermoord. Zijn versie van de feiten werd later herschreven onder leiding van een kleinzoon van Wu, wiens moeder naar alle waarschijnlijkheid een slachtoffer was van een van Wu's zuiveringen. Het gevolg hiervan is dat de Tang-dynastie zich de bezitter van twee versies van de dynastiehistorie mag noemen, het *Oude Boek van Tang* (*Jiu Tang Shu*) en het *Nieuwe Boek van Tang* (*Xin Tang Shu*), die het niet altijd eens zijn over de motieven en het gedrag van de belangrijkste personages.[4]

Als jonge vrouw was Wu een pion in de machtsstrijd van iemand anders, gebruikt om een eigenzinnige heerser te verleiden, wat de plank op spectaculaire wijze mis sloeg. Zij en allen die haar steunden vertelden de meest afgrijselijke leugens om haar eerste grote schandaal te verdoezelen – wat, in elk geval op papier, neerkwam op een incestueuze verhouding met haar eigen stiefzoon. In haar latere leven, toen het haar beter uit kwam om op te scheppen over haar omgang met twee eerdere keizers, gaf ze stilzwijgend toe dat een aantal van haar vroegere verklaringen was gebaseerd op valse bewijzen. Haar medestanders lieten haar zo goed mogelijk overkomen en keken bij haar indiscreties de andere kant op. Haar vijanden vermengden redelijke kritiek op haar activiteiten met verzonnen beweringen om haar af te schilderen als een duivel. Deze propaganda uit beide kampen heeft zich nog eeuwenlang voortgezet.

We weten zeker dat ze mooi was, in elk geval naar de normen van haar tijd. Concubine worden in het paleis stond gelijk aan het winnen van een schoonheidswedstrijd waaraan alleen de mooiste vrouwen van de middeleeuwse wereld deelnamen. Het is waar dat Wu's familie goede connecties had, en waarschijnlijk heeft een nicht het nodige gedaan om haar weg naar het paleis wat te effenen, maar desondanks ligt het niet voor de hand dat ze er gewoontjes uitzag. Beelden en portretten van de Tang-dynastie laten een voorkeur zien voor grote, ronde gezichten en voluptueuze maten; de Tang-mannen hadden een voorkeur voor stevige, weldoorvoede vrouwen. In haar latere leven pronkte keizerin Wu met een onderkin. In haar jeugd bezat ze genoeg charisma en allure om te bereiken dat een prins de wet overtrad. Ze was ook ijdel – Wu wist dat ze mooi was en hield er net als ieder ander van om naar zichzelf te kijken. Gedurende haar hele leven keek ze graag naar haar spiegelbeeld, vooral tijdens de geslachtsgemeenschap.[5]

Ze was slim. Er is maar weinig betrouwbare informatie over haar vroege jaren – een van de weinige overgebleven anekdotes is een hoogdravend en schalks verhaal over jeugdige naïviteit. Maar tegen de tijd dat ze de dertig was gepasseerd, had deze voorheen verdoemde concubine de touwtjes van de macht stevig in handen. Als de kwade tongen moeten worden geloofd, gebruikte ze de ziekte van haar tweede echtgenoot om in zijn naam over het keizerrijk te regeren – een beschuldiging die voeding geeft aan nieuwe schandalen. Al wordt Wu in de historische verhalen belachelijk gemaakt en gehekeld om haar gedragingen op latere leeftijd, als ze werkelijk de macht achter de troon was omstreeks 660, zoals haar vijanden beweren, dan moet ze ook voor een deel verantwoordelijk zijn geweest voor een van de hoogtepunten van de Tang-cultuur.

Ze was meedogenloos. De beginjaren bracht ze door als dienstmeisje en mogelijk bedgenote van een onbuigzame heerser, die zelf verantwoordelijk was voor de dood van zijn twee oudere broers en de troonsafstand van zijn eigen vader. Haar eerste echtgenoot, Taizong, was een man met een enorme ambitie, die bereid was de confuciaanse traditie op wrede wijze opzij te zetten en die de eer voor veel successen van zijn vader opeiste. Misschien zag hij iets van zichzelf in haar, misschien leerde ze haar strategieën van hem. In elk geval was ze in de bloei van haar leven letterlijk tot alles bereid en in staat om haar doel te bereiken. De verslagen van Wu's eigen klerken maken melding van martelingen van haar vijanden in het paleis, die leidden tot haar karakterisering als 'de verraderlijke vos' en een lange reeks vloeken en tegenvloeken. Haar vijanden beweren dat ze haar pasgeboren dochter wurgde, om een rivale in het paleis te kunnen beschuldigen. Haar verdedigers drijven de spot met zulke verhalen, maar moeten in plaats daarvan wel toegeven dat dit een vrouw was die de tragische wiegendood van haar kind om wist te zetten in haar eigen verraderlijke voordeel.

Ze was sterk. Al was het vrouwen verboden machtsposities te bekleden, toch lukte het haar om te heersen over de machtigste beschaving van de wereld. Hoewel haar vijanden haar beschuldigden van vriendjespolitiek en het vervolgen van rechtvaardige ministers, geven de bewijzen uit haar regeringsperiode een heel ander beeld. Het bestuur werd grotendeels uit handen genomen van ambtenaren die hun functie van vader op zoon overdroegen ten gunste van personen die egalitaire examens hadden afgelegd.

Ze was, voor haar tijd, seksueel geëmancipeerd. Ze was een van de vele concubines van haar echtgenoot, maar wist zich op de een of andere manier omhoog te werken. Een van de vreemdste verdachtmakingen tegen haar is dat ze bereid was tot een zekere seksuele daad die geen van de andere vrouwen wilde doen, waarmee ze zich geliefd maakte bij haar tweede echtgenoot en zo zijn medewerking verkreeg voor haar risicovolle ondernemingen. Niemand zou zich er ook maar een seconde druk over maken als een keizer meer dan één seksuele partner had (integendeel, het werd zelfs als een voorwaarde voor zijn goede gezondheid gezien dat hij meerdere concubines had). Wu was echter het onderwerp van aantijgingen omtrent haar relaties met monniken, ministers en adviseurs, niet alleen op middelbare leeftijd, maar zelfs toen ze al in de tachtig was.

Ergens tussen deze vele gezichten van keizerin Wu bevindt zich de ware persoon, maar het bewijs is door tijd en propaganda zo vertekend, dat de historicus niet veel meer kan doen dan het de lezer voor te leggen. Haar leven en tijdperk blijven controversieel als gevolg van de veranderingen die ze doormaakten en zeker ook stimuleerden. Een vreemde religie als het boeddhisme beleefde ten tijde van Wu een heropleving en stelde de Chinese rechtlijnigheid flink op de proef. Wu paste het boeddhisme aan aan haar eigen behoeften en gebruikte het om de Chinese staatsreligie, het confucianisme, en China's inheemse traditie, het taoïsme, uit te dagen. Ze gebruikte het vooral om de hardnekkigheid van het confucianisme te bestrijden dat het geen vrouw mocht of kon worden toegestaan om het keizerrijk te regeren.

Sinds de Oudheid bestond er in de Chinese politieke theorie vrees voor de officieuze, oncontroleerbare invloed die haremvrouwen konden uitoefenen op heersers. Een eeuwenoud volksverhaal, waarvan we ook een westerse variant kennen, vertelt van een Chinese heerser die de opdracht geeft om alarm te slaan om indruk te maken op zijn concubine, waarmee hij ervoor zorgt dat bij een werkelijke invasie niemand meer acht slaat op het alarm.

China's grootste wijsgeer, de beroemde Confucius, nam ooit ontslag van zijn positie in de regering vanwege de invloed van vrouwen, omdat hij vermoedde dat een groep nieuw aangekomen dansmeisjes vijandelijke agenten waren, die de opdracht hadden de geest van zijn heerser tegen hem te vergiftigen. Bij zijn vertrek citeerde hij een oud lied:

De tong van een vrouw
Kan een man zijn positie kosten
De woorden van een vrouw
Kunnen een man zijn hoofd kosten.[6]

Deze houding vond zijn weg tot in de *Bijbel der Geschiedenis* (*Chou Ching*), een educatief bedoelde kroniek over oude Chinese monarchen, die is toegeschreven aan Confucius. Zelfs al zijn de woorden niet van hem, de selectie was dit kennelijk wel, waarbij elk verhaal de nadruk legt op zaken die hij belangrijk vond. Een van de passages is een waarschuwing tegen het benoemen van vrouwen in gezaghebbende functies: 'De dageraad wordt niet door de hen aangekondigd, het kraaien van een hen in de morgen geeft de ontwrichting van het gezin aan.'[7]

Het confucianisme benadrukte de natuurlijke orde der dingen, een conservatief patriarchaat waarin kinderen hun ouders gehoorzaamden, vrouwen hun echtgenoten gehoorzaamden, jongeren de ouderen gehoorzaamden en onderdanen de regels naleefden. Als iedereen zich aan die ordening hield, dan was de wereld in harmonie en zou de kosmos gedijen. Maar Wu leefde in een tijd waarin vrouwen genoten van toenemende macht. De kortstondige troonsbestijging van de Sui-dynastie, een militaire aristocratie die sterke banden had met niet-Chinese volken, had een eind gemaakt aan eeuwen van onrust. Nadat de Sui van de troon waren gestoten door hun Tang-neven in een korte en bloedige burgeroorlog, werden velen van de oude aristocratie afgekocht met nieuwe banen in de regering of banden met de keizerlijke familie. Eenlettergrepige Chinese achternamen kregen in de keizerlijke archieven gezelschap van buitenlandse namen, zoals Zhangsun, aangezien de onterfde Sui-aristocratie zijn invloed uitoefende via de vrouwelijke familieleden – zonen mochten dan machteloos zijn, de dochters konden worden uitgehuwelijkt aan Tang-aristocraten.

Schandelijk genoeg weigerden vrouwen nog langer onzichtbaar te blijven. Een Tang-keizer klaagde dat velen van hen vreemde gewoonten aannamen, broeken droegen en paardreden, gevaarlijk korte sluiers droegen of helemáál geen sluiers, zoals de vrijere, meer onafhankelijke vrouwen van de Turkse stammen. Dichters zongen over de blauwogige meisjes in de herbergen van Chang'an en rechters introduceerden geldstraffen om huwelijken tussen verschillende rassen te ontmoedigen, in een tijd dat China's buitenlandse relaties niet slechts handel en diplomatie, maar ook migratie en vestiging inhielden.

Wu was de belichaming van de spanningen in de Chinese identiteit, een mix van de zuidelijke en oosterse agrarische volken met de nomadenstammen in het noorden en westen. Volgens de Chinese traditie waren vrouwen honkvast en gehoorzaam, een veronderstelling die geweld aan werd gedaan door de relatieve vrijheid die ze genoten onder de invloed van noordelijke heersers. Vrouwen van de noordelijke dynastieën werden gezien als vrijpostig: 'Het was de gewoonte dat vrouwen alle familiezaken regelden, gerechtigheid afdwongen en juridische geschillen oplosten, de machtigen bezochten en voorrechten losweekten. Ze vulden de straten met hun rijtuigen, bedelden om officiële posities voor hun zonen en dienden klachten in over onrecht dat hun echtgenoot was aangedaan.'[8]

Zulk gedrag paste slecht binnen de Chinese traditie, waar de plaats van de vrouw van oudsher de stille afzondering betekende. Confucius was niet de enige autoriteit die bepleitte dat vrouwen buiten de politiek moesten worden gehouden. Zijn waarschuwingen werden in feite vaak gebruikt om vrouwen de schuld te geven van problemen in latere dynastieën. De moeder van eerste Chinese keizer werd belachelijk gemaakt om haar schandelijke gedrag en zou zich tegen haar eigen zoon hebben gekeerd in de hoop hem te kunnen vervangen door een van de kinderen die ze in het geheim had met haar minnaar. Keizerin Lü, de matriarch van de Han-dynastie, werd eveneens opgevoerd als voorbeeld van de rampen die vrouwen over een dynastie konden uitstorten – ze trad op als regentes voor haar mentaal zwakke zoon en bij haar dood trachtte haar familie de troon te stelen van de rechtmatige heersers. Meer recentelijk werd er beweerd dat de ondergang van de Qing-dynastie was veroorzaakt door de vrouwen van een bepaalde stam uit Mantsjoerije, waarvan de laatste telg, de keizerin-douairière Cixi, verantwoordelijk zou zijn voor de ondergang van het Chinese rijk.

Wu overtrof hen echter allemaal, niet alleen in haar wapenfeiten maar ook met de haat die ze heeft losgemaakt bij historische commentatoren, en het ontzag dat ze schrijvers van fictie inboezemde. In de zestiende eeuw werd ze het onderwerp van een pornografische roman, *The Lord of Perfect Satisfaction*, een gedetailleerde weergave van haar latere jaren, inclusief haar liefde voor een weelderig geschapen jongeling, die ze naar men zegt tijdens haar gepassioneerde worstelingen 'pappa' noemde. In tegenstelling daarmee presenteert de negentiende-eeuwse roman *Flowers in the Mirror* haar als een onwaarschijnlijke icoon van de feministische revolutie – een doorgedraaide despoot die halsstarrig de bloemen der aarde beveelt om midden in de winter te bloeien. De hemelse bloemengeesten zijn zó bang voor Wu dat ze gehoorzamen, wat leidt tot hun verbanning uit de hemel en vervolgens tot hun betrokkenheid bij de wereldse opstand tegen haar, waarbij de bolwerken van Wijn, Gramschap, Seks en Rijkdom binnen haar leger worden vernietigd.[9]

In de twintigste eeuw leidden haar revolutionaire acties tegen de gevestigde orde, ongeacht haar methoden of motivatie, tot haar rehabilitatie onder communistische denkers. Wetenschappers prezen haar stellingname voor vrouwenemancipatie, haar weigering om te buigen voor de heersende klasse en haar bevordering van een egalitair examensysteem. Op zoveel lof van communisten volgde onmiddellijk een reactie van de republikeinse Chinezen, van wie één haar op de vierde plaats zette van de grootste massamoordenaars in de geschiedenis, slechts geklopt door Jozef Stalin, Mao Zedong en Dzjengis Khan.[10]

Iets in de jaren vijftig deed de belangstelling voor keizerin Wu opleven. Dit kan mede zijn bepaald doordat we, met dank aan de televisie, in 1952 een van de eerste wereldwijde media-evenementen zagen – de kroning van een vorstin in het Verenigd Koninkrijk. Kort daarna (1955) publiceerde Charles Patrick Fitzgerald *The Empress Wu* in Australië, en in 1968 de herziene versie in Canada. Door een victoriaanse voorkeur te herhalen dat de Tang-dynastie 'China's elizabethaanse tijdperk'[11] was en Wu de niet-zomaagdelijke koningin daarvan, won Fitzgerald de aandacht van een populair lezerspubliek dat met enthousiasme de verhalen over vrouwelijke heerschappij las. Maar ondanks de dramatische beloften van de flaptekst is de eruditie vlekkeloos, evenals het volgen van de primaire bronnen, die vlijtig van voetnoten zijn voorzien. Lin Yutang had voor *Lady Wu* (1957) eveneens gedegen onderzoek gedaan, maar voetnoten ontbraken en het werd aanlokkelijk gebracht als fictie, alsof het was verteld door Wu's kleinzoon. Het boek van Lin behelst om die reden verschillende *verhalen* over Wu die, ondanks het feit dat ze geen hoger waarheidsgehalte kunnen claimen dan de officiële kronieken, toch moeilijker te beoordelen zijn.

Toen de sukkelende voorzitter Mao in de jaren zeventig aan zijn ziekte bezweek, schoven de aanhangers van zijn gehate vrouw Jiang Qing het beeld naar voren van de loyale en plichtsgetrouwe echtgenote, die heerste in naam van haar man. Haar vijanden stookten uiteraard het vuurtje op door de schandalen en schendingen van Wu op te halen, waarmee het debat weer werd opgerakeld.[12] Sindsdien heeft Wu een bijrol gespeeld in verscheidene andere boeken; het enige belangrijke wetenschappelijk onderzoek in het Engels is het boek van Richard Guisso, *Wu Tse-T'ien and the Politics of Legitimation in T'ang China* (1978), een gedetailleerde analyse over hoe Wu en haar bondgenoten de macht in handen hielden.

Recentelijk zijn de enig belangrijke nieuwe studies over Wu alleen in andere talen dan het Engels verschenen – er is een ontmoedigende hoeveelheid boeken in het Chinees, maar ook is er het boek van Yasunori Kegasawa, *Sokuten Bukô* (1995) in het Japans. Veel moderne schrijvers over Wu zijn meer geïnteresseerd in haar fictieve aspecten, zowel in boeken van anderen, zoals in *Empress Wu Zetian in Fiction and in History: Female Defiance in Confucian China*, van Dora Dien, of in die van henzelf, zoals blijkt uit de talloze romans en drama's die vermeld zijn in Appendix I van dit boek.

Nu, aan het begin van de 21e eeuw, krijgt keizerin Wu een nieuwe rol toebedeeld. Als onderdeel van de rage in vrouwelijke ontboezemingslectuur tegen een oriëntaalse achtergrond, is ze zo ongeveer een middeleeuwse Chinese Assepoester geworden en wordt ze in boeken en televisieseries gepresenteerd als het arme verdwaalde meisje, de door de kroon gekozen bruid, wier prins op het witte paard haar op een scandaleuze manier de zijne maakt en vervolgens in de geest verlaat terwijl zijn lichaam nog leeft, waardoor zij alleen achterblijft om de dynastie te verdedigen tegen een aanval die wordt geleid door haar eigen familieleden. Haar lange leven leent zich uitstekend voor heroïsche televisie, haar tijdperk is een droomtijd van kostuums en mode en haar dilemma's zijn vaak pijnlijk tijdloos. Een recente parallel is waarschijnlijk de meest verbazende – een in 1996 in het Chinees uitgebrachte biografie over Hillary Clinton droeg de ondertitel: *Keizerin Wu in het Witte Huis*. Of je dit als een compliment moet beschouwen, hangt af van wat je over Wu gelooft.

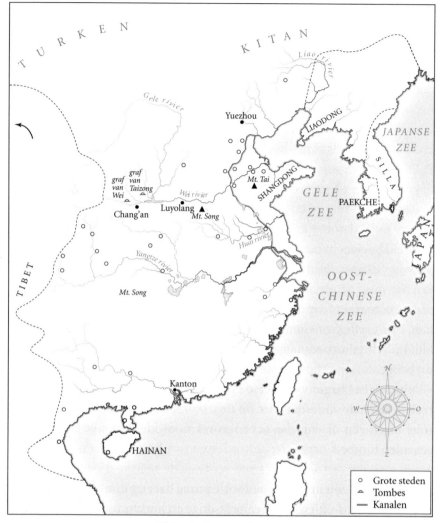

China in de zevende eeuw

EEN

De Poort van de Donkere Strijder

De bescheiden graftombe van Wu's eerste echtgenoot, Taizong, ligt op het Chinese platteland, ver van het graf van Wu. Om bij de tombe van Taizong te komen, moet je twee uur over een onverharde weg rijden, die zo hobbelig is dat de meeste moderne auto's eraan dreigen te bezwijken. Taizong bezat als keizer een vermaarde wijsheid en mysterieuze talenten; hij was een vooraanstaande militair, een geboren bestuurder en een meedogenloze politicus. Voor een man die het brein zou zijn achter een revolutie, een burgeroorlog en de stichting van een nieuwe keizerlijke dynastie, een man die zijn vader op de troon hielp en hem uiteindelijk ook weer afzette en die zijn beide broers vermoordde, is het wel een érg bescheiden tombe.[1]

In overleg met zijn ministers besloot Taizong dat zijn tombe zo simpel mogelijk moest zijn – hij wilde geen protserige architectonische hoogstandjes, maar een relatief klein tempelcomplex ter nagedachtenis aan hem.

GUO – LAND OF NATIE

Tijdens haar bewind heeft Wu meer dan tien nieuwe karakters aan de Chinese taal toegevoegd, soms om politieke redenen, soms ook in een opwelling. In dit geval veranderde ze het karakter voor 'natie'. Daarbij handhaafde ze het basisidee van een ingekaderd gebied, maar vulde ze het kader met het symbool voor haar eigen achternaam.

Deze beslissing was in harmonie met de oude leer van Confucius, die vaak tegen zijn leerlingen had gefulmineerd over de verspilling van overdadige en opzichtige begraafplaatsen.

De tombe lijkt op de man die erin te ruste is gelegd: eenvoudig en zonder franje. De beroemdste decoraties zijn de bas-reliëfs van Taizongs favoriete paarden. Ooit hadden zij de Poort van de Donkere Strijder (*Xuanwumen*) opgeluisterd, de noordelijke ingang van het paleis waar Taizong in zijn jeugd zijn beruchtste daad had gepleegd.

Onder de eerdere Sui-dynastie was de jonge Taizong de held geweest die zijn neef de keizer uit gevangenschap bevrijdde terwijl hij belagers met een zwaard op afstand hield. Later zou hij zijn eigen vader overhalen om tegen dezelfde heerser in opstand te komen. Dit leidde tot de val van de Sui en de stichting van de Tang.

Toen de Tang-dynastie werd gesticht, was Taizong nog geen twintig. Hij had dapper gevochten in de zuiveringsacties waarmee zijn vader zijn macht in heel China vestigde. De verhalen over zijn leven geven de indruk dat hij veel beter thuis was in het overbluffen van vijandige cavaleristen en boogschutters dan van zijn eigen familie. Zelfs op latere leeftijd waren er verhalen over hofdames die 'dansen' voor hem uitvoerden die verdacht veel weg hadden van artistieke versies van militaire exercities. Als middelste zoon was Taizong de gevaren van vredestijd gaan inzien toen hij tijdens een familiebanket opeens bloed ophoestte en besefte dat zijn oudste broer hem vergif had toegediend. Toen hij hersteld was van deze moordaanslag, verklaarde Taizong zijn broers de oorlog. Hij lokte ze in een hinderlaag bij de Poort van de Donkere Strijder en doodde de een met een pijl, om vervolgens met de ander een levensgevaarlijk gevecht van man tegen man aan te gaan. Dit gevecht was Taizong bijna fataal geworden, maar zijn trouwe luitenant Weichi Jingde kwam net op tijd tussenbeide en spietste de overgebleven broer aan de punt van zijn lans.

In de nasleep van dit incident wist de 27-jarige Taizong zijn vader te 'overtuigen' dat hij troonsafstand moest doen en volgde hij hem op. Zijn troonsbestijging luidde een van de hoogtepunten van keizerlijke beschaving in. Taizong was geen afstandelijke, wereldvreemde heerser, hij kende China goed, doordat hij persoonlijk om elke centimeter grondgebied had gevochten. Hij hechtte weinig waarde aan voortekenen en visioenen, en liet niet toe dat zijn ministers hem stoorden met gepraat over *feng shui* en ongunstige dagen.[2] In plaats daarvan eiste hij dat vertegenwoordigers van elke afdeling van zijn regering om beurten in een bijgebouw van zijn paleis sliepen, zodat hij zeker wist dat een bepaalde minister dag en nacht oproepbaar was, ongeacht of waarzeggers het uur 'ongunstig' noemden. Taizong had zich verzet tegen alle voorstellen om ceremoniën naar gunstiger uren en dagen te verplaatsen en geëist dat alles zo snel mogelijk werd volbracht. Sommige ministers en onderdanen vonden dat er een frisse wind door het paleis waaide; anderen meenden dat de keizer zijn trekken nog wel thuis zou krijgen.

Zo bestuurde Taizong het rijk de eerste tien jaar van zijn keizerschap. Naarmate hij ouder werd, viel zijn bestuurlijke regime hem steeds zwaarder en zocht hij vooral ontspanning in jagen en paardrijden. Hij werd ook bijgeloviger. Hij gaf opdracht om beeltenissen van zijn generaals Qin Qiong en Weichi Jingde, de man die zijn leven had gered, op zijn deur te laten bevestigen, om boze geesten weg te houden – dit wordt gezien als de eerste opleving van de 'deurgoden'-traditie die nog altijd bestaat.[3] Net als de oude keizers deed Taizong navraag over remedies om onsterfelijk te worden en naar kruidenaftreksels om langer potent te blijven. Nu hij minder vastbesloten was over alledaagse zaken, werd hij ook gevoeliger voor voortekenen en voorspellingen. Een ervan betrof een volkslegende. De legende voorspelde dat de Tang-dynastie na drie generaties onder vrouwelijke heerschappij zou komen te staan: de Oorlogskoning (*wu wang*). Zoals zo veel folklore is het een vaag verhaal. Waarom zou een vrouw een 'koning' zijn? Maar net als bij al het andere bijgeloof, zag de keizer al snel aanleiding om het te geloven.

Dagenlang bleef de planeet Venus na zonsopgang langer schijnen dan gebruikelijk en was overdag duidelijk zichtbaar. Ook dit werd gezien als een aanwijzing voor een vrouwelijke macht in de ascendant, en de belangrijkste astroloog van de keizer deed niets om de geruchten de kop in te drukken.

Tijdens een banket waarbij veel werd gedronken en het gesprek op koosnaampjes kwam, ontdekte de keizer dat een van de kapiteins van zijn paleiswacht als kind Wu Niang (Dochter Vijf) was genoemd. Het werd niet zo geschreven, maar het klonk wel zo, en het toeval zat Taizong niet lekker, al was het niet heel uitzonderlijk – zelfs nu krijgen Chinese jongens in hun vroege jeugd soms een meisjesnaam, om hen tegen vloeken te beschermen.⁴ Om de bange vermoedens van de keizer te sussen, werd de ongelukkige kapitein rap richting provincie afgevoerd, maar het kwaad was al geschied. Toen de verwarde, of door het gebeurde misschien geïnspireerde, soldaat de aandacht trok van plaatselijke waarzeggers, hoorde de keizer van zijn raadplegingen en liet hem terechtstellen wegens magische samenzwering.

Omdat hij bezorgd was, riep Taizong zijn belangrijkste astroloog naar zich toe en vroeg hem of het gevaar nu geweken was. De astroloog gaf een schokkend en gevaarlijk antwoord. Hij verkondigde namelijk dat de vrouw die de Oorlogskoning zou worden op dat moment al in het paleis woonde. Deze astroloog mocht dan alles van de sterren weten, maar van diplomatie kennelijk niets, en bij het horen van zijn opmerking kreeg de keizer, die wellicht net een slok nam, een gevaarlijke hoestbui.

Taizong heeft serieus overwogen alle vrouwen in zijn paleis te laten doden. De astroloog liet weten dat dit geen zin had, omdat je het lot nu eenmaal niet kunt afwenden. Als hij zulke drastische maatregelen nam zou hij alleen maar vele onschuldigen treffen, terwijl de Oorlogskoning de beulen zou weten te ontlopen. Hij waarschuwde de keizer alles bij het oude te laten. Hij wees erop dat als de gevaarlijke vrouw nu al leefde, ze vrij oud zou zijn tegen de tijd dat de termijn van de derde generatie in zicht kwam. Als rechtgeaarde taoïst adviseerde de grote astroloog dat helemaal niets doen het beste was: zelfs als de voorspellingen uitkwamen, zou de Oorlogskoning immers maar een paar jaar kunnen triomferen voordat ouderdom haar parten zou spelen. Als hij nu alle belangrijke kandidaten liet doden, zou er een nieuwe generatie opstaan om haar plaats in te nemen. Als de tijd daar was, zou zij net van middelbare leeftijd zijn en waarschijnlijk lang genoeg leven om de Tang-dynastie geheel te vernietigen.

Terwijl Taizong de astroloog wegstuurde, voelde hij dat de jaren telden, zelfs al was hij net in de veertig. Als de Oorlogskoning werkelijk aan de macht kwam, zou hij het in elk geval niet meer meemaken. Het zou wel een probleem kunnen zijn voor zijn trouwe zoon, die voor Taizong zorgde terwijl de keizer het bed hield. Taizong schikte zich in zijn lot en gaf zich over aan zijn nieuwe hobby. Als we de verhalen moeten geloven, kwam er ook een mooi tienermeisje aan te pas, dat hij de Verleidelijke Vleister noemde. Nu zijn gezondheid achteruitging en zijn hoofdvrouw al in het graf lag, had de ouder wordende keizer de Verleidelijke Vleister nodig om zich weer jong te voelen. Zijn verzwakking kan wellicht ook afgeleid worden uit het feit dat hij geen aandacht schonk aan haar echte naam: Wu.[5]

Het verhaal van de keizer en zijn belangrijkste astroloog werd bijna een eeuw later opgeschreven door familieleden en ouwe getrouwen van Wu zelf, die maar wat graag haar nagedachtenis op schrift stelden, haar mystieke eigenschappen opsomden en misschien zelfs toegaven dat sommige van haar latere acties de veiligheid van China in gevaar brachten. Het is dan ook niet ondenkbaar dat anekdotes zoals over Taizong en zijn belangrijkste astroloog op een middeleeuwse Chinese manier 'objectief' zijn in hun benadering van de gebeurtenissen – zowel Taizong als Wu hebben over China geheerst en alleen al daarom moest hun een zekere magische eer en achting worden verleend, zelfs als daarbij duidelijk werd dat hun rol in het grote geheel niet altijd volmaakt was. Het is interessant dat de voorspellingen met betrekking tot Wu's geboorte stuk voor stuk door de keizerin zelf werden ingegeven. Dat was toen zij op latere leeftijd met succes probeerde om zich op een unieke manier te onderscheiden: als de enige vrouw die China zowel in naam als in werkelijkheid als soeverein had geregeerd.

Voortekenen van de toekomst van Wu zouden zich al in haar eerste levensjaar hebben geopenbaard. In een oude put in de buurt van haar voorouderlijk huis was in haar vaders jeugd weer water gestroomd. In de jaren voor Wu's geboorte was de put opnieuw gevuld en in de daaropvolgende decennia werd de stroom zo groot dat er een nieuwe arm van een nabijgelegen rivier ontsprong. Dit fenomeen inspireerde in die tijd tot een populair liedje waar onder de meer de regel 'de put van Wu stroomt vol | daar moet een wijze uit oprijzen'.[6]

Haar ouders heetten Wu Shihou; een voormalige houthandelaar op leeftijd en zijn tweede echtgenote, Vrouwe Yang. Als de leeftijden echt kloppen met de werkelijke data, was hun huwelijk voor die tijd ongebruikelijk. Shihou had minstens twee zonen uit zijn eerste huwelijk en daarmee had hij al voldaan aan de vereisten van de confuciaanse leer, met erfgenamen die na zijn dood de offers aan de voorouders konden brengen en de familielijn konden voortzetten. Met het oog op het gebruik uit die tijd, en het feit dat plichtsbesef plaats kon maken voor eigen genoegens, zou je mogen verwachten dat Shihou een veel jongere vrouw zou hebben gezocht. Toch was Vrouwe Yang al 42, slechts twee jaar jonger dan haar man. Ze schonk hem nog drie dochters, Wu was de middelste; ze werd geboren in 625.[7]

Rond 627, toen Shihou werd benoemd tot gouverneur van de stad Lizhou, op de grens met Sichuan, werd de familie bezocht door een waarzegger. Hij was geen rondtrekkende bedrieger, maar een gerespecteerde gezichtenlezer. Hij heette Yuan Tian-gang en hij was op weg naar de hoofdstad, op verzoek van keizer Taizong zelf. Volgens de traditie, zowel in China zelf als in keizerlijke biografieën, was het niet ongewoon dat de waarzegger stopte bij de familie Wu – misschien logeerde hij zelfs bij de plaatselijke bestuurder, zoals een collega-dienaar van de keizer betaamt. Shihou riep zijn gezin bij elkaar voor een demonstratie, en Yuan was meteen geïnteresseerd in Vrouwe Yang.

'Het gezicht van deze dame,' zei hij, 'geeft aan dat zij een edel kind zal baren.'

Shihou zag zijn kans schoon om het talent van de waarzegger te toetsen en stelde hem voor aan de zonen uit zijn eerste huwelijk. Maar in plaats van verdere voorspellingen van grootse daden, kwam de waarzegger alleen met saaie voorspellingen: de jongens zouden provinciebestuurders worden, maar van grootse daden was geen sprake.

Daarna werd de waarzegger naar Wu's oudere zus Helan gebracht, die op dat moment tussen de drie en vijf jaar oud moest zijn.

'Dit meisje,' zei hij met verbluffend inzicht, tenzij het toe te schrijven is aan de wijsheid achteraf van de schrijver van deze anekdote, 'zal een eerzaam huwelijk sluiten, maar zal haar man geen eer bewijzen.'

Destijds ging de nog geen drie jaar oude Wu gekleed in jongenskleren en werd ze verzorgd door een kinderjuffrouw. De waarzegger liep naar de baby toe, maar merkte op dat het lastig is voor een gezichtenlezer om zijn vak uit te oefenen bij het samengeknepen gezichtje van een slapend kind. Toen hij haar van dichterbij bekeek, deed ze haar ogen open, waarna Yuan verbaasd uitriep:

'De gezichtsuitdrukking van een man. Het gelaat van een draak en de nek van een feniks; het doet denken aan dat van de [legendarische heerser] Fuxi – aanwijzingen voor een zeer befaamd individu.'

Zonder te beseffen dat het kind een dochtertje was, zei hij: 'Als dit een meisje was geweest, zou ze over het keizerrijk kunnen heersen.'[8]

Pakweg tien jaar later dienden zich bij keizer Taizong de voortekenen van dood en verval aan. Hij kreeg last van oude verwondingen en de oude dag viel hem zwaarder dan de meesten. Oorlogen aan de grens bleven hem zorgen baren. Hoewel hij China zelf vrede en welvaart had gebracht, piekerde hij over zijn kinderen. Over zijn oudste zoon, de gedoodverfde erfgenaam, werd gezegd dat hij homoseksueel was. Ook stak hij zijn voorliefde voor de zeden en gewoonten van China's Centraal-Aziatische vijand, de Turken, niet onder stoelen of banken.

Nadat hij in zijn jeugd in oorlogen had gevochten en grote veldslagen had geleverd, ontving Taizong in 630 een gezantschap vanuit het verre Japan, dat China erkende als het middelpunt van de wereld. Daarna begon hij zich minder als een sober en verstandig bestuurder te gedragen en meer als een extravagante despoot: hij liet mooie paleizen bouwen (waarvan hij er één in een opwelling weer liet slopen) en vermaakte zich met langdurige jachtpartijen. Verschillende keren verliet hij 's winters het paleis voor een bezoek aan het kuuroord bij de Berg van het Zwarte Paard, waar hij zijn pijnlijke botten baadde in de hete bronnen, bijgestaan door zijn jonge dienstmeisjes.[9]

Voor een actieve man die gewend was aan de chaos van veldslagen en bloedwraak, bleek de vrede een langzame en onvermijdelijke aftakeling in te houden. Taizongs vader, de stichter van de Tang-dynastie, die hij in 627 tot aftreden had gedwongen, overleed in 635 in een klooster. Ondertussen moest Taizong definitief afscheid nemen van de paarden die zijn jeugdvrienden waren geweest en de oorlogen hadden overleefd, iets wat hem mogelijk nog meer aan het hart ging. Paarse Storm, Rode Streep, Zwartgevlekte, Zwoegende Held en Witvoetige Raaf, dappere strijdrossen die hem de strijd in en uit hadden gereden en zelf de nodige littekens hadden opgelopen, bezweken uiteindelijk aan hun hoge leeftijd. De getroffen keizer liet verscheidene reliëfs van zijn geliefde paarden maken. Eén reliëf was van de eerder overleden Getaande Vuist, die onder hem ineen was gestort toen hij een generatie eerder tijdens een veldslag door negen pijlen was getroffen. De beeltenissen van de paarden kregen een ereplaats bij de Poort van de Donkere Strijder.[10]

Dit alles, leek het wel, was een weinig geslaagde poging om de keizer af te leiden van zijn echte verdriet. Zijn hoofdvrouw, keizerin Wende, een sterke capabele vrouw uit het geslacht Zhangsun, overleed in 636. Rouwend om het verlies van zijn vrouw en meer geneigd tot bijgeloof dan in zijn jonge jaren, zocht Taizong steeds vaker troost bij de jonge dienstmeisjes en concubines in het paleis. De hofdames waren vaak dochters van functionarissen of ministers in Taizongs regering. Zij waren maar wat blij hun dochters af te staan voor een dienstbetrekking in het paleis, in de ijdele hoop dat een van hen misschien de moeder zou worden van de troonopvolger – al werd er niet over gesproken, de toekomst van de Turkofiele kroonprins was uiterst onzeker.

Toen Wu op het paleis werd ontboden, besefte haar moeder hoe onwaarschijnlijk het was dat ze veel succes zou hebben. Taizong had al tal van bijvrouwen en concubines. Hoezeer de dood van de keizerin hem ook aan het hart ging, er waren voldoende anderen om hem af te leiden. Bovendien had hij inmiddels veertien zonen, zodat de behoefte aan een mannelijke erfgenaam uiterst gering was. Nog een zoon baren bood dus geen garantie voor een snelle carrière aan het hof.

Veel later werd door verschillende autoriteiten, onder wie Wu zelf, veel ophef gemaakt over haar aankomst aan het hof en haar onmiddellijke aantrekkingskracht op Taizong. De suggestie wordt gewekt dat Wu op haar dertiende zo'n buitengewoon mooie vrouw was dat ze meteen tot persoonlijke bediende van Taizong werd benoemd. In werkelijkheid verliep haar aankomst op het paleis onopvallend. Haar vader was een jaar eerder overleden, en Wu's aanstelling aan het hof kan zijn bewerkstelligd door haar moeder die er zeker van wilde zijn dat haar dochters goed terechtkwamen, en misschien ook om te voorkomen dat hun halfbroers hen slecht zouden behandelen. Rond die tijd werd Wu's oudere zus Helan uitgehuwelijkt aan een hoffunctionaris, waarmee beide oudste dochters onder dak waren en hun verweduwde moeder zich verder alleen hoefde te bekommeren om de jongste, die nog klein was.

Dit kan in Wu's voordeel hebben gewerkt. Een mooie jonge maagd, die bovendien rouwde om het recente verlies van een ouder, kan een beslissend moment langer de aandacht van Taizong hebben getrokken dan de andere meisjes. Het lijdt geen twijfel dat Taizong Wu bij ten minste één gelegenheid opmerkte, althans, lang genoeg om haar de bijnaam van Verleidelijke Vleister te geven. De bijnaam verwees naar een toentertijd populair liedje en hoeft niet te betekenen dat zij langer dan een paar minuten in zijn nabijheid was geweest. Want feitelijk stond Wu op een bijzonder lage positie in de hiërarchie van hofdames – ze was eerder een keukenmeid dan een prinses.

De hoogste rang onder de hofdames was die van keizerin; deze rang werd nu niet bekleed als eerbewijs aan Taizongs overleden vrouw. Traditiegetrouw was zij zijn enige 'echte' vrouw geweest, de moeder van zijn wettige erfgenamen. Vier bijvrouwen bekleedden de eerste klasse van de hofdames, ze stonden bekend als de Edele Vrouwe, de Pure Vrouwe, de Kuise Vrouwe en de Deugdzame Vrouwe. Als Taizong eens iets anders wilde, kon hij zich verpozen met de zes dames van de tweede klasse, de vrouwen van Glanzende Deugd, Stralende Pose, Gecultiveerde Schoonheid en soortgelijke beleefdheidstitels. Hieronder bevonden zich de negen Eleganten van de derde klasse en de negen Schoonheden van de vierde klasse. Als de keizer elke dag met een van zijn vrouwen zou slapen, zou hij alleen al voor de vier hoogste klassen vier weken nodig hebben. Als we rekening houden met absenties wegens zwangerschap, ziekte, menstruatie én met pure uitputting van de keizer, is het zeer onwaarschijnlijk dat hij erg veel tijd zou hebben voor de vijfde klasse, de negen Talenten, van wie Wu er één was. In theorie had hij nog drie lagere klassen vrouwen tot zijn beschikking, de 27 meisjes van de zesde (Schatten), zevende (Dames) en achtste klasse (Gehoorzamen).[11]

Maar de hofdames werden niet geacht hun ziel in lijdzaamheid te bezitten en als oosterse odalisken te zitten wachten tot Taizong genegen was hun zijn gunsten te verlenen. Dat maakte ongetwijfeld deel uit van hun functie, maar ze werden ook aan het werk gezet in het binnenste van het paleis, het ommuurde gedeelte waar de keizer als enig mannelijke bewoner werd verzorgd door een staf van eunuchs plus de 122 vrouwen.

We mogen aannemen dat de rol van de twee hoogste klassen vrouwen het best aansluit bij de vele westerse fantasieën over het Chinese hofleven, vooral bezig met hun eigen schoonheid, en misschien nog met andere vaardigheden op het gebied van zang, dans en slaapkamertechnieken, maar ook met politiek en schermutselingen met concurrentes uit dezelfde klasse.

De lagere rangen hadden meer vaste taken. De dagelijkse leiding was in handen van de eunuchs, die ook de keukens, de huishouding en het onderhoud van de paleistuinen onder hun hoede hadden. De vrouwen in de klasse van Wu, de Talenten, moesten officieel rekenschap afleggen bij de keizerin, maar aangezien zij was overleden, konden ze zich wellicht meer vrijheden veroorloven. Concreet waren de Talenten verantwoordelijk voor de voorraden beddengoed en ander linnengoed – ze waren kamermeisjes, een rol die hen vaak gemakkelijk met de keizer in contact bracht. Toch was de tiener Wu maar een van de vele meisjes die de oudere Taizong moesten bedienen. Merkwaardig genoeg is er maar één anekdote overgeleverd uit haar tijd als Talent. Het is echter wel een veelzeggende anekdote, aangezien het laat zien dat Wu niet zomaar in het paleis werkte, maar dat ze naast Taizong in een paddock stond en hem aan de praat kreeg over zijn grote liefhebberij, paarden. Wu vertelde zelf over dit staaltje van jeugdige overmoed:

> Toen ik Taizong bediende, had hij een schimmel die Shizicong (Gevlekte Leeuw) heette. Het was zo'n wild paard dat niemand hem kon temmen. Ik zei: 'Ik kan hem wel temmen, maar dan heb ik drie dingen nodig: een metalen zweep, een ijzeren staaf en een dolk. Ik zal hem zweepslagen geven. Als dat niet werkt, zal ik hem met de staaf in zijn hals slaan. En als dat niet werkt, zal ik met de dolk zijn keel doorsnijden.' Taizong bewonderde mijn pit.[12]

Taizong zal ongetwijfeld hebben gegrinnikt om de onverholen eigenzinnige, kwaadaardige houding van zijn dienstmeisje, die een hofdame niet betaamde, al zal het de ouder wordende keizer ook wel wat uitdagend zijn voorgekomen. Het is een fascinerend voorbeeld, aangezien het niet alleen een idee geeft van hoe Wu zich mogelijk tegenover de keizer heeft gedragen, maar ook impliceert dat zij, zelfs op jonge leeftijd, voldoende charisma had om dit soort streken te kunnen uithalen. Als we kijken naar de carrière van Wu in de daaropvolgende jaren, krijgen we de indruk dat haar karakter haar slechts sporadisch in het keizerlijke bed deed belanden, maar dat ze vooral dankzij de andere vrouwen hogerop kwam.

Wu zou in een vrij lage en onbelangrijke positie zijn blijven steken als er rond Taizongs kinderen niet een hele serie schandalen was losgebarsten. Prins Cheng-qian, de oudste zoon van de keizer en de overleden keizerin, had aan het hof al bevreemding gewekt door enkele van de klederdrachten en gewoonten over te nemen van de barbaarse Turken ten westen van de Chinese grens. Hoewel de keizerlijke familie nog aardig wat Turks bloed had – Taizong zelf had een Tartaarse grootmoeder en keizerin Wende had banden met Centraal-Azië – werd Cheng-qians gedrag als onbehoorlijk beschouwd, zeker gezien de voortdurende staat van oorlog tussen beide volken.

Toen prins Cheng-qian nog maar acht jaar was, was zijn vader tot keizer gekroond. Hij zou les moeten krijgen in onderwerpen die belangrijk werden geacht voor een troonopvolger, maar hij haalde uit naar zijn leraren en toonde zich onverschillig voor de Chinese cultuur. Vanwege een complicatie bij zijn geboorte of een niet nader gespecificeerde verwonding trok hij met één been en was hij al op jonge leeftijd verschoond van hofceremoniën. Naarmate hij ouder werd, verkoos de manke prins paardrijden boven de meer edele bezigheden – waarschijnlijk omdat zijn handicap op de rug van een paard minder opviel. Zijn puberale tegendraadsheid uitte zich in een uitgesproken interesse in alles wat Turks was. Prins Cheng-qian, die paleisrituelen onverdraaglijk saai vond, schepte graag op over zijn interesse in het eenvoudige steppeleven. Hij omringde zich met volgelingen van Turkse afkomst en kampeerde in geïmproviseerde tenten op het paleisterrein, roosterde schapen aan het spit en at het vlees van de punt van zijn mes. De opstandige prins wilde alleen naar Turkse muziek luisteren, danste Turkse dansen en nam het nomadische besef van mijn en dijn over toen hij zijn vriendjes de stad in stuurde om de levende have van de burgers van Chang'an te stelen. Hij snoefde zelfs dat hij na zijn troonsopvolging direct naar Centraal-Azië zou vertrekken, om daar te jagen, paard te rijden en een zorgeloos leven te leiden, net zoals zijn voorouders hadden gedaan.[13]

Uiteindelijk verloor zijn leraar zijn geduld en barstte uit in een lange tirade over verantwoordelijkheden die de prins nors over zich heen liet komen. Aangezien hij hem niet zelf mocht straffen, was de leraar aangewezen op verbaal geweld. Wellicht waren protocol of fatsoen niet de belangrijkste overwegingen van de leraar. De prins had zijn status er puur aan te danken dat hij de oudste zoon was van keizerin Wende. Hij had een oudere broer, de zoon van een gewone concubine, die in rap tempo aantrekkelijker werd als troonopvolger – niet alleen omdat hij deed wat hem gezegd werd, maar ook omdat Cheng-qian zelf vaak de indruk gaf dat hij veel liever naar een afgelegen grenspost verbannen wilde worden. De Tang-dynastie zat er bepaald niet op te wachten dat de keizerlijke familie de aandacht vestigde op haar niet-Chinese bloedverwanten, en Cheng-qians barbaarse tentenkamp was een ramp voor hun reputatie. Er gingen al stemmen op om Cheng-qian te laten vervangen. Dat alles zou uiterma-te nadelig zijn voor zijn leraar, die plichtsgetrouw tien jaar van zijn leven had gewijd aan de opleiding van de toekomstige keizer, enigszins overeind gehouden door de hoop dat zijn dankbare leerling hem een hoge minis-terspost zou bezorgen als hij eenmaal op de troon zat. Als Cheng-qian werd gedegradeerd, zou al zijn moeite letterlijk voor niets zijn geweest.

Een edele leerling zou zijn verontschuldigingen hebben aangeboden en beterschap hebben beloofd. In plaats daarvan stormde de prins nijdig weg en gaf vervolgens twee van zijn 'Turkse' volgelingen opdracht om bij de le-raar in te breken en hem te vermoorden. Dit werd echter pas achteraf be-kend, aangezien zelfs de handlangers van de prins hun missie niet aan-durfden en het complot onopgemerkt bleef.

Uit wanhoop benoemde Taizong een nieuwe leraar voor de jongen. Hij koos een minister die zijn faam aan het hof te danken had aan de onbe-vreesde bereidwilligheid om met de keizer in discussie te gaan als hij dacht dat hij een vergissing beging. Hoewel de oude man kort daarop een na-tuurlijke dood stierf, leek de prins te veranderen. Alsof hij eindelijk be-greep wat er op het spel stond, begon hij zich aan het hof meer als een troonopvolger te gedragen. Maar in zijn eigen vertrekken leidde hij nog steeds zijn steppeleventje, sprak hij Turks met zijn volgelingen en hield hij binnen de beperkingen van het paleis zo veel mogelijk aan zijn nomadi-sche levenswijze vast. Toen een hoffunctionaris hem op zijn vreemde ge-drag aansprak, werd hij getroffen door een prinselijke vuist.

Zijn vreemdste bezigheid was wel het spel dat hij 'Begrafenis van de Khan' noemde. Dan ging de prins gestrekt op de grond liggen en deed als-of hij dood was, terwijl zijn volgelingen om hem heen reden en kreten van rouw slaakten. Met zijn jongere broer, prins Han, zette hij zogenaamde ge-vechten tussen zijn volgelingen in scène en mijmerden beide broers tegen elkaar hoe leuk ze het zouden hebben als Cheng-qian keizer werd en ze hele legers bij gladiatorengevechten konden inzetten.

Vanaf het jaar 643, toen Taizong hoorde dat zijn zoon ook nog een pe-derast was, ging het bergafwaarts met Cheng-qian. Cheng-qian was ver-liefd geworden op een dertienjarig dansertje en was een homoseksuele re-latie met hem aangegaan. Taizong gaf opdracht het jongetje terecht te stellen, in de hoop dat Cheng-qian van schrik weer in het gareel zou komen. In plaats daarvan zwoer de prins wraak op zijn vader. Hij weigerde nog aan het hof te verschijnen en bracht zijn dagen door met het vereren van een beeld van zijn dode vriendje. Bovendien ging hij op zoek naar medestanders in zijn complot om zijn vader te vermoorden.

Zijn jongere broer, die af en toe de gladiatorengevechten met hem opzette, beloofde mee te doen als hij seks mocht hebben met iedere, mannelijke of vrouwelijke, musicus en danser in het paleis. Andere samenzweerders eisten heel wat minder bizarre beloningen en toezeggingen, maar het duurde niet lang voordat prins Cheng-qian een in ongenade gevallen generaal, enkele misnoegde edelen en andere volgelingen om zich heen had verzameld, die bereid waren hun leven op het spel te zetten voor een keizermoord.

Op militair advies van de generaal besloten ze dat een regelrechte aanval op het paleis, zoals de aanval die Taizong de overwinning had bezorgd bij de Poort van de Donkere Strijder, nooit zou werken, gezien de vele paleiswachten. In plaats daarvan besloten ze dat prins Cheng-qian zou doen alsof hij ziek was, in de hoop dat Taizong hem zou bezoeken, zodat de samenzweerders de gelegenheid kregen de oude keizer dood te steken.

Het plan van prins Cheng-qian kwam echter nooit van de grond. Hij werd overtroefd door een *tweede* prinselijk complot. Want terwijl Cheng-qian en zijn makkers hun aanslag beraamden, bereidde een van Taizongs andere kinderen zijn eigen putsch voor.

Prins Zhi was officieel bestuurder op het oostelijk gelegen schiereiland Shandong. Hoewel hij nog erg jong was, had zijn aanstelling meer weg van een praktijkscholing – zijn leraren regeerden in zijn naam en overlegden met hem over bestuurlijke kwesties. Dankzij deze regeling had prins Zhi alle tijd om nieuwe vrienden te maken, vrienden van laag allooi. Zo hielp een oom van moederszijde hem eraan herinneren dat, net zoals Taizong als winnaar uit een bittere en dodelijke broedertwist was gekomen, het misschien niet lang meer zou duren voordat ook Taizongs zonen elkaar naar de keel zouden vliegen.

Zhi's leraar kwam erachter dat de prins actief mannen wierf voor een persoonlijke militie. Misschien was dat puur uit zelfverdediging, maar voor de zoon van een keizer gaf het geen pas een privéleger op te richten. Niet alleen stuurde de leraar een verslag aan Taizong, hij reisde zelfs terug naar de hoofdstad. Schijnbaar was dit om een goed woordje voor Zhi te doen, maar feitelijk om er bij de keizer op aan te dringen dat hij zijn nukkige zoon strenger zou straffen. Prins Zhi was diep beledigd om het gedrag van zijn leraar en liet hem kort daarop vermoorden. Intussen had de leraar de keizer echter al wel geschreven dat hij vreesde voor zijn leven. Vervolgens werd een tweede functionaris uit Zhi's hofstoet dood aangetroffen. Blijkbaar was hij vermoord omdat hij weigerde mee te werken aan de terechtstelling van zijn collega.

Daarmee was prins Zhi te ver gegaan. Hij besefte dat het slechts een kwestie van tijd was voordat berichten over zijn misstappen de hoofdstad zouden bereiken en hij zou worden ontslagen. Hij moest kiezen tussen vluchten of vechten en koos voor het laatste: nog voordat zijn vader zijn woede op hem kon koelen, deed hij een oproep tot een grootscheepse opstand tegen de keizerlijke troon. Hoewel prins Zhi's commandopost korte tijd werd belegerd, was zijn revolutie snel voorbij, dankzij de zeer vlotte aanvoer van regeringstroepen en de weigering van een groot deel van zijn eigen mannen om hem te steunen. De armzalige vertoning eindigde met een impasse in Zhi's brandende ambtswoning, waar hij zich noodgedwongen moest overgeven. Hij werd teruggestuurd naar de hoofdstad en de meesten van zijn volgelingen vonden de dood.

De zaak werd op de spits gedreven toen een van prins Zhi's medestanders tijdens de ondervragingen in Chang'an besloot al zijn misdaden en contacten op te biechten in ruil voor strafvermindering. Deze opmerkelijke persoon bleek betrokken te zijn bij beide complotten tegen Taizong. Toen hij zijn bondgenoten het complot van prins Zhi onthulde, tipte hij de ondervragers per ongeluk ook over prins Cheng-qians snode plannen.[14]

Taizong was diep geschokt, al had de gang van zaken hem gezien zijn persoonlijke geschiedenis niet echt mogen verbazen. De bekentenis leidde tot een serie zuiveringen en verbanningen die de keizerlijke familie decimeerde. Sommigen, zoals prins Han, kregen de gelegenheid om in hun eigen vertrekken zelfmoord te plegen. Anderen, zoals prins Cheng-qian, werden naar de verste uithoeken van het keizerrijk verbannen om zonder titel en positie aan de grens weg te kwijnen. De meeste prinsen waren zo verwend dat ze in die afgelegen buitenposten, ver van de beschaving, binnen een paar jaar overleden.

In totaal maakte de crisis een einde aan de carrière van vier prinsen en tientallen volgelingen. Taizong verloor een van zijn oudste vrienden. Deze werd snikkend weggevoerd, nadat de keizer hem de gelegenheid had gegund op de dag van zijn dood afscheid te nemen. Voor de Verleidelijke Vleister Wu betekende de crisis dat er een groot aantal concubines en dienstmaagden uit het binnenste van het paleis verdween. In een zeldzaam vertoon van genade kon Taizong zich er niet toe zetten de vrouwen te doden, zoals anderen zouden hebben gedaan, maar hij liet hen wel verbannen.

We zullen nooit weten welke rivaliteiten verborgen bleven, welke vetes nooit ontkiemden en welke strijd om de gunst zou zijn losgebarsten als deze vrouwen niet waren weggestuurd. In de nasleep van de prinselijke samenzweringen maakten de meest onverwachte personen razendsnel promotie. Bovendien ontstond er onder de oude garde een conservatief reveil toen Taizong en zijn ministers zich zorgen maakten dat de Tang-dynastie als een aanfluiting werd gezien. Het was tijd, besloten ze, dat de Tang-dynastie zich profileerde als een militair onoverwinnelijke en intern stabiele grootmacht, opdat schatplichtigen China zouden blijven respecteren en mogelijke vijanden het zouden blijven vrezen. Het was tijd voor oorlog.

TWEE

De gunst van regen en mist

Toen de prinsen hun complotten smeedden, was de Verleidelijke Vleister Wu nog maar zeventien jaar en vervulde ze ergens in het paleis haar plichten. De officiële biografieën over Wu vermelden niet veel over de tijd voordat ze begin twintig was, maar het is aannemelijk dat ze de onthulling van de samenzweringen en de schokkende nasleep ervan heeft meegemaakt. Ze speelde geen rol in de Turkse fratsen van de prins en evenmin was ze in de buurt toen de opstand in Shandong mislukte. Waarschijnlijk was het de laatste keer in haar leven dat ze werd omgeven door samenzweringen en intriges zonder er actief aan deel te nemen.

Op latere leeftijd zwakte Wu zelf haar rol aan het hof in die beginjaren opzettelijk af, om afstand te nemen van Taizong. Het vermoeden van een seksuele relatie met de vader zou haar huwelijk met de zoon erg moeilijk maken. Daardoor is het lastig om haar status rond 640 vast te stellen. Op zich is het heel wel mogelijk dat ze nog steeds een gewoon dienstmeisje was, een van de vele tientallen die Taizong verzorgden.

XING – STER
De eenvoudigste schrifthervorming van Wu betrof het woord 'Ster',
dat ze verving door een simpele cirkel.

Aangenomen dat deze legendarische schoonheid toen ook op haar aantrekkelijkst zal zijn geweest, ligt het voor de hand dat ze toch zeker bij een aantal gelegenheden intiem was met Taizong. Voor Wu's latere carrière was het belangrijker dat ze als een beeldschoon meisje in dezelfde tijd in het paleis woonde als Gaozong, de jongen die kort daarna als erfgenaam zou worden aangewezen.

Taizong had verscheidene oudere zonen, maar Gaozong was de enige zoon van keizerin Wende en dat maakte hem in de ogen van een aantal ministers tot een geschikte kandidaat. Een van die ministers was zijn oom van moederszijde, Zhangsun Wuji, die de jongen als zijn laatste middel zag om ook in de toekomst invloed aan het hof uit te blijven oefenen. Om die reden werd Gaozong krachtig gesteund door Taizongs naaste raadgevers, zelfs al leken verscheidene tegenkandidaten op papier een betere keus.

Prins Gaozong was geboren nadat zijn vader de troon had bestegen, en hij was in grote luxe grootgebracht in het paleis. Aanvankelijk maakte hij echter weinig kans op de troon te komen. Hij was overigens nog maar een tiener, niet ouder dan vijftien jaar. Hij was sterk getraumatiseerd doordat zijn moeder was gestorven toen hij nog klein was en hij geloofde – misschien was hem dat wijsgemaakt – dat hij er op een of andere manier verantwoordelijk voor was. Zeer tegen de heersende gewoonte in was hij nooit weggehaald uit het 'binnenste paleis' waar alleen vrouwen en eunuchs woonden. Dit had misschien te maken met bezorgdheid om zijn verdriet, of misschien was het omdat hij echt Taizongs nieuwe favoriet was. Zijn vader was dol op hem en lijkt hem bij zich in de buurt te hebben gehouden. Hoewel het in Chinese historische bronnen niet expliciet wordt vermeld, ligt het voor de hand dat de jonge Gaozong overal mocht komen. De Verleidelijke Vleister moet hem dus wel zijn opgevallen en misschien was hij verliefd op het mooie meisje, dat een paar jaar ouder was dan hij.

Gaozong was een verlegen prins; volgens de overlevering heeft hij zich alleen verzet, op zijn vijftiende of zestiende, toen zijn vader een paar concubines voor hem uitzocht. Hij kon waarschijnlijk niet goed opschieten met zijn hoofdvrouw (de latere keizerin Wang), een door de ministers goedgekeurde keuze. Veel beter kon hij overweg met Xiao Liangdi, een mooi meisje uit het zuiden, bleek, fragiel en veel beschaafder dan haar nieuwe 'vriendinnen' uit het noorden. Het lukte haar de prins het hoofd op hol te brengen. Toen ze beviel van hun eerste kind, kwam Taizong hoogstpersoonlijk naar het oostelijke paleis om dit heuglijke feit te vieren en stapte hij zelfs de dansvloer op.[1]

Maar Taizong gaf zich nog maar zelden over aan dergelijke zorgeloze feestvreugde. Hij kon absoluut niet tegen de achterbaksheid van het hofleven en begon naarmate hij ouder werd steeds meer te verlangen naar het eenvoudige soldatenleven uit zijn jeugd, toen zijn vijanden nog duidelijk herkenbaar en fysiek benaderbaar waren.

Toen Gaozong in 643 tot troonopvolger werd benoemd, planden Taizong en zijn naaste raadgevers een nieuwe militaire operatie om hun gloriedagen te doen herleven. Ze hadden bericht gekregen over een bloedige opstand in het aangrenzende koninkrijk Koguryo (Korea), waar een minister zijn koning had vermoord en een stroman op de troon had geïnstalleerd. Koguryo dreigde nu zijn eigen zuidelijke buurlanden, de Koreaanse koninkrijken Silla en Paekche, binnen te vallen, en dat gaf Taizong het excuus voor een inval.

Taizongs redenen om Korea binnen te vallen hadden weinig te maken met zijn verdrag met Paekche. Zijn werkelijke motivatie lag in het verleden, bij de ondergang van de Sui-dynastie die aan de Tang vooraf was gegaan. Taizongs neef, een van de laatste Sui-heersers, had de krachten van zijn rijk uitgeput met een mislukte aanval op Koguryo. Als Taizong zou slagen waar zijn familieleden hadden gefaald, zou dit de recente tegenslagen ruimschoots compenseren. Vriend en vijand zou een overwinning zien als verder bewijs dat de jonge Tang-dynastie nog steeds even krijgshaftig was

Taizong plande een tweefrontenaanval. De meeste mannen zouden via de lange noordelijke kustroute naar Korea marcheren. Ze zouden de rivier Liao oversteken naar het betwiste schiereiland Liaodong. Daarna zouden ze de rivier Yalu oversteken en recht tegenover de forten aan de grens van Koguryo uitkomen. Ondertussen zou een tweede strijdmacht, bestaande uit een zeevloot van vijfhonderd transportschepen, de Gele Zee oversteken en achter de forten landen voordat het leger er was. Ze zouden gevaarlijk dicht bij de Koreaanse hoofdstad Pyongyang uitkomen. Taizong hoopte dat de verdedigingsmacht in paniek zou raken en een deel van het zuidelijke invasieleger zou terugtrekken om de hoofdstad te verdedigen. Dat zou de bewoners van Paekche de kans geven voor een hergroepering en een tegenaanval in te zetten.[2]

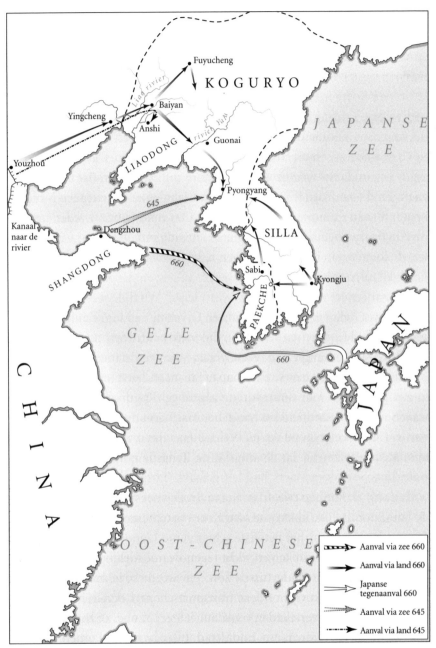

De inval in Korea

De eerste aanval bestond feitelijk uit het nieuws over de voorbereidingen, dat zo angstaanjagend was dat de regering van Koguryo ambassadeurs stuurde om Taizong geld te bieden als hij maar van de inval afzag. Taizong was niet bijster geïnteresseerd in het smeergeld; hij wilde als eerste Chinese heerser Korea inlijven. Hij weigerde het Koreaanse aanbod zelfs maar te overwegen. Taizong hoefde zelf niet met de troepen mee. De frontlinie lag op zo'n 1600 kilometer afstand van zijn hoofdstad en noch de zeeroute, noch de mars over land zou gemakkelijk voor hem zijn. Desondanks kondigde hij, ondanks felle protesten van zijn ministers, aan dat hij mee zou gaan. Eind 644 droeg hij het bestuur over aan enkele vertrouwelingen en begon hij aan de lange reis naar de kust. Om een of andere reden besloot hij zijn pas benoemde troonopvolger Gaozong mee te nemen – misschien om de jongen aan het soldatenleven te laten ruiken, of om hem voor andere valkuilen te behoeden.

Niemand weet waar de Verleidelijke Vleister Wu tijdens deze voorbereidingen was. Zeker is wel dat Taizong en Gaozong een flinke entourage van bewakers, volgelingen en waarschijnlijk ook bedienden meenamen naar het front. Het slagveld was geen plaats voor een dame, maar Taizong stormde ook niet meteen te paard op het front af. Eerst reisde hij, mogelijk in het gezelschap van uitverkoren volgelingen en dienstmaagden, oostwaarts naar de metropool Luoyang, het machtscentrum van de vorige dynastie. Het is veelzeggend dat hij besloot daar zijn plannen met Korea af te kondigen, waarbij hij opschepte dat de Tang-dynastie zou overwinnen waar hun Sui-voorgangers hadden gefaald. Taizong rechtvaardigde zijn oorlog met de koningsmoord in Korea. In de voormalige machtszetel van de Sui-dynastie kon hij het niet laten zijn voorgangers te bespotten:

Ik sta op het punt om te vertrekken naar de noordelijke grens om het land aan de andere kant van de Liao [rivier] recht te doen wedervaren. Het leger zal noch verliezen lijden, noch zal het zich hoeven inspannen. Zij die vertellen hoe [de Sui-keizer] Yangdi in het verleden even wreed als vergeefs zijn soldaten opofferde, moeten weten dat de koning van Korea een rechtvaardige vorst was, die van zijn volk hield. Toen hun natie saamhorig en vredig was, kon een meedogenloos invasieleger niet van hen winnen.[3]

Nu, betoogde Taizong, lagen de zaken wel anders. Nadat hij de winter in Luoyang had doorgebracht, liet hij enkele hovelingen achter en reisde in een hoger tempo naar het noordoosten. In Dingzhou, dicht bij het huidige Beijing, liet Taizong de rest van zijn entourage achter, onder wie kroonprins Gaozong en de overgebleven hovelingen. Als de Verleidelijke Vleister Wu van de partij was geweest, zou ook zij hier zijn achtergebleven, terwijl Taizong met enkele cavalerietroepen naar het oosten galoppeerde. Taizong was trouwens niet de enige oude soldaat die zijn glorie herbeleefde, zo ging hij vergezeld van zijn zwager en vriend, minister Zhangsun Wuji.

Tegen de tijd dat Taizong de Liao-rivier bereikte, had zijn voorhoede al de grootste risico's voor hem genomen. Zijn generaal Li Shiji stak de Liao verder in het noorden over dan de Koreanen hadden verwacht. Hij was bij Kaemosong door 150 kilometer brede grensversterkingen gebroken en had na een belegering van elf dagen de grensplaats ingenomen. Hiermee was het schiereiland Liaodong van Korea afgesneden en had het Chinese leger weinig te vrezen van troepenversterkingen vanuit het zuidoosten. Door toeval of met opzet bereikte Taizong zijn troepen pas nadat ze naar het fort Oost Liao waren getrokken, waar zijn voorgangers waren verslagen. Li Shiji overmeesterde een leger van veertigduizend man en belegerde Oost Liao, waarna hij plichtsgetrouw wachtte tot Taizong in de tweede week van juni arriveerde.

Nu hij de triomf van de Tang persoonlijk kon bijwonen, gaf Taizong opdracht de zuidwestelijke toren van Oost Liao te beschieten met brandende pijlen. Doordat het hard waaide, laaide het vuur fel op. Dit hield de Koreanen zo bezig dat de Tang-troepen ongestoord de muren konden innemen. Nu hij naam had gemaakt als de man die had bereikt wat de Sui niet was gelukt, trok Taizong oostwaarts naar Baiyan, dat zich onmiddellijk overgaf. Verscheidene andere steden en forten capituleerden zodra Taizong naderde. Dit wekte bij hem de hoop dat de Koreaanse burgers uit irritatie over de machtsgreep van hun minister de Chinezen als bevrijders zouden verwelkomen. Zijn manschappen, die hadden gehoopt de steden te kunnen plunderen voor eigen gewin, waren minder onder de indruk. Ze draaiden pas bij toen Taizong beloofde hen uit eigen middelen te compenseren.

Verder naar het zuiden lokte Taizong een tweede Koreaans leger in een hinderlaag en belegerde Anshi, de laatste belangrijke stad in de regio. In een vrij opschepperige brief aan Gaozong schreef hij: 'Wat verwacht je ook anders, met mij als legeraanvoerder?'[4]

Taizongs raadslieden verwachtten echter nog wel wat meer. Toen de belegering van Anshi maar voortduurde, drongen ze er bij hem op aan boven de stad langs te trekken en door te stoten, terwijl het nieuws van zijn eerste snelle overwinningen paniek veroorzaakte op het platteland en de Koreanen in het zuiden nog ongeorganiseerd en bang waren. Maar Taizong bleef op zijn hoede voor een te grote verspreiding van zijn troepenmacht. Veronachtzaming van de achterhoede had immers de kansen van zijn voorganger verpest: nadat het een Sui-leger niet was gelukt om Pyongyang in te nemen, was het bij terugtrekking in de problemen geraakt. Weersomstandigheden en bevoorrading werden ook een steeds grotere zorg. Taizongs invasieleger was relatief klein, maar evengoed had het voor de mannen en paarden enorme voorraden nodig. De belegering van Anshi sleepte zich twee maanden voort, waarna Taizong maar bitter weinig tijd restte om voor het invallen van de winter thuis te komen.

Nu hij de kans kreeg om al zijn oude krijgskennis nog één keer te gebruiken, was Taizong in zijn element. Dagenlang bestudeerde hij de stad vanuit elke hoek, zocht hij naar aanwijzingen voor verdachte activiteit en voorspelde hij de volgende stap die zijn tegenstanders zouden zetten. Op een dag hoorde hij vogels krijsen in de stad en doorzag dat de belegerde troepen een deel van hun laatste kippen aan het slachten waren om een feestbanket aan te richten voor een bijzondere missie. Die nacht volgde inderdaad een tegenaanval vanuit de stad, maar dankzij Taizongs wijze inzicht lagen de Chinezen de Koreanen al op te wachten.[5]

Toch, los van dat soort overwinninkjes, verliep de belegering van Anshi niet erg voorspoedig. Taizong mocht dan een strook land in het noorden van Korea hebben ingenomen, het zou nog heel lang duren voordat hij de couppleger in Pyongyang uit zijn macht kon ontzetten. Ondertussen had de marine een stuk zuidelijker wel wat schade aangericht, maar veel meer dan wat happen naar de hielen van de Koreanen konden ze niet. Nu de herfst ten einde liep, keerde Taizong huiswaarts als een uiterst teleurgesteld man en probeerde hij te negeren dat de zegevierende bevelhebber van Anshi hem vanaf de kantelen spottend uitzwaaide.

Op papier gingen Taizongs buitenlandse oorlogen gewoon door. Het jaar daarna volgde een reeks schermutselingen in Korea, toen Chinese detacheringen vanuit hun nieuwe bases in de regio Liaodong aanvallen uitvoerden op nabijgelegen steden. Ze werden hierbij niet aangevoerd door Taizong, laat staan door hun voormalige aanvoerders. De twee generaals die voor Taizongs aankomst zo veel resultaat hadden geboekt, kregen opdracht naar het westen te gaan, want ondanks de Chinese propaganda beschouwden verscheidene Turkse stammen de aanval op Korea als een mislukking en zagen ze hun kans schoon om in opstand te komen.

De belegering van Anshi was Taizongs laatste militaire operatie. Hij was bijna vijftig jaar en zijn Koreaanse avontuur had zijn tol geëist. De laatste tien jaar waren vol teleurstellingen geweest, van de dood van zijn vrouw tot het verraad van zijn zonen en zijn mislukte poging één laatste overweldigende militaire triomf te behalen. Bovendien zijn er aanwijzingen dat hij nooit geheel was hersteld van de vergiftigingspoging in zijn jeugd en dat hij van tijd tot tijd terugvallen had die steeds vaker voorkwamen naarmate hij ouder werd. Ook lijkt het erop dat hij het, ondanks alle pogingen hem tegen echte ontberingen te beschermen, tijdens de terugtrekking uit Korea toch erg zwaar had gehad. Hoewel hij geen aanvallen te verduren kreeg, was er weinig dat hem kon beschermen tegen kou, tochtige tenten en dagenlange blootstelling aan de verslechterende weersomstandigheden tijdens de mars naar het zuiden. Hoewel Taizong zijn krijgstocht als een welkom verzetje lijkt te hebben beschouwd, werd hij daarna nooit meer de oude.

Het duurde nog twee jaar voordat Taizong overleed. Zijn interesse in hofzaken bleef groot, maar hij was steeds minder vaak aanwezig tijdens keizerlijke audiënties. Hij kon niet langer te paard op jacht en maakte een aantal vergeefse uitstapjes naar afgelegen villa's om te herstellen. Mentaal bleef hij sterk en hij kon blijven overleggen met zijn ministers, maar lichamelijk raakte hij erg verzwakt. Eind 648 kwam hij zijn bed niet meer uit en kon hij niet meer voor zichzelf zorgen. De wereldveroveraar had het afgelegd tegen de ouderdom.

Er werden weinig mensen tot Taizong toegelaten, misschien in de hoop zo te voorkomen dat berichten over zijn achteruitgang bekend werden. Ministers mochten, net als de meeste bedienden, niet bij hem komen. Gaozong week geen moment van zijn zijde. Hij zat trouw naast zijn bed en verpleegde hem. Tijdens deze lange waken hield alleen de Verleidelijke

Vleister Wu hem gezelschap, de Talent die was aangesteld als de onofficiële verpleegster en beddenverschoonster van de keizer.

Er is veel geschreven over wat er tijdens Taizongs ziekte allemaal kan zijn gebeurd. De annalen van de dynastie zelf melden alleen dat Gaozong verpleegster Wu 'zag en bewonderde' terwijl zij zijn vader verzorgde. Door haar werkzaamheden zag Wu er heel anders uit dan de andere hofdames. Ze maakte zich veel bescheidener op en droeg eenvoudige, praktische kleding. Bovendien keek ze erg verdrietig. De prins nam misschien aan dat ze dit uit plichtsgevoel jegens de keizer deed, maar het is waarschijnlijker dat Wu zich zorgen maakte over wat haar te wachten stond. Ze was nog steeds maar een Talent, en naarmate Taizongs gezondheid verder achteruitging, wist ze waarschijnlijk wat er ging gebeuren. De vrouwen van keizers werden allang niet meer geacht hen naar het hiernamaals te begeleiden; anderzijds gold het als een schande dat iemand anders dan een keizer een vrouw aanraakte die in de armen van de wereldheerser had gelegen. Om die reden werden vrouwen bij wie de keizer kinderen had verwekt, na zijn dood afgezonderd in een paleis om hun dagen in eenzame luxe te slijten. De overige hofdames moesten hun hoofd kaal scheren en de rest van hun leven in een boeddhistisch klooster doorbrengen. Dit lot zou de 22-jarige Wu erger hebben geleken dan de dood.

We zullen nooit precies weten hoe het is gegaan. De voorschriften en gebruiken van die tijd bepalen dat het gelijkstond aan 'incest' als een zoon seks had met een van de vrouwen van zijn vader, zelfs als haar 'huwelijk' nooit was geconsummeerd. Een van de oude confucianistische protocollenboeken maakt zelfs expliciet melding van zo'n situatie: 'Wilde beesten hebben geen fatsoen', luidt het verbod, 'daarom delen vader en zoon dezelfde hinde.' Het staat vermeld in het *Boek der Rituelen*, een compendium van wetten en vermaningen dat wordt toegeschreven aan Confucius als redacteur, misschien zelfs wel als auteur. Wat zulke freudiaanse spanningen in die tijd nog storender had gemaakt, was dat ze herinneringen opriepen aan een soortgelijk schandaal uit 604, toen Taizongs neef, de Sui-keizer Yangdi, zijn troonsbestijging vierde door seks te hebben met twee concubines van zijn overleden vader. Aangezien de Tang-dynastie in elk geval gedeeltelijk was gestoeld op het idee dat de fouten van de voorouders moesten worden vermeden, hield Gaozongs gedrag een riskante uitdaging in.[6]

Voor Wu was de jonge prins misschien wel de enige volwassen man die ze had ontmoet sinds ze het paleis binnen was gekomen, een welkome afwisseling voor de ziekelijke man voor wie ze de po moest legen. Hoewel volwassen mannen niet in het binnenste van het paleis werden toegelaten, had Gaozong deze traditie aan zijn laars gelapt om met veel vertoon zijn liefde voor zijn vader uit te dragen. Het belangrijkste was nog wel dat Wu een eigenzinnig en ambitieus meisje was, dat er niet voor terugdeinsde om op te scheppen over extreme dingen die ze kon, dat bereid was voor te stellen dat het beter was een opstandig paard te doden dan het te laten doorvechten. Zij was het toonbeeld van 'alles of niets', een van de mooiste vrouwen ter wereld, die binnenkort zou wegkwijnen in een klooster als ze geen drastische maatregelen nam.

Volgens de overlevering stond Gaozong op een gegeven moment op om naar het toilet te gaan. Toen hij weer naar buiten kwam, zag hij dat Wu hem naar het voorvertrek was gevolgd. Ze knielde voor hem op de vloer en bood hem een kom water aan waarin hij zijn handen kon wassen. Toen hij dat deed, spatte hij per ongeluk haar gezicht nat en zei: 'De heldere wateren hebben uw poeder ontsierd.'

Wu antwoordde flirterig: 'Ik aanvaard de gunst van regen en mist.' Een poëtische toespeling op geslachtsgemeenschap. Volgens een latere, aanzienlijk minder betrouwbare bron, had Gaozong de aanzet gegeven tot de woordspeling; hij zou water in haar gezicht hebben gespat en hardop hebben gezegd dat hij moest denken aan een oud verhaal waarin een prins seks had met een godin. Wu antwoordt dan met een eigen couplet, waarin ze voorstelt dat ze samen achter een gordijn gaan vrijen.[7]

Hoe het ook precies is verlopen, algemeen wordt aangenomen dat Wu en Gaozong al intiem waren voordat haar 'man' Taizong dood was. Het wordt niet vermeld in de Tang-annalen uit die tijd, hoewel het tijdens Wu's leven zeker onderwerp was van vulgaire roddels en het later door een van haar rivalen tegen haar zou worden gebruikt.[8] Het lijkt er echter op dat alleen Wu en haar minnaar van het voorval af wisten.

Fictieve beschrijvingen van Wu's leven laten haar na afloop dicht tegen Gaozong aan kruipen en snikken dat ze wordt verscheurd tussen haar trouw aan de stervende keizer en de hartstochten van zijn zoon, dat ze door deze vrijpartij een zondares en een misdadigster is geworden. Gaozong zou zijn riem hebben losgemaakt en als aandenken aan Wu hebben gegeven, met de belofte dat zij zijn keizerin zou worden als hij keizer werd. Deze versie van het verhaal gaat voorbij aan het feit dat Gaozong al een vrouw had.[9]

DRIE

De familiekwestie

Taizong overleed uiteindelijk in de zesde maanmaand (begin juli) van
649 en een paar weken later werd Gaozong tot keizer gekroond.
De vrouwen bij wie Taizong een of meer kinderen had verwekt, zonderden zich eervol af in een apart deel van de keizerlijke residentie. De andere
vrouwen en concubines die hem geen kind hadden gebaard, vormden in zo-
verre een probleem, dat ze niet meer aan het openbare leven deel mochten
nemen, waar ze door andere mannen aangeraakt konden worden. In plaats
daarvan werden zij weggebonjourd naar een nonnenklooster, waar ze hun
hoofd kaal moesten scheren en de rest van hun leven in gebed doorbrachten. Als winnende presidentskandidaten die de ambtswoning van hun
voorganger overnamen, betrokken de vrouwen van de keizer de binnenste
vertrekken, maar Wu zat er niet tussen.

SHENG – GEBOORTE

*Totdat Wu het schrift hervormde, leek het woord voor 'geboorte' op een loot die uit de
grond omhoog schiet. Wu veranderde het zodat het oorspronkelijke karakter gedeeltelijk
werd omgeven door een vaginale omheining. Tijdens haar regeringsperiode sloeg de definitie van 'geboorte' op datgene wat duwde, niet op hetgeen naar buiten werd geduwd.*

In plaats daarvan werd ze als een van de voormalige concubines naar het
nabijgelegen klooster van Ganye gestuurd. Niemand verwachtte haar ooit
nog aan het hof terug te zien. Een gedicht dat ze rond deze tijd zou hebben

geschreven, wekt de indruk dat ze de rest van het jaar trouw zat te wachten totdat Gaozong zijn belofte zou nakomen. Maar toen het lente werd, had ze nog niets van hem gehoord:

Als ik zie hoe rood verandert in groen, mijn hoofd verward en verstrooid,
Raak ik los, scheur ik los van mijn verlangen voor u, mijn heer.
Als u niet gelooft dat ik de laatste tijd alleen maar heb gehuild,
Open dan de kist en zoek het granaatappelrode hemd.[1]

Wu begon te geloven dat haar vroegere minnaar haar was vergeten, haar aan de kant had gezet, om zich over te geven aan het landsbelang, en aan zijn vele concubines. Gaozongs leven in het binnenste van het paleis in de hoofdstad was echter verre van harmonieus, laat staan gelukkig. Behalve verscheidene eigen concubines had Gaozong keizerin Wang als hoofdvrouw. Zij was afkomstig uit een goede familie en werd zwaar gesteund door zijn ministers. Het was daarom spijtig dat ze aan één belangrijke voorwaarde niet voldeed: ze had de troon geen mannelijke opvolger geschonken. Aangezien het de taak van de hoofdvrouw was om voor een erfgenaam te zorgen, moest ze kiezen voor een paardenmiddel: adoptie van een van Gaozongs vier zonen bij andere vrouwen.

Zulke situaties leiden vaak tot grote politieke drama's. De nieuwe kroonprins was een zekere Li Zhong, op zich een heel redelijke keuze, waar de belangrijkste ministers achter stonden. Dit gegeven stond bol van de verwikkelingen – veel ministers waren familie van de concubines. De mannen van de Tang-dynastie hadden het weliswaar officieel voor het zeggen, maar veel van hun aristocraten en ministers waren afkomstig uit de adel van de voormalige Wei-dynastie, een heersende klasse die afstamde van Centraal-Aziatische heersers die China een eeuw geleden hadden bestuurd. De lievelingstante van keizer Taizong, zijn hoofdvrouw en zijn machtigste schoondochters waren allen geboren uit de oude Wei-adel en werden aangewezen en beïnvloed door hun mannelijke familieleden.

Als je iemand zo gemakkelijk tot erfgenaam kon benoemen, kon je hem echter die titel ook weer afnemen. Xiao Liangdi, de 'Pure Concubine' die zichzelf beschouwde als de lieveling van de keizer, was zich hier heel goed van bewust. Ze hoopte dat ze Gaozong ervan kon overtuigen de status van de kroonprins te herroepen en haar eigen zoon als erfgenaam aan te wijzen.

Net als keizerin Wang was ze een rijk en bevoorrecht meisje, maar niet overdreven mooi. Als ze een echte schoonheid was geweest, zou ze waarschijnlijk zijn ingepikt door de vorige keizer of door een van zijn oudere zonen toen ze nog kans maakten Taizong op te volgen. In plaats daarvan werd ze de bijslaap van Taizongs vierde zoon bij keizerin Wende, een vrij bescheiden positie, en kwam ze opeens voor het voetlicht nadat hij tot troonopvolger werd benoemd. Keizerin Wang aanvaardde haar promotie echter absoluut niet welwillend. Haar rol als de hoofdvrouw van de nieuwe keizer lijkt meer te zijn ingegeven door familierelaties en machtsspelletjes dan door haar eigen karaktereigenschappen – ze gold als hooghartig en bruusk. Veelzeggend is ook al dat haar man haar had verlaten om voor zijn zieke vader te zorgen, wat leidde tot een stiekeme affaire met de verpleegster.

Had keizerin Wang nu zelf maar een zoon gebaard; dan was haar positie veilig geweest. Dan had ze zich kunnen gedragen zoals ze wilde. De regels van het confuciaanse protocol zouden hebben gegarandeerd dat haar zoon de voorkeur kreeg als erfgenaam. Maar ze had haar familie en de ministers die haar steunden teleurgesteld, en zij hadden met harteloze diplomatie gekozen voor Gaozongs oudste zoon, het kind van een relatief laaggeplaatste concubine. Aanvankelijk was de keizerin er wel blij mee, aangezien het tijdelijk de aandacht van Xiao Liangdi's eigen zoon afleidde. Dat liet onverlet dat Xiao Liangdi natuurlijk volop kansen had om de keizer te bewerken als ze bij hem was. Het feit dat haar zoon een soort wonderkind was, maakte hem alleen maar aantrekkelijker als potentiële erfgenaam, en dat irriteerde keizerin Wang des te meer.

Bovendien had Xiao Liangdi een betere relatie met Gaozong. Zij had nu de steun van de ministers. Het enige wat zij hoefde te doen was mooi en bekoorlijk blijven en afwachten totdat keizerin Wang een fout maakte, en dan zou keizerin Wang wel eens heel snel onder aan de ladder kunnen eindigen. En aangezien keizerin Wang veel van haar mede-concubines had beledigd toen ze opklom, hoefde ze op haar weg naar beneden niet op hulp te rekenen.

Deze vreemde, maar tamelijk veel voorkomende gang van zaken aan het Chinese keizerlijke hof zou ertoe leiden dat keizerin Wang op zoek ging naar nieuwe bondgenoten en nieuwe wapens in de niet-verklaarde oorlog tegen haar rivale Xiao Liangdi.

Een jaar na de dood van keizer Taizong reisde zijn o zo plichtsgetrouwe zoon naar de tempel van Ganye. Terwijl hij werd geacht te bidden voor de geest van zijn vader, ontmoette hij daar een kaalgeschoren, huilende vrouw die vertelde dat zij de Verleidelijke Vleister Wu was, het mooie meisje dat hem zo had getroost toen zijn vader op zijn sterfbed lag.[2]

Althans, dat is de officiële lezing, al lijkt er onduidelijkheid te bestaan. Ten eerste is niet zeker of alle vrouwen van Taizong wel echt de vergetelheid in zouden worden gestuurd. Na de dood van zijn eigen vader had Taizong veel van de lager geplaatste hofdames van hun verplichtingen ontheven en hen toegestaan naar huis terug te keren. Als Gaozong alle vrouwen van zijn vader had laten afzonderen, hebben we het over een flink uit de kluiten gewassen klooster, groot genoeg in elk geval om 122 novicen toe te laten, en prestigieus genoeg om het keizerlijke hofdames naar de zin te maken. Het is echter lastig om het klooster van Ganye op de kaart aan te wijzen. Bronnen hebben verscheidene mogelijkheden aangegeven, waaronder één in de stad Chang'an, maar de precieze plek blijft onduidelijk. Wat nog meer bevreemdt, is waarom deze bronnen er sterk de nadruk op leggen dat het een boeddhistische tempel was. In Taizongs tijd was het gangbare religieuze systeem het taoïsme, terwijl het boeddhisme, dat in de Wei-periode de voorkeur had gehad, pas tijdens de regeringsperiode van keizerin Wu zelf opnieuw tot bloei kwam. Het is mogelijk dat Wu haar tijdelijke verbanningsoord helemaal niet deelde met de andere concubines. Het klooster kan bedoeld zijn als een speciale vrijstelling, misschien om haar in de buurt van haar minnaar, de nieuwe keizer, te houden, zoals een moderne minnares in een nabijgelegen appartement wordt ondergebracht. Zelfs als haar affaire met de nieuwe keizer tijdelijk was opgeschort, waren ze binnen een paar jaar weer bij elkaar, want omstreeks het jaar 652 of 653 had ze hem een zoon geschonken. Het verhaal wil dat haar haar op magische wijze weer was aangegroeid.

Extreem lang haar was verplicht voor dames aan het Tang-hof. Het was nodig om de ingewikkelde knotten, vlechten en opgestoken kapsels te kunnen maken die aan dit hof in de mode waren. Het kan nog het best worden vergeleken met de haardracht van de moderne Japanse geisha, alleen is dit nu vrijwel altijd een pruik, om tijd te sparen bij het onderhoud en het kappen van het haar. We mogen dus aannemen dat Wu ongeloof-lijk lang en goed verzorgd haar had dat tot op de grond reikte. Als het was afgeschoren zoals bij toetreding tot een nonnenklooster gebruikelijk was, zou het jaren duren voordat het weer zijn oude lengte had. Toch was Wu volgens de bronnen in 652 of 653 terug aan het hof, waar ze Gaozongs zoon baarde.[3] De lengte van haar haren zou maar liefst meer dan twee meter zijn. Had ze ze ooit wel afgeknipt? Droeg ze, net als een geisha, een pruik om weer toegelaten te worden? Zo ja, werd ze voorgesteld als een nieuwe hofdame? Het lijkt onwaarschijnlijk. We weten dat er leden van Taizongs hof aanbleven. Zij zouden zich haar hebben herinnerd wanneer ze aan Gaozongs hof werd toegelaten, en noch Wu, noch keizer Gaozong deed enige moeite om haar identiteit te verbergen.[4] De simpelste verklaring lijkt te zijn dat Wu zich helemaal nooit kaal had geschoren. In plaats daar-van werd ze naar het klooster gestuurd als geclaimd bezit en moest ze wachten totdat haar minnaar Gaozong aanleiding zag om voor zoge-naamde 'spirituele' bezoeken naar het klooster te komen.

Het verrassendste is nog wel dat de Chinese geschiedschrijving insinu-eerde dat Wu's terugkeer niet alleen de beslissing was van een dolverliefde jonge man die zijn zinnen had gezet op de enige vrouw in het keizerrijk die hij schijnbaar niet kon krijgen. Als het Gaozong alleen te doen was om stiekeme seks, dan had hij die toch al. Maar toen de veelgeplaagde keizerin Wang hoorde dat haar man een affaire had, reageerde ze tamelijk pragma-tisch. Als Gaozong zo bezeten was van Wu dat hij de heersende conventies en fatsoensnormen ervoor trotseerde, besefte zij, zou het zonde zijn haar in het klooster opgesloten te houden. Voor keizerin Wang, die geen vrien-den had en zich bedreigd voelde, zou de Verleidelijke Vleister Wu in het paleis veel meer nut hebben. Keizerin Wang had zich er al bij neergelegd dat ze niet Gaozongs lieveling was. Gaozong bracht steeds meer tijd door in het paleis van Xiao Liangdi. Xiao Liangdi kreeg dan alle gelegenheid hem te vertellen over de enorme intelligentie en de uitstekende academi-sche vorderingen van haar zoon en duidelijk te maken dat hij een veel be-tere kroonprins zou zijn dan de huidige kandidaat. Elke nacht dat Wu Ga-ozong bezig zou houden, zou hij bij de Pure Concubine Xiao Liangdi vandaan blijven. Misschien bleek Wu zelfs zo betoverend dat de keizer aan haar de voorkeur gaf boven de Pure Concubine. Dan zou keizerin Wang haar laatste troef uitspelen. Zij was nog steeds Gaozongs hoofdvrouw, terwijl Wu nooit meer zou zijn dan een gevallen vrouw die geen recht had om aan het hof te verkeren.

Keizerin Wang meende het wapen gevonden te hebben dat ze nodig had, en zij was dan ook degene die voorstelde dat Gaozong zijn minnares naar het paleis zou halen.[5] De terugkeer van Wu verliep rustig en onopvallend, en alleen een paar bedienden werden op de hoogte gebracht van haar ware identiteit. Officieel werd ze aangesteld als hofdame van keizerin Wang, die zich verheugde op vele bezoeken van de keizer aan haar eigen vertrekken, zelfs al was het om stiekem bij zijn minnares te zijn. Met dit royale gebaar maakte keizerin Wang haar echtgenoot duidelijk dat ze inschikkelijker kon zijn dan hij besefte – dat hij niet naar zijn minnares hoefde te sluipen en dat zij er alle begrip voor had als hij haar in het paleis wilde zien.

Dat keizerin Wang bereid was om zo'n gevaarlijk wapen te kiezen, geeft aan hoe diep de haat was die zij koesterde jegens Xiao Liangdi. Het zal duidelijk zijn dat de keizerin het risico nam zichzelf nog verder in de hoek te drijven door een tweede favoriet naar het paleis te halen, die bovendien al zwanger was van Gaozong.[6] Toen Wu's zoon Li Hong werd geboren, gaf de bekendmaking van haar identiteit aanleiding tot veel geroddel achter de schermen, al lijkt niemand het te hebben aangedurfd de keizerin openlijk op haar beslissing aan te spreken.

Keizerin Wang hield Wu niet aan als haar persoonlijke bediende. In plaats daarvan liet ze haar promoveren van haar oorspronkelijke vijfderangspositie als Talent tot de imposante tweede rang van Concubine van de Stralende Pose.[7]

Wu was echter veel beter in intriges dan haar keizerin. Ze wist dat haar terugkeer naar het paleis zeer aanstootgevend zou zijn en nam elke gelegenheid te baat om aan te pappen met de andere meisjes in het paleis. Als de keizer haar iets te eten of een kleinood liet bezorgen, deelde ze het altijd met de andere hofdames.[8]

De Chinese overlevering zet Wu in deze periode neer als een soort Assepoester die haar mede-hovelingen betoverde met haar gulheid, terwijl keizerin Wang en haar moeder als boze stiefzusters door het paleis stapten, hun officiële macht botvierden en hun minderen en bedienden met horkerige ongevoeligheid behandelden. Het plannetje van keizerin Wang had gewerkt. Aangezien de Pure Concubine Xiao Liangdi hem geen kinderen meer baarde, leek Gaozong amper nog geïnteresseerd in haar. In plaats daarvan bracht Gaozong steeds meer tijd door met de Verleidelijke Vleister Wu.

Nu hij zijn minnares kon bezoeken met goedkeuring van zijn vrouw, leefde Gaozong zich uit, en wel zodanig dat Wu de meeste tijd van de drie daaropvolgende jaren zwanger was en voor het einde van 656 drie (of misschien vier) kinderen baarde.

De Pure Concubine Xiao Liangdi werd aan de kant gezet; ze raakte zó volledig uit de gratie dat ze zich gedwongen zag hulp te zoeken bij keizerin Wang. Ze benaderde haar oude rivale met de vraag of ze besefte hoeveel invloed die nieuweling had op de man die ze noodgedwongen allemaal deelden. Het verslag van haar klacht bevat aantijgingen over Wu's karakter, familie en moraal, die veel historici als reëel zouden beschouwen. Aan het eind van haar betoog wekte ze bijna de indruk dat ze twijfelde aan Gaozongs verstand, wat maar aangeeft hoe kwaad Xiao Liangdi was. 'Ik heb gehoord dat zij voor keizer Taizong heeft gewerkt en dat ze niet eens van overdreven goede afkomst is. Wat is er in Zijne Hoogheid gevaren, dat hij zich door zo'n vrouw laat verblinden?'⁹ Keizerin Wang ging in op Xiao Liangdi's beweringen, een onwaarschijnlijk verbond, en beide vrouwen drongen er gezamenlijk op aan dat Wu uit het paleis zou worden verwijderd. Gaozong wilde er echter niets van weten, vooral omdat veel van hun beschuldigingen door Wu zelf belachelijk werden gemaakt. Ze kon veel van hun beweringen ontkrachten en had de antwoorden op hun testvragen paraat, dankzij haar netwerk van hofdames, die veel meer sympathie voelden voor de vriendelijke Wu dan voor haar rivales.

Maar Wu was niet de enige voor wie Gaozong gevoelens koesterde. De ooit zo verlegen jongen had zich ontwikkeld tot een man met vreemde voorkeuren. Dat hij feitelijk incest pleegde met de concubine van zijn vader, was niet genoeg. Hij lijkt ook haar oudere zus Helan te hebben verleid. Zij was inmiddels weduwe met twee jonge kinderen en zocht Wu regelmatig op in het paleis. Bij een van haar bezoeken viel ze Gaozong op.

Alsof de positie van Wu in het paleis al niet moeilijk genoeg was, riskeerde Gaozong een tweede schandaal door zowel met haar als haar zus te vrijen. Om een of andere diep in zijn psyche begraven reden, hadden 'familiekwesties' op Gaozong een sterk erotische aantrekkingskracht. Tot overmaat van ramp lijkt Helan zwanger te zijn geworden.

Volgens de officiële dynastiekronieken presteerde de hypnotiserende Wu het om in één jaar tweemaal te bevallen, wat weliswaar niet onmogelijk, maar toch op z'n minst indrukwekkend is. Ze baarde een zoon en een dochter. Over de zoon, prins Xian, lijken de kroniekschrijvers opzettelijk vaag; zelfs de geboortedatum ontbreekt in de annalen. Het lijkt crop dat het jongetje de zoon van Helan was en dat de precieze geboortedatum vaag werd gehouden om de keizer voor verdere schandalen te behoeden, of misschien in een vergeefse poging om te doen alsof het Wu's zoon was. Dat zou haar nog een erfgerechtigde hebben opgeleverd waarmee ze over haar entree in het keizerlijke paleis zou kunnen onderhandelen.[10]

Als dat Wu's opzet was, heeft ze het plan in elk geval voorlopig terzijde geschoven en gekozen voor iets wat nog veel drastischer en schokkender was. Het heeft geleid tot een van de meest vulgaire incidenten uit de Chinese geschiedenis.

Eind 654 was Wu bevallen van een dochter. Volgens sommige kronieken was dit haar derde kind, al is het waarschijnlijker dat het meisje haar tweede kind was. De etiquette vereiste dat haar voormalige bondgenote, keizerin Wang, als hoofd van het binnenste van het paleis en hoofdvrouw van de keizer, haar met een kraambezoek zou vereren en het kind zou bekijken. Dit deed de keizerin, maar toen ze aankwam was Wu niet in het vertrek. De keizerin pakte de baby op, speelde een tijdje met haar en drukte haar wang tegen die van de baby. Daarna verliet ze de kamer.

Kort daarop kwam Gaozong bij Wu op bezoek. Ze liep met hem mee naar de wieg, maar ontdekte dat haar dochtertje koud en dood was. Schreeuwend van verdriet vroeg Wu wie de baby als laatste had aangeraakt. Schoorvoetend vertelden de bedienden dat keizerin Wang als laatste in de kamer was geweest.

Natuurlijk hebben wij alleen het verhaal zoals dat veel later is opgeschreven door partijen die er belang bij hadden de betrokkenen op een bepaalde manier af te schilderen. Het verhaal gaat in China dat Wu na het bezoek van de keizerin haar eigen pasgeboren kind zelf heeft gewurgd, met de bedoeling haar belangrijkste rivale ten val te brengen. Maar zelfs Wu lijkt niet tot zoiets afschuwelijks in staat te zijn geweest. Ondanks haar vele gebreken heeft ze altijd voorkomen dat ze haar eigen kinderen direct schade toebracht. Het lijkt waarschijnlijker dat de tragische dood van het meisje een veel prozaïscher toedracht had, waar Wu dankbaar gebruik van maakte. Haar officiële lezing, die ze liet doorschemeren toen Gaozong bij haar was, en later herhaalde toen de bedienden hadden bevestigd wie er op bezoek was geweest, was dat de keizerin de moordenares was van haar baby, die postuum prinses Anding werd genoemd.

Of er opzet in het spel was geweest of niet, het raakte Gaozong hard. Hij was naar Wu's vertrekken gekomen in de verwachting zijn jongste dochter te zien, maar was in plaats daarvan op een plaats delict beland, waarbij zijn hoofdvrouw als hoofdverdachte werd genoemd. Hoewel keizerin Wang nooit is berecht of veroordeeld voor moord, daalde ze door dit incident immens in aanzien bij haar echtgenoot, vooral omdat zij haar voormalige hofdame kort daarvoor nog van een aantal vermeende misdaden had beschuldigd.

Dit was de laatste druppel, en Gaozong besloot de keizerin haar positie te ontnemen ten gunste van zijn geliefde Wu. Ogenschijnlijk had zijn besluit niets te maken met het schandaal rond de baby; in plaats daarvan werd als reden opgegeven dat keizerin Wang de keizer nog steeds geen mannelijke troonopvolger had geschonken. Het was duidelijk dat de geadopteerde kroonprins niet langer geschikt werd bevonden, en Wu was erin geslaagd de kansen van het wonderkind van Pure Concubine Xiao Liangdi te keren. De degradatie van een keizerin en de installatie van haar vervanger waren echter beide reusachtige ondernemingen, waarvoor de keizer de steun van zijn ministers niet kon missen.

De belangrijkste minister was Gaozongs eigen oom Zhangsun Wuji, de broer van de overleden keizerin Wende en een afstammeling van de Wei-aristocratie. In zulke belangrijke staatsaangelegenheden had Zhangsun het laatste woord, en Gaozong hoopte dat hij hem kon overhalen. Zijn eerste poging om zich bij Zhangsun geliefd te maken, was een ramp, beschreven in de Tang-annalen als een dineetje met een verborgen agenda, waarbij keizer Gaozong met Wu bij Zhangsuns residentie aankwam. Hoewel ze elkaar al eerder hadden ontmoet, werd Wu aan Zhangsun voorgesteld waarna ze de hele verdere avond onberispelijk de rol speelde van een beschaafde en elegante hofdame. Het stel had niet zomaar een flesje meegebracht: het had meer van een compleet arsenaal wijnen die waren bedoeld om de gasten gezellig teut te krijgen – nog los van tien karrenvrachten geschenken. Bovendien had Gaozong zijn hofschilder opdracht gegeven een portret van Zhangsun te maken. Hij overhandigde dit aan Zhangsun met een door hem zelf gekalligrafeerd gedicht. Het geschenk was van onschatbare waarde, duidelijk bedoeld om bij Zhangsun in de gunst te komen. Nu hij toch bezig was, maakte de keizer van de gelegenheid gebruik om Zhangsun te vertellen dat zijn zonen nieuwe ereblijken zouden worden verleend en dat zijn favoriete concubine binnenkort goed nieuws kon verwachten over haar rang.

In de overtuiging dat de diplomatieke radertjes hiermee naar behoren waren gesmeerd, stelde de keizer dat het toch bijzonder jammer was dat keizerin Wang geen kind had gebaard en dat het misschien tijd was een oplossing voor deze tekortkoming van zijn hoofdvrouw te vinden.[11]

Zhangsun begon nadrukkelijk over iets anders, waarna een driftige Wu en dito keizer al vroeg vertrokken en de andere gasten zich aan de door hen meegebrachte rijkdommen te goed deden. Andere pogingen om de instemming van de minister te verwerven hadden al evenmin succes. Maar volgens de strikte regels van het protocol was de zaak van Wu terrein aan het winnen – Zhangsun wilde er tijdens het banket weliswaar niet over praten, maar zijn weigering gevoelige kwesties te bespreken tijdens een feest zou net zo goed te maken kunnen hebben met goed fatsoen. Doordat hij de geschenken niet zonder meer afwees, verplichtte Zhangsun zich een passende tegenprestatie te leveren, en zonder zelf dure geschenken te kunnen geven, was het gepast om zijn tijd en hulp aan te bieden. Wu's eigen moeder maakte hiervan gebruik door Zhangsun verschillende keren te bezoeken in de hoop over de status van Wu te kunnen spreken. Zhangsun ontving haar weliswaar, maar ging niet mee in haar toespelingen. Uiteindelijk oefende Wu druk uit op Zhangsuns assistent, waarna hij het onderwerp in haar afwezigheid ter sprake bracht. Het lijkt erop dat de assistent dit één keer te vaak deed, zodat Zhangsun driftig uitriep dat hij niets meer over het onderwerp wilde horen.[12]

Zhangsun nam al dertig jaar een sleutelpositie in en het bleek lastig hem en zijn getrouwen van wijlen Taizong los te wrikken. Nu begon Wu op het gemoed te werken van de ontevreden en in opspraak gebrachte hovelingen, zoals Fang Yi'ai, een functionaris die hoog in Taizongs aanzien had gestaan, maar daarna in ongenade was gevallen. Zijn vrouw, Taizongs verwende dochter prinses Gaoyang, was iets te agressief geweest voor haar eigen bestwil. Ze had onrust gestookt aan het hof, in een poging te bereiken dat haar man kreeg wat hem rechtens toekwam. Als Taizongs schoonzoon kwam hij volgens haar in aanmerking voor verscheidene betrekkingen die al aan anderen waren toebedeeld. Ze had hier in het verleden zo vaak en zo uitgebreid over geklaagd dat zelfs haar vader zijn geduld had verloren.

Vaderskindje Gaoyang was aan de kant geschoven en aan het hof genoot ze nu vooral de reputatie van zeurkous. Net als Wu werd ze het onderwerp van een fluistercampagne. Er gingen vreselijke verhalen rond over Gaoyang, onder meer dat ze een stormachtige seksuele relatie had gehad met een monnik, ene Bianji, wiens kluizenaarshut op haar jachtgronden stond. Ondertussen had haar echtgenoot Yi'ai twee jonge minnaressen genomen, geen concubines, maar sekspartners waarvoor de familie geen toestemming had gegeven, wat hem op nog meer afkeuring kwam te staan. Met zulke problemen was het geen wonder dat ze sympathie koesterden voor de charmante Wu.

Wu mikte op vergelijkbare, relatief onbelangrijke aanhangers. Ze besteedde extra aandacht aan mannen die door huwelijk aan de keizerlijke familie waren gerelateerd. Een andere dochter van Taizong was getrouwd met een generaal die een belangrijke rol had gespeeld bij de totstandkoming van de dynastie, maar die na een militaire blunder oneervol uit de frontlinie was teruggeroepen. Weer een andere dochter was getrouwd met de zoon van een generaal die de successen van zijn beroemde vader niet kon evenaren. Wu sloot vriendschap met het stel en betuigde haar medeleven over de oneerlijkheid van de oude garde en het gebrek aan kansen voor moderne mensen. Een van Wu's vetste vangsten was een stiefbroer van Taizong zelf, wiens dochter getrouwd was met de zwager van Wu.

In al deze relaties vond Wu bondgenoten die zich ergerden aan de huidige regering. Hun vaders en grootvaders waren rebellen en leiders geweest die de Sui-dynastie ten val hadden gebracht en de roemrijke Tang hadden gesticht. Nu, een generatie later, waren de rebellen oude mannen geworden, zo ook Zhangsun. Zulke mannen verkleinden de kansen op macht en roem voor Wu's nieuwe kring. Ze trokken natuurlijk hun eigen familie voor en velen hadden dochters die met prinsen waren getrouwd. Promoties en carrièrekansen tijdens een oorlog of opstand zijn gevaarlijk, maar ze kunnen wel snel gaan. Nu China formeel vrede kende, was het veel moeilijker om promotie of carrière te maken, zeker als je familie niet zulke machtige connecties had als de oude garde.

Zhangsun Wuji was zich terdege bewust van deze onrust en de pressie-groepen aan het hof. Hij was er zelfs zo bang voor dat hij begon te geloven dat Yi'ai een complot aan het smeden was met een van Gaozongs broers. De onfortuinlijke prins leek volgens velen als twee druppels water op zijn vader. Hij had sterke banden met het verleden, dankzij zijn moeder, een prinses uit de voorbije Wei-dynastie. Dat kon hem echter niet redden, en Yi'ai werd prompt beschuldigd van samenzwering en ter dood veroordeeld. Bij zijn terechtstelling kon hij echter nog wel een vloek uitspreken tegen zijn aanklager: 'Zhangsun Wuji, je hebt het monopolie op macht en nu vermoord je de onschuldigen. Moge mijn wraakzuchtige geest je gehele familie doden.'[13]

Gaoyang kreeg toestemming om zelfmoord te plegen. Wu's campagne om de keizerin te vervangen mocht dan tot staan zijn gebracht, de schade was al aangericht. Keizerin Wang, die nog steeds geloofde dat haar positie in gevaar was, maakte in de zomer van 655 de fatale fout om naar haar moeder te luisteren toen deze zei dat een harde knoest vraagt om een scherpe bijl. De twee vrouwen kozen voor hekserij en spraken toverformules uit tegen Wu. Hoewel er over de precieze bezwering niets is opgeschreven, lijkt het een vorm van sympathische magie te zijn geweest, die doet denken aan spelden steken in een voodoopop. Een samenleving die grote waarde hechtte aan religie en de geestenwereld, een samenleving die was gestoeld op de goddelijke macht van de keizer, bood ook ruimte aan hekserij en heksenvervolgingen; toverformules uitspreken tegen de bewoners van het binnenste van het paleis werd gezien als hoogverraad.

Opmerkelijk is dat de keizerin er zelfs in dit geval licht van afkwam. Van de twee dynastieke annalen beschreef het *Oude Boek van Tang* het voorval zoals hierboven is weergegeven, maar het *Nieuwe Boek van Tang* is kritischer en suggereert dat de keizerin onschuldig was en valselijk werd beschuldigd door Wu. Hoe het ook zij, de familieleden van de keizerin werden het zwaarst getroffen. Haar moeder werd voor altijd de toegang tot het paleis ontzegd (wat een sociale ramp betekende), haar impopulaire grootvader nam ontslag uit de regering voordat iemand hem direct kon aanvallen, en het duurde niet lang voordat haar oom van moederszijde op een post in de afgelegen provincies werd gezet.[14]

Een cryptische verklaring van latere datum stelt dat de verbannen minister nog verder weg werd gestuurd nadat ontdekt was dat hij 'paleisgeheimen' had verraden. Hoewel de Tang-dynastie wordt voorgesteld als een van de belangrijkste bloeiperioden van de Chinese cultuur, zien we achter de schermen bittere gevechten tussen rivaliserende groepen. Het heersende huis van de Tang-dynastie moest het nog steeds tegen rivalen opnemen. Behalve familieleden van keizer Gaozong – zijn ooms, die zich ooit tegen zijn vader hadden gekant, maar ook de mysterieuze samenzwering van zijn halfzus – waren dat de machtige clans uit zowel de kortstondige Sui-dynastie als de Wei daarvoor. Ook mogen we niet vergeten dat Gaozong door de ministers was uitgekozen omdat ze dachten dat ze hem gemakkelijk in toom konden houden. De meeste overgebleven ministers in de Tang-regering waren Taizongs bondgenoten geweest tijdens de revolutie die hem aan de macht bracht. Terwijl Taizong op relatief jonge leeftijd was overleden, bevonden zij zich nog op het hoogtepunt van hun macht en vormden ze een eliteclub van manipulatoren die het eigenlijke machtscentrum van het Tang-rijk vormden. Het is tekenend voor Gaozongs machteloosheid dat hij zo veel tijd had voor schijnbaar onbelangrijke zaken, zoals het vaststellen wie zijn favoriete bijslaap was.

Nu de bureaucratie nog altijd weigerde de degradatie van haar keizerin in overweging te nemen op basis van wat misschien valse beschuldigingen waren, besloot Gaozong te laten zien hoe diep zijn gevoelens gingen door Wu te benoemen tot een bijvrouw van de eerste graad. Het probleem was dat alle vier de beschikbare posities al waren bezet. De keizer zou nieuwe beschuldigingen tegen de zittende bijvrouwen moeten bedenken om er een kwijt te raken, en dat zou opnieuw veel administratieve rompslomp en onaangename diplomatie met zich meebrengen. Er bestond geen geldig excuus om een van de bijvrouwen weg te sturen – zelfs de Pure Concubine Xiao Liangdi hield zich gedeisd, zij het niet noodzakelijkerwijs uit vrije wil; sinds het hekserij-incident hadden de keizerin en zij huisarrest.

In de overtuiging dat hij een uitweg had gevonden uit het verstikkende protocol, kondigde Gaozong aan dat hij een geheel nieuwe titel zou creëren, boven de bijvrouwen, maar onder de keizerin. De eerste en enige wie de nieuwe speciale rang van Keizerlijke Concubine ten deel zou vallen, was zijn geliefde Wu. Ook dit kwam Gaozong op de strengst mogelijke berisping te staan van verscheidene ministers, die een nieuwe titel helemaal niet zagen zitten. Althans, dat was de officiële lezing; de werkelijke reden was dat ze familieleden van de keizerin steunden en beseften dat een nieuwe positie die zo dicht bij de hare lag, uiteraard ten koste ging van de positie van de keizerin zelf. Dat er überhaupt over een nieuwe titel werd gesproken, geeft aan dat de positie van keizerin Wang aan het hof verzwakte.

Toen diende zich een nieuw plan de campagne aan, dit keer voortkomend uit een machtsstrijd tussen de ministers. Zhangsun Wuji had zo zijn vijanden, onder anderen Li Yifu, een minister die hij naar een nieuwe betrekking wilde laten sturen, een post die zo ver bij de hoofdstad vandaan lag dat hij van het hofleven en van verdere promotiekansen verstoken zou blijven. Maar aangezien Li Yifu op het secretariaat werkte, zag hij Zhangsuns aanvraag voor zijn overplaatsing nog voordat deze de keizer bereikte. Naar verluidt was Li Yifu nogal achterbaks, wat hem de bijnamen Li Kat of Glimlachend Zwaard opleverde – met zo'n reputatie is het niet vreemd dat hij bij de keizer in de gunst kon komen voordat Zhangsuns boodschap arriveerde.

Li Yifu verspilde geen tijd. Hij ruilde zijn dienst met een collega, zodat hij persoonlijk met de keizer kon praten. Toen hij eenmaal in de troonkamer was, overhandigde hij de keizer onmiddellijk zijn petitie: de degradatie van Wang en de installatie van Wu. Het is onwaarschijnlijk dat een minister zo openlijk de aanval op de keizerin zou durven openen, maar Li Yifu had letterlijk niets te verliezen. Een paar uur later zou hij sowieso zijn overgeplaatst naar een vergeten grenspost.

Gaozong greep de kans aan en toonde zich bereid naar Li Yifu's verzoek te luisteren. Hij herbenoemde Li Yifu op zijn huidige positie, al was het maar voor een paar dagen, totdat hij hem wegens bewezen diensten kon bevorderen. Het plan om Li Yifu naar de vergetelheid te verbannen was mislukt, en het Tang-hof leerde wennen aan het idee dat Wu voorlopig nog niet zou vertrekken.

Aan het eind van de zomer riep Gaozong een speciale vergadering van zijn vier belangrijkste ministers bijeen, onder wie veel van zijn vaders oude bondgenoten. Omdat hij redelijk kon schatten wat er tijdens de vergadering zou gebeuren, kwam een van Gaozongs ooms niet opdagen, maar liet hij weten ziek te zijn. Van de drie overige ministers durfden er twee geen woord uit te brengen. Ze zaten er stilletjes bij en lieten het praten over aan ene Chu Suiliang.

In tegenstelling tot de anderen was Chu Suiliang niet van adellijke afkomst. Ook was hij geen veteraan van de revolutie. Hij was een eenvoudig, nederig man die Taizong zijn leven lang trouw had gediend en die zijn huidige betrekking puur als voortzetting daarvan beschouwde. Chu Suiliang zag zichzelf niet als trouwe dienaar van Gaozong; wel zag hij zichzelf als trouwe dienaar van Gaozongs *vader* en hij hoopte dat zijn heerser dat argument zou billijken.

In de hoop een beroep te doen op Gaozongs gevoelens voor zijn vader, herinnerde Chu Suiliang de keizer eraan hoe zijn vader op zijn sterfbed letterlijk zijn hand had gepakt en zich tot Chu Suiliang had gewend met de woorden: 'We hebben een goede zoon en een goede schoondochter. Wij vertrouwen hen aan u toe.'[15]

Chu Suiliang durfde een bevel van zijn heerser niet naast zich neer te leggen, maar hij kon wel zo sterk mogelijk laten doorschemeren dat de overleden keizer al een beslissing had genomen en dat Gaozong moest doen wat hem gezegd werd. Nu hij toch al niet meer terug kon, voegde Chu Suiliang er nog aan toe dat keizerin Wang geen echte misdaad ten laste kon worden gelegd.

Het was een roekeloze daad, maar het werkte. Gaozong was overdonderd en kon à la minute geen tegenargumenten bedenken die zouden overkomen als verzet tegen zijn vaders wensen. Kwaad stuurde hij de ministers weg. Maar de dag erop riep hij hen bij zich voor een nieuwe poging.

Deze keer maakte de keizer duidelijk dat keizerin Wang moest vertrekken. 'Keizerin Wang heeft geen mannelijke erfopvolgers,' stelde hij botweg, 'Wu wel.' Uiteindelijk kwamen alle toespelingen op hekserij en kindermoord toch weer op het nageslacht neer, althans officieel. Door het onvermogen van zijn hoofdvrouw als nieuw excuus te gebruiken, gaf Gaozong zijn ministers echter ongewild een uitvlucht.

Toen hij er halfslachtig mee instemde de kinderloosheid van keizerin Wang te bespreken, merkte Chu Suiliang op dat er nog altijd geen reden was om Wu op de troon te installeren.

Als Uwe Hoogheid aandringt, kiest u dan alstublieft een nieuwe bruid uit hooggeplaatste families. Juffrouw Wu kan toch zeker niet uw keuze zijn? Zoals u weet, diende zij in de binnenste vertrekken van uw overleden en diep betreurde vader. Wij kunnen niet voorkomen dat dit bekend wordt. Zijne Hoogheid moet zich zorgvuldig beraden op hoe latere generaties aan zijn besluit zullen terugdenken.[16]

Of hij nu verplichtingen had tegenover de vorige keizer of niet, Chu Suiliang was te ver gegaan en hij wist het. De andere ministers bleven krampachtig zwijgen toen hij zijn houten scepter onder aan de troon neerlegde voordat hij knielde en onderdanig zijn voorhoofd tegen de grond drukte.

'Ik overhandig u mijn ambtsstaf en verzoek u mij toe te staan naar mijn geboorteplaats terug te keren,' zei hij, waarbij hij de officiële voorschriften voor ontslagname volgde. Om te laten zien hoe oprecht hij was, bonkte hij meermaals met zijn voorhoofd tegen de grond.

Gaozong was intens kwaad en berispte de minister om zijn onbeschaamdheid. Hij beval zijn wachten hem de troonkamer uit te slepen. Maar toen hoorden de ministers tot hun verbazing een andere stem die al even woedend klonk. Wu had stiekem vanachter een scherm meegeluisterd en vergat in haar woede dat ze rustig moest zijn. Ze krijste haar echtgenoot de keizer toe dat Chu Suiliang 'doodgeslagen' moest worden.

Toen Chu Suiliang was afgevoerd, was het pijnlijk stil in de troonkamer, totdat Zhangsun Wuji het niet langer kon verdragen.

'Chu Suiliang,' zei hij voorzichtig, 'voldeed alleen aan zijn taak, zoals hij de illustere vader van Uwe Hoogheid, keizer Taizong, had beloofd. Zelfs als hij zich schuldig heeft gemaakt [aan onbeschaamdheid], kan hij niet worden gestraft.'

Het was een slechte afsluiting van de vergadering. In de dagen daarna voelden verschillende ministers zich voldoende aangespoord door Chu Suiliangs protest om Gaozong hun eigen voorwaarden te sturen. Vooral Han Yuan, de voorzitter van de kanselarij, was fel; hij drong bij de keizer aan op een heroverweging. In een geschreven verzoekschrift voegde hij eraan toe dat keizerin Wang symbolisch gezien de moeder der natie was. Zij kon niet impulsief terzijde worden geschoven. Als de staat volgens confuciaanse regels moest wordt bestuurd, moest iedereen zijn plaats in de natuurlijke orde der dingen accepteren en dat gold ook voor de keizer zelf. Hij kon zijn hoofdvrouw net zo min verstoten als enig ander familiehoofd.

De nadruk van sommige argumenten doet vermoeden dat het debat persoonlijk en direct werd. Han Yuan verwees naar de schoonheid van de Verleidelijke Vleister Wu, maar zei erbij dat schoonheid alleen geen kwalificatie was voor een benoeming tot keizerin. Er waren zelfs verscheidene incidenten in de annalen opgetekend waarbij beeldschone vrouwen hun keizer tot waanzin dreven en de val van een dynastie op hun geweten hadden. Zulke rampspoed, redeneerde Han Yuan, zou moeten worden vergeleken met lang vervlogen tijden toen een legendarische keizersvrouw een belangrijke bondgenoot en medebestuurder van haar echtgenoot was, die het koninkrijk veel profijt opleverde, hoe slordig of gewoontjes zij er ook uitzag.

De kwestie werd onhoudbaar en iedereen ergerde zich aan de argumenten. Gaozong was geïrriteerd over de insinuatie dat Wu de ondergang van zijn keizerrijk kon veroorzaken, terwijl keizerin Wang evenmin gelukkig kan zijn geweest met de implicatie dat ze niet zo aantrekkelijk was.

De doorbraak kwam toen de minister die zich tot dusverre had onthouden, een zekere Li Zhi, eindelijk zijn voorgewende ziekte van zich afschudde en naar het hof kwam. Alle andere ministers hadden hun standpunt pijnlijk duidelijk gemaakt, zowel mondeling als schriftelijk. Alleen Li Zhi had zich nog niet uitgesproken, en Gaozong vroeg hem naar zijn mening.

Net als Zhangsun Wuji en de andere ministers was Li Zhi een restant van de oude garde, een van de strijders die in de begindagen met grote moeite de Tang-dynastie hadden verworven, een trouwe dienaar van de stichter en van diens zoon Taizong. Taizong had zo veel vertrouwen in hem dat hij volgens een Chinese volksvertelling een keer afgeknipte baardharen had afgestaan voor een toverdrank om Li Zhi te genezen van een ziekte.[17] Li Zhi was een van de hoekstenen van Taizongs erfenis. Deze keizer had opdracht gegeven hem na zijn dood naar de provincie te sturen, een test die was bedoeld om te zien of Li Zhi zijn heer trouw naar het hiernamaals zou volgen, of de gelegenheid zou aangrijpen om terug te vechten. Toen hij de opdracht kreeg, had Li Zhi plichtsgetrouw de hoofdstad verlaten, waardoor Gaozong hem betrouwbaar genoeg vond om hem terug te roepen en te herbenoemen. Zijn aanwezigheid aan het hof was op zich al een symbool voor continuïteit en etiquette, hij was als adviseur gekozen om in vele opzichten als de stem van de oudheid te functioneren, en als de stem van Gaozongs eigen vader. Toen hem werd gevraagd zijn mening te geven en hij geen andere keus had dan iets te zeggen, deed Li Zhi Gaozongs patstelling met een schouderophalen af, zeer tot de verbazing van alle betrokkenen en tot verrukking van Wu.

'Dit is een familiekwestie,' zei hij. 'Daar moeten anderen zich niet in mengen.'[18]

De formulering mag dan wat kleurloos en alledaags zijn, maar juist de saaiheid ervan betekende een cruciaal moment in het debat. Tot dan toe was het hele debat gericht geweest op theorie en politiek; staatszaken, erfopvolging en fatsoen. Maar Li Zhi's opmerking ontkrachtte veel van de eerdere hamvragen, maakte ze nutteloos en melodramatisch. De keizer, betoogde hij, stond weliswaar aan het hoofd van een belangrijke familie, maar met zijn privéaangelegenheden had het publiek niets te maken.

Het was een oneigenlijk en misleidend argument. Het wilde ook niet noodzakelijkerwijs zeggen dat Li Zhi Wu steunde. Het ligt veel meer voor de hand dat hij besefte dat Gaozong grillig was en geen noodzaak zag om over zo'n kwestie een standpunt in te nemen, aangezien iedere concubine altijd blootstond aan de dreiging te worden vervangen door een jongere. Gezien de officiële taken van een keizerin en de macht die zij en haar familieleden konden uitoefenen, mocht er beslist niet licht over geoordeeld worden. In theorie was er niets wat een keizer ervan kon weerhouden net zo veel tijd met één bepaalde bijslaap door te brengen als hij wilde. Dat was echter nog geen reden om haar te belonen met een officiële positie. Toch had Li Zhi zo'n machtspositie in de regering dat zijn woorden een redelijk alternatief vormden voor de bedenkingen van de andere oude staatslieden. Het duurde ook niet lang voordat enkele van de jongere adviseurs Li Zhi bijvielen.

'Zelfs een boer wil een nieuwe vrouw als hij tien kuipen meer oogst,' merkte ene Xu Jingcong op. 'Laat staan een keizer die de schatten van de vier zeeën beheerst. Mensen moeten hem niet bekritiseren als hij één keizerin wenst te vervangen.'[19] Hij zei dit niet direct tegen Gaozong, maar het bericht bereikte Wu's oren en zij zorgde er wel voor dat de keizer het te horen kreeg.

Veel ministers beschouwden het nieuwe argument, terecht, als een mogelijk gevaarlijk bagatelliseren van de kwestie. Zij vonden dat je de Heilige Zoon van de Hemel niet kon vergelijken met een ontrouwe echtgenoot of een keuterboertje met lustgevoelens. Maar Li Zhi's opmerkingen hadden de oppositie nagenoeg vleugellam gemaakt. Aan het eind van 655 was de trouwe minister Chu Suiliang weggedegradeerd naar de provincie en waren de stemmen van andere tegenstanders verstomd.

In november vaardigde Gaozong een decreet uit waarin hij beweerde dat keizerin Wang en Xiao Liangdi ondanks langdurige wederzijdse haatgevoelens waren betrapt op een samenzwering tegen de troon en op plannen om hem te vergiftigen. In verband daarmee werden ze uit hun rang ontheven en raakten ze hun bijbehorende status kwijt. Hun familie werd op vergelijkbare wijze gedegradeerd en voor de rest van hun leven verbannen naar het diepe zuiden.[20] De twee vrouwen kregen huisarrest en werden samen ingesloten in een paviljoen, dat alleen een smalle opening bevatte om hun maaltijden toe te schuiven. Het was een staaltje van sluwe belediging, boven op alle vernedering, om de twee gezworen vijandinnen te dwingen samen een cel te delen – ze hadden nu alleen nog elkaars gezelschap.

Zes dagen later begreep een groepje hoffunctionarissen de wel erg duidelijke hint en verzocht Gaozong om een nieuwe keizerin te kiezen, waarbij ze lieten doorschemeren dat Wu een ideale kandidate zou zijn.

Ondanks de argumenten dat het alleen de directe familie van de keizer aanging, werd bij de benoeming van Wu tot keizerin de nadruk gelegd op haar voorouders en haar edele kwalificaties. Waar het ging om haar positie ten opzichte van Gaozongs moeder en vader, werd verbluffend soepel met de waarheid omgesprongen:

Vrouwe Wu komt uit een illustere en eerzame familie die stamt uit een land dat beroemd is om zijn strijders en geleerden. Ze werd uitgenodigd om naar het paleis te komen omwille van haar talent en kuisheid. Ze verwierf de welwillendheid en het respect van alle dames in haar eigen rang en diende haar meerderen met eer en verdienste. Toen wij als kroonprins het sterfbed van onze overleden moeder bezochten, was Vrouwe Wu dag en nacht aan haar zijde. Zij kweet zich zorgvuldig en ijverig van haar taak en had geen ruzie of onenigheid met de andere dames. De overleden keizer [Taizong] was zich bewust van haar goede eigenschappen en prees haar bij voortduring. Toen hij haar eer had bewezen, schonk hij haar aan ons. Daarom is het passend dat zij de rang van keizerin moet krijgen.[21]

Volgens de officiële stukken was Wu nu een bediende van Gaozongs moeder geweest – een vrouw die al dood was toen Wu naar het paleis kwam. Daarin werd brutaalweg beweerd dat ze geen vijanden had en de stukken wisten zelfs de indruk te wekken dat haar huwelijk met Gaozong geen confuciaans schandaal was, maar feitelijk was ingefluisterd door Taizong.

Wu had nu een lijst referenties die een heilige niet zou misstaan, met een publiek imago dat suggereerde dat zij de perfecte keizerin was en haar zelfs in positieve zin vergeleek met Gaozongs moeder. Zelfs haar grootste tegenstanders moesten haar nu erkennen als de hoofdvrouw van hun keizer, de belangrijkste vrouw van China.

Een paar dagen later begon ze haar wraakactie.

VIER

De verraderlijke vos

Wu werd in de winter van 655 tot keizerin gekroond in een grootse ceremonie die veel verbittering wekte bij haar rivalen. De functionarissen en bedienden die hoger geplaatst waren of al langer meeliepen, waren zich maar al te goed bewust van de leugens in Gaozongs proclamatie. Nu moesten ze een overdreven kostbaar uitgevoerd ritueel doorstaan om de promotie van Wu bekend te maken.

Het decreet van Gaozong werd met de nodige plechtigheid bij haar gebracht door twee van de hooggeplaatste functionarissen die haar als eersten in hun positie steun betuigden. Nadat ze dit met gepaste gratie in ontvangst had genomen, verliet Wu aan het hoofd van een processie haar vertrekken. Alle hoffunctionarissen, alsook Gaozongs andere vrouwen en concubines, moesten haar op het binnenhof bij een van de paleispoorten staan opwachten. Dit was nog nooit eerder vertoond, maar het lijkt te stroken met Wu's verlangen zich te verkneukelen in iedereen die haar kansen misschien in twijfel had getrokken.

TIAN – HEMEL
Totdat Wu aan de macht kwam, was het woord voor 'hemel' weergegeven als een streep boven een menselijke gedaante. Wu paste het karakter zo aan, dat de streep boven het karakter voor 'irrelevant' kwam te staan.

Toen ze haar triomf voldoende had ingewreven, werd Wu naar de Tempel van de Keizerlijke Voorouders gebracht, waar ze officieel werd benoemd tot lid van Gaozongs familie. Om ervoor te zorgen dat het met de rangen en standen wel goed zat, werd de vader van Wu postuum tot hertog verheven, terwijl vele andere leden van haar familie 'de inkomsten van duizend families' kregen – wat neerkomt op het grondgebied van een baron.

Wu begon haar bewind met een prachtig subtiele aanval op haar vroegere tegenstanders. In een verzoekschrift aan haar echtgenoot, dat de schijn ophield van goedgunstigheid en goed staatsmanschap, vroeg ze hem om Han Yuan en Lai Ji, twee ministers die zich niet-aflatend tegen haar promotie hadden verzet, te belonen voor hun trouw. In een betoog voor protesterende functionarissen dat Taizongs hart zou hebben gesmolten, schreef Wu dat de twee ware toewijding hadden getoond aan hun rol als minister en dat de keizer hen niet moest bestraffen voor hun tegenwerking, maar hen juist moest bevorderen.

Goedgelovig als altijd nam Gaozong dit op als een lief en goedgemanierd verzoek van de volmaakte keizerin. Hij liet het zelfs aan de betrokken ministers zien. Aangezien zij veel beter ingevoerd waren in de politiek dan hij, herkenden ze het als een goed getimede hint van Wu dat hun tegenwerking nog helemaal niet was vergeten. Beiden smeekten de keizer te mogen aftreden, maar dit werd op zich vaak gezien als ministeriële beleefdheid en Gaozong weigerde.

Nee, drongen de ministers aan, ze wilden *echt* nu aftreden, als de keizer maar zo vriendelijk wilde zijn het toe te staan. Maar Gaozong wilde er niets van weten en de twee ministers werden opgezadeld met nog meer verantwoordelijkheid. Als ze meenden dat Wu het op hen had voorzien, hadden ze volkomen gelijk.[1]

Begin 656 werd Wu's oudste zoon Li Hong, die was verwekt toen Wu nog werd geacht non te zijn, officieel als erfopvolger erkend. Om te voorkomen dat haar familie beschuldigd kon worden van machtsmisbruik, liet Wu haar halfbroers benoemen op verre posten in de provincie. Aan het hof werd ze geprezen om haar voorzienigheid, maar feitelijk was Wu nooit erg gesteld geweest op haar broers en was ze blij dat ze de gelegenheid kreeg hen te verbannen.[2]

Ondertussen bleven de afgezette keizerin en Xiao Liangdi gevangen op het paleisterrein. In het begin zou hun gevangenis, die waarschijnlijk zo groot was als een klein appartement met een kleine binnenplaats, nog redelijk goed zijn uitgerust. Maar toen het hek eenmaal op slot ging, werd het allengs minder. Er waren geen bedienden meer om het bad te vullen of de po te legen; schone kleren behoorden tot het verleden. Zonder de gestage stroom van eunuchs en bedienden werd hun gevangenis al snel smerig en onaangenaam.

Zij die hun leven lang zo veel aandacht hadden besteed aan hun uiterlijk, moesten het nu stellen zonder de dure ingrediënten van ijdelheid. Opeens waren er geen kleedsters, grimeurs, kapsters of badbedienden. In plaats daarvan zaten ze met elkaar opgescheept en was het bezorgen van voedsel door het luik hun enige lichtpuntje. In het jaar sinds de eerste beschuldigingen tegen hen waren geuit, was hun toestand geleidelijk verslechterd, en begin 656 zagen ze er ronduit slordig en verwaarloosd uit.

Maar zolang er leven was, was er hoop. Niet lang na de troonsbestijging van Wu als zijn keizerin, liep Gaozong per ongeluk in de buurt van het paviljoen waar de twee vrouwen gevangen werden gehouden. Als we bedenken hoe hij al even 'per ongeluk' Wu was tegengekomen in het klooster van Ganye, is het niet ondenkbaar dat hij er opzettelijk naartoe liep.

Het kan zijn dat hij niet op de hoogte was van de omstandigheden waarin de twee vrouwen gevangen zaten. Nadat hem was verzekerd dat 'alles geregeld was', had hij kunnen aannemen dat ze zich onledig hielden in een van de vele honderden privépaleizen, in plaats van weg te rotten binnen een gestaag vervuilende omheining. Hij zou zelfs verondersteld kunnen hebben dat ze in grote lijnen hun oude leventje hadden voortgezet. Nu ontdekte hij dat hij hun gevangenis niet eens in kon en door het kleine voedselluik moest schreeuwen. In zijn haast vergat hij dat ze officieel geen titel meer hadden, en noemde hij ze Keizerin en Xiao Liangdi.

De Tang-kronieken vermelden niet wie hem antwoord gaf, maar een van de huilende vrouwen zei het volgende:

'U bent het, Uwe Majesteit! Maar wij zijn gestraft voor onze misdaden en zijn niet meer dan slaven. Waarom spreekt U ons bij onze oude titel aan?'

Gaozong, nog steeds geschokt over de omstandigheden, vroeg alleen of ze nog iets te zeggen hadden. Hun antwoord luidde dat hij hun gevangenis moest omdopen tot het Hof van Heroverweging, als hij meende dat er enige kans bestond dat ze aan hun lot konden ontsnappen.

Voor de twee gevangenen ging de tijd traag voorbij, totdat ze een paar dagen later mannen aan de deur van hun cel hoorden morrelen. Iemand haalde de stenen weg die hen binnensloten. Even dachten de dames dat Gaozong zich had laten vermurwen en dat hun omstandigheden iets beter zouden worden. Maar dit bleek nog de wreedste truc te zijn, want de mannen aan de poort waren niet de dienaren van Gaozong, maar van Wu. Ze lieten weten dat ze de opdracht hadden gekregen beide vrouwen honderd zweepslagen te geven, een straf die dodelijk kon zijn.

De voormalige keizerin wilde zich niet laten kennen. In plaats daarvan boog zij driemaal en zei:

'Ik wens mijn voormalige echtgenoot alle geluk in de toekomst. Nu de Stralend Deugdzame Wu de liefde van Zijne Majesteit heeft gestrikt, rest mij slechts de dood. Doe wat u doen moet.'[3]

Xiao Liangdi, de Pure Concubine, aanvaardde haar lot aanzienlijk minder sereen. Zij schreeuwde haar belagers toe:

'Wu is een verraderlijke vos die de keizer heeft behekst en nu op de troon zit. Ik hoop dat ik als kat wedergeboren wordt en die teef Wu als rat; dan kan ik haar strot doorbijten.'

Het is niet duidelijk of Wu binnen gehoorsafstand was. Kronieken van de Tang-dynastie vermelden alleen hoe de vrouwen hun straf kregen, waarna hun handen en voeten werden afgehakt, waarna hun verminkte ledematen herhaaldelijk werden verbrijzeld en gebroken en hun bloedende lichamen in wijnvaten werden gegooid. Het duurde enkele dagen voordat ze stierven.

'Nu kunnen die heksen tot op het bot dronken worden', schijnt Wu te hebben gezegd. Het is een vreemde opmerking met een ondertoon van ironische vergelding. 'Dronken tot het beenmerg smelt' schijnt in die tijd een poëtische aanduiding voor een orgasme te zijn geweest. Wu's manier om af te rekenen met haar twee bedrivales was een wrede letterlijke uitvoering van seksuele verrukking. De analogie die in het moderne taalgebruik – zonder zulke klassieke nuances – nog het dichtst in de buurt zou komen, is 'Neuk ze allebei dood'.[4]

Haar laatste woorden aan de twee vermeende heksen, uitgesproken toen hun leven eindelijk ten einde liep, had betrekking op haar besluit over hun postume namen. Van oudsher kregen mensen 'tempelnamen', die een samenvatting waren van hun lot in hun vorige leven en vooruitwezen naar hun volgende. Er moest goed over worden nagedacht om het juiste niveau van geluk en begeleiding te garanderen. In het geval van de voormalige keizerin en de Pure Concubine was Wu echter bereid radicaal met de traditie te breken. Ze had besloten dat de voormalige keizerin in het hiernamaals bekend zou zijn als Python, terwijl de Pure Concubine voortaan Uil genoemd zou worden. Zulke namen, zo geloofde men, zouden garanderen dat zij als deze dieren zouden reïncarneren. Dit kan bovendien een poging van Wu zijn geweest om Xiao Liangdi's kattenvloek te ontkrachten.[5]

Wu stond nu aanzienlijk sterker. Haar oudste zoon, Li Hong, was de troonopvolger en zij was zwanger van haar derde (of vierde) kind, weer een zoon. De voormalige kroonprins was de zoon geweest van een andere concubine. Hij was door de kinderloze keizerin Wang geadopteerd in een poging haar positie als hoofdvrouw te behouden. Nu keizerin Wang onteerd gestorven was, maakte de jongen geen schijn van kans. Zijn erfenis werd hem ontnomen in ruil voor een verzonnen adellijke titel, en hij werd naar een afgelegen provinciepost gestuurd.[6] De dood van haar rivales bleef Wu echter achtervolgen. Ze zei vaak nachtmerries te hebben en spookbeelden te zien, en ze was er dan van overtuigd dat ze werd aangevallen door bloedende verschijningen in gerafelde hofjaponnen, hun enkellange haren geklit en vervuild door verwaarlozing. Wu was zo ongerust, dat ze alle katten uit het paleis liet verwijderen. Binnen een paar maanden had ze besloten dat Chang'an zelf een slechte locatie was en had ze haar echtgenoot de keizer overgehaald het hele hof een slordige 320 kilometer naar het oosten te verhuizen.

Wu's bijgeloof was misschien nog wel de minst belangrijke overweging. Er waren voldoende andere redenen om het hof naar Luoyang te verhuizen, niet in de laatste plaats om haar roem als hoofdstad in verscheidene eerdere dynastieën, haar belangrijke positie in de boeddhistische wereld en haar meer centrale locatie, die een betere toegang tot oostelijk China bood. Zelfs de zorg dat Chang'an te kwetsbaar zou zijn voor een aanval, kan hebben meegespeeld. De Zijderoute werd niet alleen door buitenlandse handelaren gebruikt, en mogelijk heeft Gaozong de afstand tot de frontlinie van zijn aanhoudende oorlogen in Centraal-Azië iets willen vergroten. Desondanks was de traditioneel opgegeven reden de angst van Wu voor wraakzuchtige verschijningen, vooral van de twee vrouwen die zij zo gruwelijk had laten doden.

Terwijl Chang'an een belangrijke stad bleef aan de Zijderoute, werd deze stad voor het overgrote deel van de daaropvolgende veertig jaar door het hof van de Tang-dynastie verlaten. Gaozong en Wu hadden verder naar het oosten andere verplichtingen en het lijkt erop dat ze geen van beiden in een stad wensten te blijven waar drie generaties lang zo veel bloed was vergoten in het paleis.

Er kwam een einde aan de jaren van Wu's voortdurende zwangerschap, zodat ze zich kon aansluiten bij de uittocht naar Luoyang en kon afrekenen met haar overige vijanden aan het hof. Iedereen die zijn positie te danken had aan de steun van de vorige keizerin zat in een moeilijk parket, maar sommige leden van de oude garde hoopten dat Wu's vriendjes als eerste over de schreef gingen.

Bijna kregen ze het gewenste schandaal toen 'Glimlachend Zwaard' Li Yifu – de minister die als eerste had voorgesteld dat Wu tot keizerin zou worden benoemd – zelf in opspraak raakte. Omdat hij een perverse liefde had opgevat voor een mooie vrouwelijke gedetineerde in de plaatselijke gevangenis, had hij de gouverneur onder druk gezet om haar te bevrijden, waarna hij haar als zijn maîtresse had geïnstalleerd. Toen er vervolgens onderzoek naar Li Yifu werd gedaan wegens corruptie, werd duidelijk dat de zaak stond of viel met de getuigenis van de gevangenisgouverneur. Het gerechtshof had hier echter weinig aan, aangezien de gouverneur dood in zijn kantoor werd aangetroffen.

Hoewel het erop leek dat de gouverneur zichzelf had opgehangen, waren de inspecteurs ervan overtuigd dat de 'zelfmoord' zo gunstig was voor Li Yifu, dat hij er wel iets mee te maken *moest* hebben. Li Yifu werd in aanwezigheid van Gaozong in staat van beschuldiging gesteld, maar bleef zwijgen en ging niet op de beschuldigingen in. Aangezien Gaozong evenmin iets zei en de enige getuige à charge al dood was, viel de hele bewijsgrond voor de zaak weg. Dit kostte een van de beste inspecteurs van de Tang-dynastie zijn goede naam. Hij werd gedegradeerd en verbannen.

De gedoodverfde moordenaar, Li Yifu, ging vrijuit.

Wu's aanhangers waren ongrijpbaar, terwijl haar tegenstanders elk moment verraden konden worden. Toen de onkreukbare minister Han Yuan een verzoek deed tot de terugkeer van de verbannen Chu Suiliang, die nu een militaire buitenpost in het zuiden bestuurde, ontving hij geen instemmend antwoord, maar werden hij en zijn ambtgenoot Lai Ji ervan beschuldigd met Chu Suiliang samen te spannen om een opstand te beramen. Ook zou hij formulieren hebben vervalst om Chu Suiliang overgeplaatst te krijgen naar een legerplaats die betere vooruitzichten bood op opstand en revolutie. Waarschijnlijk was Chu net zo onschuldig als zijn twee 'medeplichtigen', want het is zeer aannemelijk dat de 'vervalste' formulieren bij Wu vandaan kwamen, maar toen de zaak voorkwam, vergat zij voor het gemak iets over haar betrokkenheid te zeggen. Er werd geen uitleg gegeven over hoe de troepen van Chu Suiliang een opstand zouden hebben moeten organiseren, laat staan hoe zo'n opstand een gevaar kon betekenen voor een hoofdstad die een slordige 1600 kilometer verderop lag.

Chu Suiliang werd gestraft met een nieuwe post, zo ver in het zuiden dat die net buiten China lag, in Thanh Hoa, het huidige Vietnam. Vanaf deze grens, die berucht was om zijn ontberingen en ziekten, stuurde Chu Suiliang één laatste smeekbrief aan het hof, in de hoop Gaozong eraan te herinneren dat hij een van Gaozongs trouwste aanhangers was geweest toen hij tot kroonprins werd gekozen, maar zo'n oude geschiedenis deed er nu niet meer zo toe. Gaozong negeerde Chu Suiliangs smeekbeden, en tegen 658 was de oude minister overleden.[7] Lai Ji en Han Yuan, die ooit de keizer hadden gesmeekt te mogen aftreden, werden eveneens naar de provincie verbannen, de eerste naar een stad ten zuiden van de Yangtze, de laatste naar het ver in het zuidoosten gelegen eiland Hainan. Hun vonnis gaf ondubbelzinnig aan dat ze nooit meer een stap in de hoofdstad mochten zetten.

De verhuizing naar Luoyang gaf Wu nieuwe gelegenheden om haar personeel te zuiveren. Haar aanhangers zochten eveneens naar mogelijkheden om wraak te nemen op degenen die hen hadden tegengewerkt voordat hun beschermvrouwe op de troon kwam. Een van hen, Xu Jingcong, had geruchten gehoord over een geheim genootschap dat was opgericht door de paleisbibliothecaris, Wei Jifeng, en een paar andere medewerkers. De precieze aard van het genootschap is onduidelijk. Het kan een volkomen ongevaarlijk vriendenclubje zijn geweest. Maar gezien het gedrag van eerdere Tang-prinsen, leek het nieuws over bijeenkomsten van lage ambtenaren en prinsen voor sommigen verdacht veel op de vorming van een pressiegroep die zich kon gaan inzetten voor onwelkome veranderingen, bijvoorbeeld het terughalen van een verbannen minister of de terugkeer van een van de verbannen prinsen. Wat de groep ook wilde, iedere triomfantelijke aanhanger van Wu zou er onmiddellijk het ergste van denken; dat ze plannen hadden om op de een of andere manier het gezag van Wu te ondermijnen.

Xu Jingcong kreeg de opdracht de zaak te onderzoeken. Hij onderwierp de bibliothecaris aan verscheidene kruisverhoren en folteringen die zo agressief waren dat de arme man tot zelfmoord werd gedreven. Zijn eerste poging ging mis, maar de tweede keer lukte het wel, wat hem verder onderzoek door Xu Jingcong bespaarde, maar zijn folteraar aanleiding gaf tot nieuwe beschuldigingen.

Het was nogal verbluffend, rapporteerde Xu Jingcong aan keizer Gaozong en keizerin Wu, dat zo'n laaggeplaatste en relatief onbelangrijke ambtenaar zo veel te verbergen zou hebben. Er was maar één verklaring mogelijk: Wei Jifeng had zelfmoord gepleegd in een poging het ware meesterbrein te beschermen, een samenzweerder met een veel hogere positie. In de wetenschap dat alleen hij en de dode Wei Jifeng wisten waar ze het laatst over hadden gesproken voordat de bibliothecaris zelfmoord pleegde, beweerde Xu Jingcong zelfs dat zijn slachtoffer had opgebiecht wie er in werkelijkheid achter het geheime genootschap zat: de premier, Zhangsun Wuji.

Als iets erop wees dat de oude garde voltooid verleden tijd was, was het wel deze beschuldiging. Zhangsun Wuji behoorde tot de laatste van de veteranen die nog hadden gevochten voor de stichting van de Tang-dynastie. Hij was zijn hele leven bevriend geweest met Taizong en hij was Gaozongs oom van moederszijde. Hij had talrijke veldslagen op zijn naam staan, van de Poort van de Donkere Strijder tot de recente inval in Korea, hij was een uitmuntend staatsman, die geen geheim maakte van zijn argwaan tegen keizerin Wu. Zhangsun was degene die bezwaar had gemaakt tegen haar promotie en Zhangsun was ook degene die op hofceremoniën rondwaarde als de geest uit *Macbeth*, en die klip en klaar aangaf dat hij een lage dunk had van nieuwe ministers als Xu Jingcong. Niemand zou het hebben aangedurfd Zhangsun te beschuldigen toen Taizong nog leefde; nu werd hij op last van flinterdun bewijs aangeklaagd wegens samenzwering tegen Gaozong.

Als pas aangestelde minister en als een van de bedenkers van de oplossing van de familiekwestie, had Xu Jingcong het zwaar te verduren gehad van de oudere staatslieden. Nu nam hij wraak. Toen hij verslag uitbracht over zijn ondervragingen, maakte hij Gaozong bang met verhalen over precedenten. Er was gewoon geen tijd, loog hij, om Gaozong de overvloed aan bewijsstukken te overleggen. In plaats daarvan had hij de droeve plicht te onthullen dat het genootschap van de bibliothecaris slechts de dekmantel was geweest voor een veel uitgebreidere samenzwering. Xu Jingcong had een dolk blootgelegd, die gericht was op het hart van Gaozongs keizerrijk. Het was een kankergezwel dat al verder uitgezaaid was dan verwacht. Daarom was snelheid geboden. Xu Jingcong stelde dat het letterlijk een kwestie van minuten kon zijn voordat Zhangsun doorhad dat zijn boze opzet was ontdekt en in actie kwam.

'Zhangsun Wuji,' waarschuwde hij, 'speelde een sleutelrol bij het incident aan de Poort van de Donkere Strijder en hij heeft al dertig jaar macht uitgeoefend als premier. Als hij doorkrijgt dat zijn complot is ontdekt, kan zijn reactie heel gevaarlijk zijn. Uwe Majesteit moet hem meteen gevangennemen en terechtstellen.'[8]

Gaozong wierp tegen dat het amper te geloven was, maar Xu Jingcong hield aan, geholpen door keizerin Wu. De geschiedenis kende voldoende precedenten van ooms met een langdurige staat van dienst die de troon van hun neef inpikten. Er waren zelfs mensen die zich nog het trieste verhaal konden herinneren uit de laatste dagen van de Sui-dynastie, toen een groot deel van de keizerlijke familie door een verrader werd vermoord. Als het Gaozongs verre neven kon overkomen, kon het hém ook overkomen, tenzij hij snel ingreep.

Met grote tegenzin liet de huilende Gaozong zich overhalen. Hij riep niet eens Zhangsun Wuji ter verantwoording bij zich, maar stuurde op aanraden van Xu Jingcong officieren naar hem toe om hem te arresteren, hem zijn rang en titels te ontnemen en hem te begeleiden naar de zuidelijke grens. Het feit dat hij geen opdracht had gegeven hem onmiddellijk terecht te stellen, doet vermoeden dat hij nog steeds de bewijzen wilde zien. Maar dit gaf de aanhangers van keizerin Wu alleen maar meer invloed. Xu Jingcong kwam met een lange lijst van medesamenzweerders op de proppen, van wie sommigen al dood waren en anderen al waren verbannen. Hij stelde dat deze verdachten terug moesten worden geroepen om zich te verantwoorden, maar ondertussen zorgde hij er in het geheim voor dat de thuisreis, die onder optimale omstandigheden toch al lastig was, hun ondraaglijk moeilijk werd gemaakt. Han Yuan, die na een reis van verscheidene maanden eindelijk zijn verbanningsoord had bereikt, ontving kort na aankomst het bericht dat hij terug moest keren; dit vereiste zo'n inspanning dat hij zou overlijden voordat hij zelfs maar in de buurt van Chang'an was.[9]

Aangezien echt bewijs ontbrak, zorgde Xu Jingcong ervoor dat er nog velen van medeplichtigheid werden beschuldigd. Toen Zhangsun Wuji zijn verbanningsoord bereikte, werd hij tot zelfmoord gedreven door ondervragers die hem achtervolgden om verdere details van zijn zogenaamde complot te vernemen. Zodra Zhangsun zichzelf had opgehangen, verdraaide Xu Jingcong het nieuws als aanvullend bewijs voor zijn schuld. Hij stuurde beulen op de andere verdachten af die nog onderweg waren. Zij werden aangehouden, kregen te horen dat er niet langer twijfel bestond aan hun schuld en werden onthoofd. De enorme afstanden en de snelheid van het berichtenverkeer in aanmerking genomen, lijkt het erg onwaarschijnlijk dat het nieuws over een zelfmoord in het diepe zuiden op een of andere manier Chang'an zou bereiken en daarna weer zo snel naar het zuiden zou worden verspreid dat Xu Jingcongs andere slachtoffers konden worden onderschept. Het ligt meer voor de hand dat Xu Jingcong al inspeelde op Zhangsuns 'zelfmoord' voordat het nieuws hem kon hebben bereikt. Als er al vragen rezen over zijn extreme efficiëntie, kon keizerin Wu ze voor de verdrietige Gaozong gladstrijken. Ondertussen spoorden haar volgelingen alle zogenaamde 'samenzweerders' op. Hoewel de bewijslast misschien op twijfelachtige wijze in elkaar was geflanst, werden de terechtstellingen uiterst grondig uitgevoerd. In het geval van Han Yuan groeven de handlangers van Wu zelfs zijn lijk op, om te verifiëren dat hij was overleden voordat ze hem zelf hadden kunnen doden.[10] Toen de zuiveringen ten einde liepen, deden mogelijke slachtoffers het werk van de folteraars zelf. Lai Ji, ooit minister aan het hof, toen verbannen naar het zuiden, daarna overgeplaatst maar het uiterste westen, waar hij werd beschuldigd van het aanzetten tot een opstand, gaf het uiteindelijk op. De oude soldaat liet zijn harnas achter, trok zijn zwaard en leidde een zelfmoordaanval op een Turks kamp. Het was duidelijk dat hij dood wilde. Zijn laatste woorden luidden: 'Aldus beloon ik de zegeningen van de staat.'[11]

De aanhangers van keizerin Wu hadden nu met succes alle oudere staatslieden die hen tegenwerkten uit de weg geruimd. Daarmee was het netwerk vernietigd dat de stervende Taizong had opgezet om zijn zoon een zorgeloze regeringsperiode te garanderen. Gaozong regeerde nu zonder enig 'institutioneel geheugen'. Er resteerde slechts een klein deel van de oude garde om hem van advies te dienen dat op ervaring was gestoeld. In plaats daarvan werd hij omringd door nieuw aangenomen mensen, van wie velen promotie hadden gemaakt nadat ze Wu op de troon hadden geholpen.[12]

Niets van dit alles had direct invloed op de positie van de Tang-dynastie in het buitenland. Door de militaire operaties tegen de Turken in het westen hadden de Chinese grenzen zich tot ver in Centraal-Azië uitgestrekt, zodat China een groter deel van de Zijderoute beheerste dan ooit tevoren. Verafgelegen staten als Kasjmir en Nepal erkenden het oppergezag van de Tang-dynastie. In de provincies, waar het systeem en de ambtenaren van de vorige keizer nog grotendeels gehandhaafd bleven, liep alles op rolletjes. Het gevaar lag in het machtscentrum, bij de heerser zelf.

Tegen het einde van het decennium verhuisden Gaozong en keizerin Wu hun hof voortdurend. Ze reisden van provincie naar provincie, wat er waarschijnlijk voor zorgde dat de grootsheid van de Tang-dynastie ook binnen de eigen grenzen werd opgemerkt. De reeks verhuizingen, die een lus beschreef van Luoyang naar andere metropolen, waarbij zelfs een verblijf tussen de geesten van Chang'an was inbegrepen, diende ook om buitenlandse ambassadeurs alert te houden. Toen Japanse diplomaten aankwamen met geschenken en goede wensen uit het land van de rijzende zon, moesten ze meereizen met het hof, waardoor ze niet meteen terug konden naar Japan. Hoewel dit kan zijn overgekomen als een extravagante en warmhartige hofceremonie, was het ook bedoeld om hun terugreis zo lang uit te stellen dat ze geen verslag konden uitbrengen over Gaozongs meest recente project, een grote nieuwe aanval op Korea.

Keizerin Wu profiteerde sterk van het rondreizende hof. Ze gooide hoge ogen in haar geboorteplaats toen ze het hele hof daarheen haalde en tijdens een banket in haar vroegere huis de baas speelde over haar oude buren en vrienden, met haar echtgenoot de keizer aan haar zijde.

Toch zag niet alles er even goed uit. Hoewel hij in vergelijking met zijn vader een zeer beschermde jeugd had gehad, was Gaozong een zwakke en ziekelijke man. Hij werd al zijn hele leven geplaagd door terugkerende aanvallen van duizeligheid, die in verslagen uit die tijd werden beschreven als 'vlagen van verwarring'. Hoewel we het onmogelijk met zekerheid kunnen zeggen, vertalen moderne schrijvers de term als 'epilepsie', al stelden Gaozongs eigen artsen ongebruikelijker symptomen vast, waaronder tijdelijke blindheid. Aangezien Gaozong in de beginfase nog wel helder was, maar niet kon lezen en amper kon blijven staan, zijn aanvallen van multiple sclerose evenmin uit te sluiten.

Wat het ook voor aanvallen zijn geweest, eind 660 verslechterde Gaozongs toestand dramatisch. Toen hij nog maar net in Luoyang was teruggekeerd na zijn bezoek aan Wu's geboorteplaats, kreeg hij een aanval die hem zeer verzwakte. De effecten wezen eerder op een hartaanval dan op een epileptische aanval.

Toen de artsen werden geroepen om hem te onderzoeken, weigerde Wu haar plaats aan Gaozongs bed te verlaten. Ze stond stilletjes te koken van woede achter haar kamerscherm terwijl drie artsen hem onderzochten. Een van hen opperde verlegen dat Gaozong last had van te veel bloed en stelde de typisch middeleeuwse remedie van aderlaten voor om de bloeddruk te verlagen. De radeloze Wu werd razend en ze schreeuwde dat op elk voorstel om in het keizerlijke vlees te snijden de doodstraf stond. Gaozong zelf kwam de artsen te hulp. Hij hielp zijn vrouw herinneren dat ze gewoon hun werk deden.

In een opmerkelijk menselijk fragment in de saga van keizerin Wu wordt vermeld dat ze in tranen uitbarstte toen Gaozong aankondigde dat na het aderlaten zijn gezichtsvermogen inderdaad iets was verbeterd. Zeer tegen de etiquette in stapte ze achter het kamerscherm vandaan en bedankte de artsen persoonlijk met juwelen die ze in haar handen had. Zulk gedrag past duidelijk niet bij een wrede en harteloze despoot. Met het oog op Wu's eerdere gedrag zou je eerder verwachten dat ze Gaozongs ziekte zelf op haar geweten had, maar het lijkt er toch op dat ze echt bezorgd was om zijn welzijn. Toen de keizer langzaamaan herstelde, bleef hij echter last houden van evenwichtsstoornissen en kon hij niet scherp zien. Het duurde niet lang of hij vroeg zijn geliefde Wu hem zijn hofcirculaires en proclamaties voor te lezen en hem te helpen bij bestuurlijke zaken. Zij accepteerde uiterst hoffelijk.

VIJF

Het ultieme offer

Ongeveer 110 kilometer ten westen van Chang'an (het huidige Xi'an) ligt de Famen-tempel, een oude bewaarplaats van boeddhistische verhalen en schatten, aan de beroemde Zijderoute naar India en het Westen. De tempel dateert van lang voor de Tang-dynastie en werd in latere eeuwen overvleugeld door een pagode uit de Ming-dynastie. Deze pagode stortte in 1981 in als gevolg van zware regenval en aardschokken. Toen in 1987 de restauratiewerkzaamheden begonnen, ontdekten arbeiders het laatste geheim, een rijkelijk versierde ondergrondse schatkamer die de kostbaarste boeddhistische relikwieën bevatte.

Van de Famen-tempel was altijd al verteld dat er een paar vingerkootjes van Boeddha werden bewaard. Vier ervan werden intact aangetroffen tussen de vele rijkdommen uit de schatkamer. Het schijnt dat plaatselijke bewoners ervan hadden geweten, maar tijdens de omwentelingen van de twintigste eeuw hadden ze gezworen hun mond erover te houden. De schatkamer werd verzegeld voor de Japanse invasie in 1939.

YUE – MAAN
Tijdens de regeringsperiode van Wu werd het woord voor 'maan' veranderd in een gedeeltelijke omheining rond het karakter voor 'voortbrengen'. Misschien 'dat wat het baren beheerst'?

Hij bleef gelukkig dicht tijdens de culturele revolutie van Mao, toen de Rode Garde op afstand werd gehouden door de aanblik van een boeddhistische monnik die zichzelf voor hun ogen in brand stak en ter plaatse overleed.

De Ming-pagode is nu gerestaureerd en het tempelterrein ziet er weer net zo uit als tijdens de Tang-dynastie, toen de tempel door de keizer werd bezocht.

Nadat hij hals over kop was teruggetreden uit het keizersambt, was Gaozongs grootvader hier op een van de laatste dagen van zijn regeringsperiode aangekomen om de monniken te begroeten als mede-boeddhist. Hij vervulde zijn religieuze plichten in de tempel, schonk geld en schatten en vestigde daarmee een nieuwe traditie: dat de heerser van China één keer per generatie een huldeblijk zou brengen aan de relikwieën van Boeddha.

In Famens goed uitgeruste, moderne museum zijn reusachtige schilderingen die de bezoeken van de eerste Tang-keizers uitbeelden.[1] De eerste laat zien hoe Gaozongs grootvader, keizer Gaozu, gekleed als een boeddhistische monnik, met keizerlijke praal naar de tempel wordt gedragen. De tweede geeft een indruk van hoe Gaozong, ergens tussen 660 en 670, bij de tempel aankomt. Hij wordt afgebeeld als een zwakke man met een baard die wordt bijgestaan door tobberige bedienden. Hij kan amper lopen en legt met veel moeite de laatste meters van zijn pelgrimstocht af. Voor de traptreden heeft hij hulp nodig. Achter hem staan verschillende rangen hovelingen en ambtenaren afgebeeld. Zij kijken afwachtend toe. Op korte afstand, mooi maar opzichtig gekleed, staat keizerin Wu, zo te zien met haar eigen gevolg. Ze kijkt hooghartig toe hoe haar man zijn moeizame reis naar de tempel aflegt. Een onoplettende bezoeker zou zelfs kunnen aannemen dat Wu, een rijzige, dwingende verschijning, het onderwerp van het schilderij vormt, in plaats van de voorovergebogen monniksgestalte die over de voorgrond schuifelt.

Wat Gaozong nu precies scheelde, blijft ongewis. Blijkbaar ging het niet ten koste van zijn spraakvermogen, of van zijn potentie, want Wu zou hem nog twee kinderen schenken, een zoon in 662 en een dochter rond 664.[2] Rond 660 werd Gaozong echter sterk afhankelijk van Wu, aangezien zij het doorgeefluik werd voor alle hofdocumenten. Gaozong zou geen voorstel of memorandum 'lezen' tenzij Wu ze hem voorlas, wat haar ongebreidelde macht gaf over de informatie die hij ter beschikking had als hij besluiten moest nemen. Gaozong had nog altijd het laatste woord, maar Wu had controle over elke lettergreep van zijn vocabulaire.

Wat het Tang-hof rond 660 het meest bezighield, was de nieuwe invasie van Korea, gedeeltelijk bedoeld als voortzetting van de inval van 645, die zo'n zware tol had geëist van Taizong. De voorbereidingen waren al een jaar aan de gang, maar net toen de militaire operatie op het punt stond van start te gaan, was Gaozong ziek geworden. Deze keer werd de inval opgehangen aan de hulpvraag van de Zuid-Koreaanse staat Silla, die te kampen had met aanvallen vanuit buurlanden Koguryo en Paekche. Paekche, ooit een schatplichtige bondgenoot van de Tang-dynastie, was nu nadrukkelijk opstandig.

Het plan de campagne was bijna een kopie van de operatie die Taizong vijftien jaar eerder op touw had gezet. Su Dingfang, een veteraan die tal van veldslagen in Centraal-Azië op zijn naam had staan, kreeg het commando over een vloot transportschepen. De vloot stak tegen 660 de Gele Zee over, brak door de verdedigingslinie aan de monding van de rivier Kum aan de kust van Paekche en voer daarna stroomopwaarts naar Sabi. Versterkt door geallieerde manschappen die vanuit Silla over land waren gemarcheerd, namen Su Dingfangs troepen de hoofdstad van Paekche in en zetten de koninklijke familie gevangen. Toen de familie capituleerde, kwam heel Paekche onder Chinees bewind.

Doordat de Tang-dynastie nu controle had over het hele gebied dat nu Zuid-Korea heet, kon het Chinese leger het noordelijk gelegen koninkrijk Koguryo op twee fronten aanvallen. Su Dingfang keerde terug naar China om een nieuw leger samen te stellen. Officieel bestond dit leger uit Chinese dienstplichtigen, maar hij lijkt veel van zijn manschappen te hebben gerekruteerd uit de Koreaanse families die een generatie eerder dankbaar hun land waren ontvlucht als 'gevangenen' van Taizongs leger. Su nam zijn tweede troepenmacht mee terug naar het Koreaanse schiereiland, voer de rivier Taedong op en in de late zomer van 661 belegerde hij de stad Pyongyang.

De Chinese troepen kwamen steeds meer vast te zitten in Korea. Overwinningen die een jaar eerder in Paekche waren behaald, waren bepaald niet zeker, en de bezettingstroepen moesten optreden tegen een reeks opstanden. Su's vloot transportschepen kwam al snel weer terug met zevenduizend man versterking uit Shandong, terwijl Liu Rengui, een vindingrijke bevelhebber in het geallieerde Silla, in 662 een aantal veldtochten op touw moest zetten met zowel eigen als Chinese troepen, om belegerde bezettingstroepen in Paekche en Koguryo te hulp te komen.

Tegen 662 had Su Dingfang noodgedwongen de regio rond Pyongyang verlaten om elders in Korea opstanden neer te slaan. Ondertussen klopten rebellen uit Paekche aan bij Japan, wat leidde tot een grote zeeslag tussen Japanse en Chinese schepen in de monding van de Kum. Toen de Japanners waren verslagen, waren de Chinezen eindelijk Paekche de baas en konden ze zich geheel richten op Koguryo.[3]

Aan het Chinese hof was Gaozong nog steeds aan de beterende hand. Toen de Japanse vloot was verslagen, werkten vrijwel al zijn zintuigen weer goed. Niettemin werd de regering gedurende een groot deel van het Koreaanse conflict door Wu geleid. De annalen van de Tang-dynastie melden dat Gaozong zijn keizerin zag als een bekwaam bestuurder, die prima in staat was om zaken te regelen zonder Gaozong om raad te vragen, en dat Wu steeds meer beslissingen nam, zelfs toen Gaozong verder opknapte. Vooral de geboorte van Wu's twee jongste kinderen vormen een aanwijzing dat Wu en Gaozong veel tijd samen doorbrachten en dat de keizerin niet van Gaozongs zijde week, zelfs niet toen het weer beter met hem ging.

Zoals Wu misschien zou hebben aangevoerd, was seks met haar een belangrijk onderdeel van Gaozongs herstel. We kunnen elementen van haar karakter terugvinden in het verhaal uit de Tang-dynastie dat te vinden is in *Biografieën van de Godinnen* (*Shen nu zhuan*) van Sun Wei. Het zou verwijzen naar een oud verhaal over een strijder die wordt getroffen door een afmattende ziekte en tot de afbeelding van een vrouwelijke godheid bidt om genezing. De godin verschijnt zelf en probeert de strijder te verleiden, maar hij verzet zich tegen haar avances. Pas na zijn dood vertelt de teleurgestelde nimf aan de keizer dat haar *yin*-element de man had kunnen redden: zijn haperende *yang* zou door seks met haar zijn versterkt en verbeterd.[4]

In de Tang-geschiedenissen staat een cryptische toespeling naar Wu's bereidwilligheid om 'haar lichaam te verlagen en schande te verdragen om te voldoen aan de wens van haar keizer'. Wat ze de keizer in bed ook toestond, het gaf haar macht over hem op de troon. Het is echter moeilijk te bedenken wat hij van haar wel en van zijn andere concubines niet gedaan kon krijgen.[5] Als we de gedetailleerde seksboeken die Chinese stellen al eeuwenlang ter beschikking stonden bekijken, komt de preutse houding van Wu's critici vreemd over. Er wordt gesuggereerd, en in latere catalogi van Chinese erotica goeddeels bevestigd, dat Wu haar man maar al te graag met andere vrouwen heeft willen delen. Zij zou de centrale positie innemen in een, inmiddels onvindbare, erotische illustratie waarop een keizer staat afgebeeld terwijl hij seks heeft met een vrouw die wordt bijgestaan door twee dienstertjes. Een opmerking bij de tekst suggereert dat het een 'geheime vrijpartij'(*bixi*) betreft, die alleen bekend was bij leden van de keizerlijke harem, maar het lijkt toch te tam om er zo veel aanstoot aan te nemen. Keizers hadden immers al eeuwen de geneugten gesmaakt van seks met meerdere partners, en het is niet verwonderlijk dat biseksualiteit in tal van dynastieën onder eenzame haremvrouwen voorkwam.[6]

Een andere mogelijkheid kan te maken hebben met een meer technische kwestie, de overtuiging binnen de traditionele Chinese geneeskunde dat seks goed was voor keizers, mits bepaalde regels werden gevolgd. Er moesten meer seksuele partners zijn, zowel voor de voortplanting als om te voorkomen dat één concubine invloed op hem kreeg. De pseudowetenschappelijke verklaring hiervoor had te maken met het vrouwelijke element, ofwel *yin*, en het mannelijke element, ofwel *yang*. *Yin*-essence speelde een grote rol bij het handhaven van de gezondheid en vitaliteit van de keizer, maar de seksmagie werkte alleen als hij zijn sekspartner een orgasme kon bezorgen zonder zelf klaar te komen. Het genot van de vrouw zou haar sekspartner *yin*-essence schenken, terwijl de keizer zijn eigen *yang* kon behouden doordat hij niet ejaculeerde Volgens de sekshandboeken was dit de werkelijke reden waarom een keizer meerdere sekspartners had. Echter, stelde een van deze boeken: 'Als een man steeds gemeenschap heeft met één en dezelfde vrouw, zal haar *yin*-essence zwakker worden en zal ze weinig voor de man kunnen betekenen.'[7]

Zou dit de schanddaad kunnen zijn die aanleiding heeft gegeven tot eeuwenlange erotische veronderstellingen over Wu? In de wellustige beleving van het publiek mocht Wu dan een legendarische erotische dimensie hebben gekregen, maar een groot deel van alle ophef kan berusten op een misverstand. Degenen die haar tijdens haar leven bekritiseerden, kunnen zich, zoals Liu Rengui, hebben beroepen op traditionele etiquette. Als dat zo was, gaf vooral het feit dat ze niet van Gaozongs zijde week aanstoot. Daarmee zou ze namelijk verscheidene andere seksuele partners hebben buitengesloten. In de ogen van een Chinese arts uit die tijd zouden Wu's veelvuldige vrijpartijen met Gaozong niet alleen ongepast zijn, maar ook gevaarlijk. Gaozong was zwak, nog steeds aan het herstellen van zijn 'vlagen van verwarring', terwijl zij veel meer van zijn zaad nam dan haar rechtens toekwam. Daarmee veranderde ze van een bron van *yin*-essence in een waarachtige duivelin die de kostbare levenskracht uit zijn lichaam zoog, terwijl haar eigen *yin*-essence steeds minder krachtig werd. Wu's verschrikkelijke, onuitspreekbare perversiteit, die eeuwenlang aanleiding had gegeven tot speculatie en pornografie bij de vleet, kan hebben bestaan uit het enige wat de hovelingen van de Tang-dynastie zou hebben gechoqueerd en ontzet: *monogamie*.

Toen Wu haar greep op de macht versterkte, kon ze enkele van haar oudere pionnen opofferen. Een van die slachtoffers was Li Yifu, het 'Glimlachend Zwaard'. De stuntelige pogingen van deze corrupte minister om zijn baan te behouden, hadden aanleiding gegeven tot de val van Gaozongs ex-vrouw. In het schandaal om de mooie gevangene was hij onschendbaar gebleken. In de overtuiging dat keizerin Wu hem nog steeds beschermde, was Li Yifu met zijn oude streken doorgegaan. Zijn zonen deden hem na, wat Gaozong ter ore kwam.

In wat begon als een rustig gesprek, waarschijnlijk afgeluisterd door Wu, raadde Gaozong Li Yifu aan om het buitensporige gedrag van zijn zonen in te tomen voordat er problemen van kwamen. Li Yifu ging echter niet op de beschuldigingen in, maar eiste dat Gaozong hem vertelde wie hem had belasterd. Hij liep de troonzaal uit zonder zich te verontschuldigen. Blijkbaar verwachtte hij dat Wu de zaak wel weer zou gladstrijken. Maar Wu deed niets en het duurde niet lang voordat Li Yifu werd beschuldigd van ernstig wangedrag en voor de rest van zijn leven werd verbannen naar het zuiden.

Hoewel Wu nog steeds alle vertrouwen had in haar invloed op Gaozong, zijn er aanwijzingen dat de afkeuring van anderen hem niet ontging. Liu Rengui, de generaal die zo dapper had gevochten tijdens de Koreaanse inval, bewees dat zijn moed niet alleen tot het slagveld reikte.

Wu en Gaozong hadden zich aangewend hun dagen knuffelend op een grote bank door te brengen. Overal hingen grote spiegels, zodat ze hun vrijpartijen vanuit verschillende hoeken konden bewonderen. Generaal Liu kwam op audiëntie bij Gaozong en trof de keizer alleen op de bank aan. Het was een van de zeldzame momenten dat Wu nergens te bekennen was, en Liu greep zijn kans. Hij merkte de herhaalde weerspiegelingen van Gaozong op en zei: 'Er staan geen twee zonnen in de lucht, er bestaan geen twee heersers op aarde. Maar uw dienaar ziet ontelbare Hemelse Zonen om zich heen. Is dat geen veeg teken?'[8] Liu noemde Wu niet met name en uitte geen kritiek op Gaozong. Hij omkleedde zijn vraag zorgvuldig, als een kwestie van etiquette, en zonder iets direct te suggereren, plantte hij de gedachte in Gaozongs hoofd aan beelden van vele keizers die het noodlot tartten door te zinspelen op kroonpretendenten en opstand.

Het lijkt erop dat Wu's invloed op Gaozong minder werd als ze zwanger was – het zou onvermijdelijk tot gevolg hebben dat hij zo nu en dan zijn gerief zocht bij alternatieve sekspartners uit zijn omvangrijke, nu grotendeels werkeloze harem. Wu lijkt vooral een persoonlijk, fysiek charisma te hebben bezeten. Gaozong kon misschien zelfstandig denken als zij afwezig was, maar hij kon haar absoluut niet weerstaan als ze bij hem was.

Door deze bijzondere relatie was Wu kwetsbaar voor aanvallen op haar persoon en was Gaozong gevoelig voor suggestie als Wu onwel was. Rond de tijd dat Wu's jongste dochter werd geboren, prinses Taiping, probeerde een minister een officiële aanklacht tegen keizerin Wu in te dienen. Het lukte bijna.

Een paleiseunuch overlegde bewijs dat keizerin Wu in het geheim een taoïstische priester had geraadpleegd; ze had hem toegelaten tot haar vertrekken en hem gunsten verleend waar de hoogste minister alleen van kon dromen. De priester kreeg vrije toegang tot het paleis en geen enkele wachter mocht hem tegenhouden. Hoewel de eunuch het niet met zekerheid kon zeggen, meende hij dat de priester magische rituelen uitvoerde. Aangezien Wu net was bevallen of op het punt stond te bevallen, is het alleszins mogelijk dat deze 'magie' bedoeld was om de goede gezondheid van moeder en dochter te garanderen. Maar Gaozong, en vele hovelingen met hem, was het pijnlijke voorval dat had geleid tot de val van zijn exvrouw nog niet vergeten. Aangenomen dat de rituelen van de taoïstische priester kwaadaardig waren, en gezien het feit dat zij in het paleis van de keizer zelf werden uitgevoerd, lag het voor de hand dat Gaozong het doelwit was.

Gaozong riep het advies in van Shangguan Yi. Veelzeggend is dat deze minister adviseur was geweest van Gaozongs zoon, de voormalige kroonprins die in ongenade was gevallen en nu als banneling wegkwijnde in het diepe zuiden. Dit had een waarschuwing moeten zijn voor Gaozong, die mogelijk niet had beseft dat de eunuch die het bewijs overlegde eveneens een oud-dienaar was van de verbannen prins. Als Wu erbij was geweest, zou ze de samenzwering onmiddellijk hebben doorzien, maar zij vertoefde nog elders.

Shangguan Yi wreef zout in de wonden door te beweren dat keizerin Wu inderdaad opdracht leek te hebben gegeven tot een reeks magische vervloekingen van de troon: vanwege het feit dat Gaozong de afgelopen jaren ziekelijk was geweest, zou zo'n beschuldiging onmiddellijk zijn beschouwd als aanvullend bewijs dat Gaozongs 'vlagen van verwarring' door tovenarij waren ingegeven. Gaozong had een nare nasmaak van de kwestie met de voormalige keizerin Wang, omdat hij nog steeds geloofde dat zij op soortgelijke wijze tegen hem had samengespannen, en hij verloor zijn geduld. Nu werkte Wu's eigen succes in haar nadeel, aangezien haar troonsbestijging een precedent had geschapen voor de verwijdering van een keizerin. Gaozong zou niet langer eindeloze vergaderingen en discussies hoeven houden over de vraag of een keizerin kon of moest worden afgezet. In plaats daarvan droeg hij Shangguan Yi op onmiddellijk een document op te stellen om keizerin Wu haar hoge positie te ontnemen.

Maar hoewel Wu zelf niet aanwezig was bij de bespreking tussen Gaozong en Shangguan Yi, hoorde ze wél wat ze bespraken. Ze trof Gaozong aan tafel aan met het decreet voor zijn neus. Er hoefde alleen nog een keizerlijk zegel op en het was een openbare verkondiging. Maar wat Gaozong tijdens haar afwezigheid aan dapperheid en onafhankelijkheid had gevoeld, smolt als sneeuw voor de zon. Terwijl Wu hem plechtig verklaarde onschuldig te zijn en zodra dat was bevestigd, hem een uitbrander gaf om zijn gebrek aan vertrouwen, smeekte hij zijn woedende vrouw om vergiffenis. Uiteindelijk gaf hij Shangguan Yi de schuld van de hele kwestie.

Het werd tijd dat Wu haar pionnen op haar vijanden afstuurde. Xu Jingcong had zich al eerder trouw voor Wu's karretje laten spannen en ministers zonder enig bewijs ten val gebracht. De eerdere connecties van Shangguan Yi, de eunuch en de verbannen prins, leverden hem een rijkdom op aan aanklachten waar hij volop gebruik van maakte. De samenzweerders in het paleis belandden in de gevangenis, waar ze niet meer levend uitkwamen. Shangguans familie werd tot slaven gemaakt en hun bezittingen werden in beslag genomen. In het zuiden kreeg de verbannen prins de opdracht zelfmoord te plegen. Wu had opnieuw met succes een complot tegen haar persoon de kop in gedrukt en ervoor gezorgd dat haar eigen zoon, Li Hong, nog steeds de troonopvolger was.[9]

Wu had niet zomaar weer een aantal vijanden in het paleis uit de weg geruimd. De Tang-annalen noemen de val van Shangguan als de ultieme nederlaag van Gaozong. Hij zou zich nooit meer met succes kunnen verzetten tegen de wil van zijn vrouw, al voerden ze zo nu en dan nog felle discussies. Hierna werden Gaozongs pogingen om Wu's excessen te beteugelen steeds verijdeld door hovelingen, van wie de meesten trouw waren aan Wu. Wu had nu zeggenschap over nieuwe aanstellingen aan het hof en ze zorgde ervoor dat naarmate de oude garde uitstierf, er ambtenaren voor in de plaats kwamen die haar trouw waren:

> Vanaf dat moment zou de keizer niet langer audiëntie houden zonder dat de keizerin er achter een scherm bij was. Er was geen staatsaangelegenheid, hoe groot of klein ook, waar ze niet van hoorde. De ware macht op aarde rustte geheel bij haar: over degradatie of promotie, leven of dood, beloning of straf. De Hemelse Zoon zat met zijn handen over elkaar. Aan het hof en in het land werden ze de Twee Wijzen genoemd.[10]

Na de gevaren die Shangguan had geschetst, zou Wu niet nog eens de vergissing begaan zwanger te worden. Ze zorgde ervoor dat ze niet van Gaozongs zijde week. Ze werd zelfs stilletjes medeplichtig aan Gaozongs nieuwste seksspeeltje. Het lijkt erop dat Gaozong niet langer genoeg had aan Wu; hij was een heimelijke affaire begonnen met een hofdame die Guochu heette. De affaire werd verzwegen omdat het opnieuw tot een schandaal zou hebben geleid. Guochu was namelijk Wu's nichtje, de dochter van Helan. Niet alleen sloeg Gaozong de confuciaanse mores in de wind door de concubine van zijn overleden vader over te nemen, hij kon nu ook opscheppen dat hij seks had gehad met een moeder en dochter, zij het niet tegelijkertijd; Helan was inmiddels overleden. Om het nog erger te maken, gebruikte Guochu Wu om toegang te krijgen tot het paleis. Ogenschijnlijk kwam ze op bezoek bij de keizerin, om vervolgens naar Gaozongs slaapvertrek te verdwijnen. Hoewel Wu niet bijster gelukkig was met Gaozongs nieuwste bevlieging, maakte ze vooraleerst geen aanstalten om er een einde aan te maken. Wellicht leverde het haar een pressiemiddel op dat nog van pas kon komen. Voorlopig vormde Guochu een handige afleiding, al was Wu niet van plan haar voor altijd te laten blijven. Ze zou zeker niet zijn vergeten dat zij ooit zelf een onschuldig seksueel verzetje voor Gaozong was geweest en dat zij zich ook tegen haar beschermvrouwe keizerin Wang had gekeerd. Wu zou ervoor waken dat Guochu hetzelfde probeerde.

Wu was nog steeds niet helemaal veilig. Ze had verschillende vijanden kunnen verslaan toen ze roddels over haar probeerden te verspreiden, maar etiquette kon nog steeds een effectief wapen zijn. Eén mogelijke beschuldiging die vaak tegen de vrouwen van keizers werd geuit, was dat hun invloed op hun echtgenoot vaak nieuwe pressiegroepen in het leven riep – familieleden van de keizerin die op haar voorspraak regeringsfuncties kregen. Om te bewijzen dat zij de Tang-dynastie wilde vrijwaren van onwelkome invloeden, gaf Wu opdracht om haar familie aan te stellen op posten die ver van de hoofdstad lagen.

Daar zat natuurlijk meer aan vast. Op papier getuigde de overplaatsing van Wu's hele en halve neven en neefjes naar afgelegen provincies van goed staatsmanschap. In werkelijkheid vereffende Wu een persoonlijke rekening. Dat deed ze echter op zo'n manier dat het leek alsof ze alleen de belangen van het rijk op het oog had.

Wu en haar zussen hadden nooit goed met hun halfbroers kunnen opschieten, en de afkeer leek wederzijds. De jongens waren de zonen uit het eerste huwelijk van hun vader. Ze hadden hun stiefmoeder nooit gemogen, laat staan de onwelkome vrouwelijke familieleden die zij op de wereld had gezet. De afkeer zal zo mogelijk nog groter zijn geworden toen hun gehate middelste zus op een of andere manier keizerin werd. Zo'n gegeven geeft een extra dimensie aan het verhaal dat Wu het reizende keizerlijke hof naar haar voorouderlijk huis bracht – haar halfbroers moeten razend zijn geweest. Na afloop had haar moeder een van haar stiefkleinkinderen ermee geplaagd, waarop de jongen haar en Wu had beledigd. Door de mannen uit het huis Wu naar de provincies te sturen, of, in één geval, een familielid daar te houden, nam Wu wraak voor de vele pesterijen in haar jeugd.

Wu wilde echter niet alleen opscheppen tegenover haar familie. Nu haar man uit haar hand at, haar familieleden hun plaats kenden en haar zoon als erfopvolger was benoemd, wilde ze de hele wereld laten zien wat ze had bereikt. Aangenomen wordt dat die voortdurende hang naar goedkeuring ertoe leidde dat zij deelnam aan de meest indrukwekkende religieuze ceremonie uit de Chinese geschiedenis.

De zogeheten Feng-Shan was een immens ingewikkelde, machtige en vooral dure ceremonie, uitgevoerd door keizers aan de voet en de top van de heilige berg Tai Shân in het oosten van China. De Feng en de Shan waren opgebouwd uit een tweetal directe rapportages aan de hemel en de aarde, waarin de keizer niet gewoon offers bracht die bij het seizoen pasten en boog naar zijn goden en voorouders, maar in plaats daarvan formeel kond deed van zijn prestaties. De Feng-Shan vormde het hoogtepunt van zijn succes als keizer, wat inhield dat hij het ritueel pas kon overwegen als hij er zeker van was dat zijn rijk veilig, beschermd, tevreden en welvarend was. In oude volksverhalen die zich afspelen in China's legendarische Gouden Eeuw wordt tientallen malen verwezen naar de Feng-Shan, waardoor het bijna iets alledaags lijkt. Historische voorbeelden zijn echter aanzienlijk schaarser. Vóór de stichting van de Tang-dynastie waren er slechts drie keer Feng-Shan-offers gebracht, en de laatste keer was zeshonderd jaar daarvoor.[11]

In de eeuwen na de val van de Han-dynastie was China zo versplinterd geweest, dat geen enkele heerser zich op echt succes kon laten voorstaan. Keizers mochten dan de aarde beheersen, geen van hen durfde een Feng-shan-ceremonie aan. Zo'n ceremonie initiëren zonder er absoluut zeker van te zijn dat je een hemels mandaat had, was aanmatigend en kon leiden tot ongeluk en rampspoed. Tijdens de kortstondige Sui-dynastie, die aan de Tang voorafging, hadden twee keizers de mogelijkheid van een Feng-Shan-offer besproken. Ze hadden zelfs een paar keer 'proefgedraaid', waarbij ze verschillende aspecten van de ceremonie hadden doorlopen zonder zich meteen tot alle vereiste rituelen te verplichten.

Gaozongs vader en grootvader hadden allebei wel eens met de gedachte gespeeld een Feng-Shan-offer te organiseren, maar geen van beiden had het opgepakt. Keizer Gaozu, altijd even bescheiden, had zich niet als waardig beschouwd. Dat gold ook voor de jonge Taizong, al vond hij het idee op latere leeftijd wel aantrekkelijk. Zijn trouwe minister Wei Zheng wist het hem twee keer uit het hoofd te praten, en één keer bedacht Taizong zich na het verschijnen van een onheilspellende komeet.[12] De volgende keer dat het onderwerp ter sprake kwam, werd het door de meeste ministers gesteund, maar toen was Taizongs gevoel van eigenwaarde zo gekrompen door de mislukking van de Koreaanse inval in 645, dat hij het niet meer wilde. Als hij niet eens een couppleger in een naburige vazalstaat op de knieën kon krijgen, was het duidelijk niet de goede tijd om de hemel te verkondigen dat hij de onbetwistbare wereldleider was.

Keizerin Wu had geen last van zulke scrupules. Ze was zo trots op Gaozongs prestaties dat ze een Feng-Shan-offer beschouwde als een waardige bekroning van zijn carrière. Het lijkt erop dat ze er al over was begonnen sinds ze in 655 de troon besteeg. De eerste aanwijzingen voor voorbereidingen dateren uit 659, toen Gaozong Xu Jingcong opdracht gaf de mogelijkheden tot een Feng-Shan te onderzoeken. Aangezien Xu Jingcong Wu's trouwste volgeling aan het hof was, lijkt het duidelijk wie de drijvende kracht hierachter was.

Vanaf 660 was Xu zo nu en dan met het project bezig, maar Gaozong was te ziek om zijn slaapkamer uit te komen, dus kon hij zeker niet een berg op lopen om de goden verslag uit te brengen. Toen China zich verheugde in vijf overvloedige oogsten achter elkaar, werd dat gezien als een extra aanwijzing dat de tijd rijp was, al was nog steeds onduidelijk hoe de dynastie het moest aanpakken.[13] Feng-Shan-offers kwamen zo zelden voor dat er weinig informatie beschikbaar was over wat zo'n offer inhield. Taizongs ministers hadden dertig jaar daarvoor al uitgebreid onderzoek gedaan en hun bevindingen werden afgestoft en doorgelezen. Opmerkelijk genoeg kwamen de Feng-Shan-rituelen niet voor in de etiquettevraagbaak van het hof, het beroemde *Boek der Rituelen*, dat Confucius zelf nog zou hebben samengesteld. Daarom vroegen verschillende ministers zich af of het wel echt zo'n oud gebruik was en vermoedden velen dat het ging om een of ander vulgair superritueel dat bij elkaar gesprokkeld was uit halfvergeten volksverhalen en opgeblazen extrapolaties van reeds bestaande ceremoniën.

Wu liet zich echter niet afschepen, want ze verwachtte dat de nog altijd niet geheel fitte Gaozong haar zou vragen hem bij het ultieme offer bij te staan, net zoals ze hem in zijn werk bijstond. Aan het eind van 662 zetten de ministers de Feng-Shan voorlopig op de agenda voor 664, maar trokken het binnen enkele weken weer in. Ze stelden dat de voortdurende Koreaanse veldtocht een van de vele factoren was die op dat moment bepaalden of de keizer waardig was. Tegen 664 werd het plan dan toch in gang gezet en kwam het opnieuw op de hofagenda te staan. In 665 zou het hof vanuit Luoyang een lange reis naar het oosten maken over pas aangelegde wegen en gerenoveerde bruggen. De eindbestemming was de heilige berg Tai Shân. Volgens plan zou Gaozong daar begin 666 de Feng-Shan-ceremonie verrichten.

Het was een reusachtige onderneming. Niet alleen moest de route vooraf worden gepland om zeker te zijn van optimaal gemak en comfort, ook moesten er van overal ter wereld getuigen worden opgetrommeld. Geen van de deelnemers mocht een last zijn voor de plaatselijke bevolking. Bij deze gelegenheid moest de hele hofprocessie zelfvoorzienend zijn, want als de bewoners in de omgeving misnoegd raakten, zou hun kwade wil de ceremonie teniet kunnen doen.

Gaozong en keizerin Wu zonderden zich enkele dagen onder aan de Tai Shân af om zich op de ceremonie voor te bereiden. Ze begonnen met 'rust en ontspanning', gevolgd door 'intensieve afzondering', wat waarschijnlijk neerkomt op drie dagen van seksuele onthouding, een zware opgave voor dat stel.

Afgaande op het onderzoek dat Taizongs ministers destijds hadden gedaan, duurde de ceremonie zelf verscheidene dagen. Een eerste offer aan de voet van de berg zou de geesten alert maken op de belangrijke gebeurtenis, tenminste, voor zover de plaatselijke geesten niet al doorhadden dat hun heilige berg de afgelopen weken tot een religieuze bouwplaats was getransformeerd. Vervolgens moest de keizer te voet de berg op lopen, een essentieel onderdeel van de ceremonie dat eerdere celebranten tot hun schade in de wind hadden geslagen. Gezien Gaozongs beroerte en zijn moeizame herstel, was het ook een buitengewoon wrede eis, maar hij ging akkoord.

Op de top aangekomen zou hij op een reusachtig altaar nog meer offers brengen, om daarna zijn rapportage – bestaande uit meerdere platen van massief jade waarin de verrichtingen van zijn dynastie en de toestand van zijn rijk waren gegraveerd – ceremonieel te begraven. De platen moesten in een speciaal ontworpen stenen kist worden geschoven en daarna in heilige grond worden begraven, waarmee de Tai Shân symbolisch weer net iets hoger werd dan de berg vóór Gaozongs komst was geweest.

Begin 666 kwamen alle bezoekers aan de ceremonie bij elkaar om te worden gereinigd en hun rol in het aanstaande grote religieuze drama te repeteren. Ambassadeurs van alle vazalstaten verzamelden zich bij de Tai Shân om getuige te zijn van de grootsheid van hun heerser. De geesten van gevangenen uit gebieden die Gaozong recentelijk had veroverd, zouden als symbolische offers aan de goden worden aangeboden. Pas toen alles startklaar was en er geen terugweg meer mogelijk was zonder gigantisch gezichtsverlies voor de keizer, stelde keizerin Wu een procedurekwestie aan de orde.

Ze stonden op het punt, merkte zij op, om het helemaal verkeerd te doen en rampspoed over haar dynastie af te roepen. Wu betoogde eerst tegen Gaozong, en toen hij toegaf, tegen de ministers dat de Feng-Shan-ceremonie nog nooit op correcte wijze was uitgevoerd. De hofetiquette was aan één belangrijk punt voorbijgegaan, namelijk dat de keizer en zijn functionarissen fysiek gezien slechts één helft konden uitvoeren: het offer aan de hemel vanaf de bergtop. Dat, vervolgde Wu, was prima, want de hemel was mannelijk: een *yang*-element dat door mannelijke geesten werd bijgestaan. De aarde was echter zonder twijfel *yin*, een vrouwelijk element dat werd begeleid door vrouwelijke geesten. Wilde het Feng-Shan-offer echt werken, dan moest het aarde-offer aan de voet van de berg door vrouwen worden gebracht.[14]

Wu zei:

> In eerdere ultieme offers waren de geesten aan wie werd geofferd die van overleden keizerinnen, maar de ceremoniën werden door mannelijke ministers uitgevoerd. Uw onderdanige gemalin meent nederig dat dit een vergissing lijkt te zijn. Waarom zouden wij van de geesten van keizerinnen verwachten in de aanwezigheid van een man te verschijnen? Het lijkt ongepast en in tegenspraak met het karakter van de heilige ceremonie.[15]

Het blijft gissen waarom Wu dit punt niet eerder naar voren had gebracht. Zeker is dat ze ijzersterke argumenten in handen had die vóór haar werkten, niet in de laatste plaats de ongepaste suggestie dat alle eerdere Feng-Shan-offers niet op correcte wijze waren gebracht. Als ze wel correct waren uitgevoerd, voerde ze aan, zouden de dynastieën die ze hadden uitgevoerd toch zeker echt volmaakt zijn geweest. En als ze echt volmaakt waren geweest, zouden ze nooit het Hemelse mandaat zijn kwijtgeraakt, en dan zou de Tang-dynastie nooit zijn ontstaan. Toen Gaozongs protocolministers dit hoorden, gaven sommigen van hen schoorvoetend toe dat keizerin Wu daar wel een punt had – oude rituelen waren duidelijk verdeeld in mannelijke en vrouwelijke ceremoniën en het leek inderdaad logisch dat er voor het ultieme offerritueel evenveel mannelijke als vrouwelijke celebranten nodig waren. Dat Wu zich op slinkse wijze een plek had veroverd in een ritueel dat tot dusverre was voorbehouden aan machtige keizers, was een van de grootste overwinningen in haar carrière. Als Gaozong verslag uitbracht aan de hemel, zou Wu naast hem staan, net zoals ze dat aan het hof deed, in naam zijn gelijke, maar in werkelijkheid superieur.

Wu's deelname aan het ritueel had nog meer gevolgen. Net zoals de keizer mannelijke assistenten had voor zijn onderdeel, verlangde Wu te worden bijgestaan door vrouwen. In allerijl werden celebranten geworven uit de entourages van andere bezoekers, de ambassadeursvrouwen en de dienstmeisjes van de keizer. Toen Gaozongs gedeelte van het ritueel ten einde liep, moesten alle mannen van de berg af om de rest van het ritueel vanaf een afstand te volgen. Aan weerszijden van de vrouwen liepen eunuchs met parasols en lange zijden schermen – het is niet duidelijk of dit om fatsoensredenen gebeurde of om de vrouwen tegen de elementen te beschermen. Vervolgens begonnen de vrouwen het aarderitueel van het Feng-Shan-offer door aan een ceremonieel banket voedsel en wijn aan te bieden. Toen hun zangstemmen langs de voet van de berg wegstierven, lieten degenen die buiten gehoorsafstand van de keizer waren hun afkeuring blijken. Dit was uit de aard der zaak een van de belangrijkste religieuze ceremoniën uit de wereldgeschiedenis, en Wu had hem gekaapt.[16]

ZES

De gifbeker

Na de Feng-Shan werd een aantal krijgsgevangenen naar de tombe van Taizong gebracht. In vroeger tijden zouden ze wellicht zijn geofferd, maar voor de Tang-dynastie volstond dat tijdens een symbolisch offer alleen hun geest werd geschonken aan Taizong. Nu hun ziel aan Taizong toebehoorde, mochten ze levend en wel huiswaarts keren. Er was recht gedaan en de oorlog die Taizongs vroegtijdige dood zou hebben veroorzaakt, was hiermee ten einde.[1]

Alsof de hemel zelf zich achter Wu schaarde, bleef het China voor de wind gaan. Een tijd lang had de positie van China in het zuiden van Korea er niet goed uitgezien. Generaal Liu Rengui had geklaagd dat niemand er meer wilde werken. De soldaten onder zijn bevel hadden niet verwacht langer dan een jaar in Korea te hoeven blijven, maar in hun tweede jaar vielen ze nog steeds de grensposten van Koguryo aan, zonder al te veel succes. Ondertussen werd het in China steeds moeilijker om nieuwe rekruten te vinden – soldaten tekenden voor buit en snelle promotie, niet voor eindeloze maanden in een vreemd land, en al helemaal niet als plunderen streng verboden was. [2]

CHU – PRINS

Tijdens de regeringsperiode van Wu werd het woord voor 'prins' veranderd, zodat het bestond uit de karakters voor 'iemand die vredige taal spreekt'.

In het jaar 666, een paar maanden na de voltooiing van het Feng-Shan-offer, overleed de Koreaanse couppleger Yon Kaesomun eindelijk. Omdat geen van zijn zonen was aangewezen als erfopvolger, braken er onder de bewoners van Koguryo onlusten uit, wat China en haar zuidelijke bondgenoten opeens kansen bood. In 666 begonnen Tang-troepen hier en daar te strijden aan de grens van de Liao, maar de echte aanval begon pas in het jaar erna, toen de eerbiedwaardige Li Shiji, een veteraan uit Taizongs regering, werd opgetrommeld om een nieuwe invasie te leiden. Hoewel Li's leiderschapskwaliteiten buiten kijf stonden, leek de opmars van zijn leger te zijn beschermd door magische krachten. In een mum van tijd gaven zeventien Koreaanse grensposten zich zonder noemenswaardige strijd over. Daardoor kon Li bliksemsnel tot in Liaodong oprukken. Hier hadden de Chinezen voor het eerst een gebied veroverd dat groot genoeg was om er te kunnen overwinteren. In plaats van terug te keren naar China, kon Li aan de grenzen van Koguryo blijven wachten voor een snelle bestorming na de winter. In het voorjaar van 668 trok hij weer ten aanval, in de zekere wetenschap dat hij geen maanden hoefde te verdoen met reizen als de winter inzette. Daardoor kon hij aan het begin van de herfst zijn aanval een paar weken langer doorzetten, wat in oktober 668 leidde tot de overgave van Pyongyang zelf. Daarmee werd Korea officieel een provincie van China, al had China vaak weinig greep op het schiereiland. Zo werd er in 676 opnieuw een Chinees hoofdkwartier opgezet in de vallei van de Liao, wat doet vermoeden dat Koreaanse rebellen grote gebieden hadden heroverd.

Dat nam niet weg dat er tussen 660 en 665 vooral goed nieuws uit het buitenland was gekomen, zij het niet voor Wu. Het keizerlijke hof was van Tai Shân teruggekeerd met een aantal nieuwe leden, onder wie twee zeer gehate neven van Wu, Weilang en Huaiyun. Zoals Wu het oorspronkelijk had gepland, was hun vader kort na aankomst in zijn ballingsoord overleden, maar de twee broers waren op een of andere manier in het keizerlijke gezelschap opgenomen toen dat op weg naar huis was. Ze waren terug in de stad. Misschien ook heeft Wu ze zelf laten terugkeren in de hoop ze in de toekomst ergens voor te kunnen gebruiken.

Tijdens de zomer van 666 namen Gaozong en Wu opnieuw deel aan een banket bij Wu's oude moeder. De twee neven waren ook van de partij, net als Guochu, het nichtje met wie Gaozong nog steeds een stiekeme affaire had. Tijdens het diner begon Guochu plotseling naar adem te happen. Terwijl Gaozong geschokt toekeek, zakte zijn minnares stuiptrekkend in elkaar en stierf aan tafel. In de chaos die toen ontstond, legde Wu de schuld bij de twee neven. Ze beweerde dat zij *haar* hadden willen vergiftigen en dat het puur toeval was dat de arme Guochu voedsel dat voor Wu was bedoeld op haar bordje had gekregen. De broers werden afgevoerd en standrechtelijk geëxecuteerd. Gewoontegetrouw breidde Wu haar wraakoefening uit naar het hiernamaals met de opdracht dat hun achternaam op hun grafsteen moest worden veranderd van Wu in *Fu*: 'Adder'.³

Na zo'n afschuwelijke wandaad was wel duidelijk dat mannelijke familieleden van Wu zich niet meer in de buurt van het paleis mochten vertonen. De rest van hen werd, gedegradeerd tot de burgerstatus, naar het zuiden gestuurd, en Wu hoopte ongetwijfeld dat ze daar langzaam aan tropische ziekten zouden overlijden.

De dood van Guochu betekent een keerpunt in de geschiedschrijving over Wu. Voordien was in de annalen van de Tang-dynastie gemeld welke beschuldigingen over haar activiteiten en vermeende misdaden waren geuit, zonder een waardeoordeel over haar schuld uit te spreken. De vergiftiging van Gaozongs minnares markeert echter het moment waarop de kroniekschrijvers van de Tang-dynastie voor het eerst suggereerden dat Wu erachter zat. Het kan heel goed dat haar neven Guochu's eten zelf hadden vergiftigd; een domme zet, omdat ze daarmee Wu in de kaart zouden hebben gespeeld. Misschien hadden ze haar vuile werk voor haar opgeknapt, omdat zij hun in ruil daarvoor had beloofd hen weer toe te laten aan het hof. Hoe het gif ook in het eten van Guochu terechtkwam, de geschiedschrijving van de Tang-dynastie legt de schuld bij Wu zelf.⁴

Deze ommekeer kan zijn ingegeven door Gaozong, die Wu van de vergiftiging verdacht, al durfde hij haar er niet openlijk op aan te spreken. Beschreven wordt hoe hij met Guochu's broer Minzhi meeleefde en hoe hij hem troostte. Het duurde niet lang of de verdrietige jongen werd officieel in het geslacht Wu opgenomen, zodat hij namens de verbannen mannen de offers aan de voorouders zou kunnen brengen. Wu mocht dan een grondige hekel hebben aan haar mannelijke familieleden, ze was het aan haar vaders geest verplicht haar voorouders te eren. Het idee dat Wu Guochu had vergiftigd, was om verschillende redenen uiterst beangstigend voor Gaozong. Men hoorde hoe hij zich hardop afvroeg hoe Guochu's moeder was overleden. Er zijn weliswaar geen aanwijzingen dat Wu iets met de dood van haar zus te maken had, maar Gaozong was achterdochtig geworden.[5] Dat Wu blijkbaar bereid was haar eigen familie af te maken, beloofde weinig goeds voor Gaozong, zeker gezien het feit dat ze vrije toegang had tot zijn privévertrekken. Wat Gaozong nog wel het meest beangstigde, was het bange vermoeden dat Wu misschien had geprobeerd *hem* te vergiftigen, indirect, via Guochu. Er wordt namelijk beweerd dat Gaozong het liefst bij Guochu aan de borst lag en haar moedermelk dronk… Het kan zelfs zijn dat hij dit op aanraden van zijn adviseurs deed; zij zouden bekend zijn met de volkswijsheid dat een man een eeuw oud kan worden door moedermelk te drinken. Als Wu haar nichtje vergif had toegediend, was het dan haar bedoeling dat het op deze onverwacht intieme manier bij Gaozong terecht zou komen? Overigens, als Guochu moedermelk kon geven, was zij vermoedelijk zwanger van Gaozong, wat voor Wu een veel grotere bedreiging vormde dan Guochu alleen, en aanleiding gaf tot haar verwijdering.[6]

Wat ook de waarheid was achter Guochu's dood, na dat fatale banket verwekte Gaozong geen kinderen meer. Hij kan rond 670 nog best andere bijslapen hebben gehad, maar zij baarden geen kinderen. Ondertussen zat Wu met Minzhi in haar maag, zou hij wraak nemen of niet? Als Wu haar neefjes als pionnen kon inzetten, kon de timide Gaozong dat ook.

Wu had zich echter geen zorgen hoeven maken, want Minzhi had geen hulp van anderen nodig om zijn kansen te verpesten. Het verwende kind, dat aanbeden werd door zijn oude grootmoeder, Vrouwe Yang, liet geen traan toen zij in 670 overleed. Dit verbaasde Wu nogal; zij rouwde maandenlang om de dood van haar toegewijde moeder en toen ze de tempel van Shaolin bezocht, schreef ze een gedicht waarin verwijzingen naar oude gebouwen en terreinen blijk geven van een intens gevoel van verlies, en vastberadenheid:

Een berg van vlammen vloog over aaneengesloten velden
Van het Bloementerras geen spoor meer
Maar de Lotustoren behoudt zijn glorie
Het is echt aan de mensen van goede wil
Om de Almachtige te helpen de wereld te vervolmaken.[7]

Het lijkt erop dat Wu echt diepbedroefd was over de dood van haar moeder; ze riep uit dat 'zelfs tranen van bloed... haar niet terug [kunnen] brengen'. Maar Minzhi was er amper mee bezig. Hij bracht zijn tijd liever door met de vrouwen die de zorg hadden voor Wu's dochtertje van zes, prinses Taiping. Feitelijk waren deze hofdames concubines van de keizer, net als Wu vroeger was geweest, maar de kans dat ze ooit in zijn bed belandden was gering. Minzhi maakte volop gebruik van hun uitsluiting; naar wordt aangenomen heeft hij ze allemaal verleid. Lange tijd viel dit niet op, totdat hij ervan werd beschuldigd de verloofde van de kroonprins te hebben verkracht. Toen zijn grootmoeder nog leefde, waren Minzhi's gewoonten niet opgevallen, althans niet bestraft, maar nu de oude dame was overleden, kon niemand hem meer beschermen tegen de woede van keizerin Wu.

Het duurde niet lang of Minzhi had alle reden om de dood van zijn oma te betreuren, want nu er niemand meer voor hem opkwam, werd hij verbannen naar het zuiden. Er werd geen melding gemaakt van zijn aanranding van het meisje, in plaats daarvan werd zijn gebrekkige rouwbetoon als reden genoemd. Hij was zo vriendelijk op weg naar zijn nieuwe thuis 'zelfmoord' te plegen. Sommige kroniekschrijvers achtten het mogelijk dat hij volkomen onschuldig was en dat alle verhalen over zijn verleidkunsten en aanrandingen, die uit Wu's eigen huishouden afkomstig waren, op verzoek van Wu zelf waren verzonnen. Zijn enige misdaad, zo suggereert het *Nieuwe Boek van Tang* was dat hij wantrouwend tegenover Wu stond, wat haar noopte tot een aanval om te voorkomen dat hij kon bewijzen dat zij zijn zus had vergiftigd.[8]

Wu kan ook redenen hebben gehad om bang te zijn voor haar man. Maar kort daarop kreeg Gaozong opnieuw een zware aanval van zijn 'vlagen van verwarring'. Deze keer raakte hij zo goed als verlamd, zodat hij halfblind was, bij het lopen ondersteund moest worden en alleen met veel moeite kon spreken. Gaozong zou geen concubines meer nodig hebben en ook zou hij niet langer hulp tegen zijn vrouw, zoals – misschien – Minzhi, kunnen mobiliseren. In plaats daarvan zat hij gevangen in een verlamd lichaam. Het zou beter voor hem zijn geweest als hij was overleden, al zou niemand dat hebben durven uitspreken. Het zou de ministers ook beter zijn uitgekomen, want als Gaozong was overleden, hadden ze zijn opvolger kunnen installeren. Nu de keizer nog steeds leefde, maar niet geraadpleegd kon worden, moesten ze de opdrachten uitvoeren van zijn vertegenwoordiger, keizerin Wu. Gaozong zou nog tien jaar blijven leven, in naam bleef hij de keizer, maar zijn taken werden nu openlijk door Wu vervuld. Vermoedelijk verleende ze vanaf dat moment ook geen audiënties meer van achter het kamerscherm, maar ging ze tegenover de ministers zitten. Als de keizer probeerde te spreken, was zij de enige die trachtte zijn gemompel te interpreteren. Als de enige die zijn wensen uitsprak, informeerde ze het hof dat hij haar had gevraagd zijn staatsaangelegenheden op zich te nemen. Nadat ze een aantal keren had geweigerd, zoals de hofetiquette voorschreef, had ze uiteindelijk onwillig toegestemd.

Wu's volgende probleem was een nieuw voorteken. Na vele jaren van goede oogsten, verslechterde het klimaat en kreeg het noorden van China te maken met een verschrikkelijke droogte. De barre omstandigheden zorgden ook buiten China voor problemen, wat leidde tot aanvallen op de grenzen door Centraal-Aziatische stammen en andere conflicten. De onherbergzame zuidelijke provincies wonnen plotseling aan belangrijkheid toen de staat voedseltransporten naar het noorden stuurde om de hongersnood te bestrijden. Gaozongs ministers legden een regime op van soberheid; ze raadden de stedelijke bevolking aan om spilzuchtige activiteiten, waaronder onnodige ceremoniën, te beteugelen. Zelfs in het paleis moest de spreekwoordelijke broekriem worden aangehaald; de grotere audiëntiezalen werden gesloten om te besparen op licht en warmte. Niets was zo schaars als voedsel en water, maar de brandstof die hiermee werd uitgespaard, kon worden ingezet bij de voedseltransporten. Nu er minder zalen in gebruik waren, hoefde er bovendien minder bluswater te worden opgeslagen.

Ondanks deze strenge regelgeving was Wu zo onverstandig te gebieden dat haar moeders begrafenis een kostbare aangelegenheid moest zijn. In een stad waar muziek en vieringen werden ontmoedigd, werd de rouwstoet voor de begrafenis van Vrouwe Yang een belangrijke staatsplechtigheid, compleet met bijbehorende rituelen die doorgaans alleen voor een lid van de keizerlijke familie werden uitgevoerd. Vrouwe Yang was postuum keizerlijke status verleend, net zoals haar overleden man, maar dat maakte zo'n grootse plechtigheid in tijden van schaarste nog niet gepast. Ondanks haar toegeeflijkheid jegens Minzhi, was Vrouwe Yang gezegend geweest met een lange en productieve oude dag en was ze een van de gulste begunstigers van boeddhistische tempels van haar tijd geweest. Dat leidde er waarschijnlijk toe dat de rouwstoet werd uitgebreid met een groot aantal vrijwillige deelnemers uit de vele religieuze instituten die baat hadden gehad bij haar liefdadigheid. De stoet werd geleid door een groep muzikanten, ceremoniemeesters en een militair escorte. Ministers, hoffunctionarissen en hofdames kregen allemaal een uitnodiging die ze niet konden afslaan, wat de ceremonie alleen nog maar groter maakte en leidde tot nog meer verbitterde commentaren achteraf.

Wu had gehoopt dat de begrafenisplechtigheid haar macht en de invloed die ze op de staat uitoefende zou bevestigen. Natuurlijk is het mogelijk dat ze haar moeder gewoon een mooie uitvaart wilde geven, maar haar openlijke buitensporigheid joeg het volk alleen maar tegen haar in het harnas en gaf aanleiding tot geruchten dat het slechte weer te wijten was aan haar rol als Gaozongs regentes.

Wu toonde publiekelijk berouw en ging zelfs zo ver dat ze Gaozong haar ontslag aanbood. Gaozong weigerde, zoals verwacht mocht worden van een man wiens woorden door Wu werden geïnterpreteerd, en Wu mocht aanblijven als regentes.

Omdat ze diezelfde fout niet nog eens wilde maken, begon Wu verschillende sectoren van de Chinese maatschappij te cultiveren. Ze mikte vooral op de klasse van de geleerden, want zulke mannen waren de vertolkers van traditie, en de traditie was grotendeels confuciaans en chauvinistisch. Wu begon zich te positioneren als een mecenas van de kennisvergaring; ze steunde verschillende literaire en onderwijskundige projecten. Hoewel sommige een neutrale signatuur hadden, leken andere zich te wijden aan een herwaardering van de rol van de vrouw. Tijdens Wu's regentschap werden verscheidene biografieën van beroemde vrouwelijke historische figuren geschreven. Het maakte deel uit van Wu's plan om vrouwelijk bestuur minder beladen te maken.

Wu was ook de drijvende kracht achter een brede reeks hervormingen die in 674 werden afgekondigd.[9] In een hoofdstad die groot was geworden dankzij de zijde-industrie, verlaagde Wu de belastingen op zijde en stelde ze zijdewerkers vrij van dienstplicht. In de boerengemeenschap voerde ze vergelijkbare hervormingen door om voedseltekorten in de toekomst te voorkomen en de geleerden te vleien – een 'geleerde' was immers vaak een boer die zo veel grond bezat dat hij arbeiders kon huren en daardoor zijn tijd aan literair onderzoek kon wijden.

Ogenschijnlijk nog steeds bezorgd over de tekorten van de afgelopen jaren, kondigde Wu een tweede decreet af met betrekking tot het ongecultiveerde land rondom de stadsmuren. Deze groene zoom was mede ongemoeid gelaten omdat een groot stuk aan de noordkant grensde aan keizerlijk domein, het paleis zelf of het ommuurde keizerlijke park ten noorden van de stad. Wu droeg dit land nu over aan boeren, in de hoop dat er tijdens toekomstige droogtes meer voedsel in voorraad zou zijn.

Wu's derde decreet buitte de militaire successen in Korea, Centraal-Azië en elders uit. De demobilisatie van verschillende afdelingen van het Tangleger werd gekoppeld aan een voorstel om conflicten vreedzaam op te lossen, waarin de boeddhistische overtuiging van Wu's overleden moeder doorklonk, net als misschien een afkeer en verwerping van oorlog. In een latere aanvulling op het decreet zou Wu de speciale belasting opheffen waarmee grenstroepen werden betaald. Hiermee verwierf ze meer goodwill onder de bevolking, maar het betekende ook dat de regering de militaire uitgaven uit de algemene middelen moest bekostigen.[10]

Wu's vierde en vijfde decreet bekrachtigden de eerdere soberheidscampagne die ze uit naam van haar overleden moeder had afgewezen. Hoewel ze de eis had genegeerd toen het maar een ministerieel decreet was, zette ze zich nu volop voor de zaak in door aan te kondigen dat de keizerlijke regering zou besparen op niet-essentiële publieke werken. Ook verbood ze onnodige investeringen in tempels of kloosters, een merkwaardig besluit waar een sluwe list achter kan hebben gezeten. Op het eerste gezicht zou het worden gesteund door confucianisten, die het boeddhisme beschouwden als een gevaarlijke buitenlandse invloed op Chinese tradities en die niet graag Chinese rijkdommen bij abten en monniken zagen belanden. Door boeddhistische schenkingen te beperken, zou Wu de indruk hebben gegeven dat ze geen marionet was van de kloosters en nog altijd het belang van het confucianisme inzag.

Veel van de decreten van Wu lijken, indirect, te zijn ingegeven door het verlies van haar moeder, en een tijdelijk verbod op nieuwe tempels zou de giften en instellingen van Vrouwe Yang alleen nog maar gedenkwaardiger maken. Het zou Wu er uiteraard ook van vrijwaren zelf zulke grote schenkingen te doen, en als ze ooit een religieuze orde moest omkopen, kon ze altijd nog een decreet uitvaardigen met de strekking dat haar laatste schenking niet als verspilling kon worden aangemerkt.

Wu's zesde decreet zou jaren later veel onenigheid veroorzaken, maar het werd door haar onderdanen met veel opwinding ontvangen. Het was nu legaal, en het werd zelfs aangemoedigd, dat onderdanen met hun heersers communiceerden. Ogenschijnlijk kon de gewone man nu klagen over een oneerlijke wet of een corrupte ambtenaar. In werkelijkheid gaf het de aanzet tot een ware vloedgolf van beschuldigingen en tegenaanvallen. Onderdanen konden nu anonieme berichten over ministers achterlaten in een brievenbus bij het paleis, wat Wu's agenten meer mogelijkheden gaf om klachten over corruptie te onderzoeken. Het volgende decreet was een halfslachtige poging om valse beschuldigingen te ontmoedigen en stelde mensen die onder het zesde decreet van wandaden waren beschuldigd in staat om met het zevende terug te vechten. De enige winnaar in zo'n conflict zou Wu zelf zijn, aangezien haar agenten van beide partijen nuttige informatie zouden hebben losgekregen.

Het achtste decreet lijkt een afleidingsmanoeuvre te zijn geweest. Het riep de bevolking op aandacht te besteden aan de werken van de grote taoïstische wijsgeer Lao Tse. Dit lijkt geen direct doel te hebben gediend, behalve misschien om te impliceren dat Gaozong nog steeds de leiding had, want volgens de legende was Lao Tse een van zijn verre voorouders.

In het negende decreet zien we het begin van wat latere schrijvers wel Wu's 'feminisme' hebben genoemd. De bedrieglijk eenvoudige afkondiging verlangt dat de rouwperiode voor een moeder wordt gelijkgesteld aan die voor een vader. Volgens de confuciaanse traditie leidde de dood van een vader tot een rouwperiode van drie jaar. Hoe dat gestalte kreeg was afhankelijk van hoe rijk de nabestaande was. Sommigen zagen het als een opdracht om die hele periode rouwkleding te dragen, anderen om luxeartikelen te laten staan. In sommige echelons van de keizerlijke overheidsinstellingen had een 'rouwperiode' meer weg van een verlof waar ministers van middelbare leeftijd dankbaar gebruik van maakten. De rouwperiode werd geacht te beginnen in het jaar van het overlijden en te eindigen op nieuwjaarsdag van het tweede jaar erna, zodat 'drie jaar' kon variëren van 13 tot iets meer dan 24 maanden. Nu, 'drie jaar' na de dood van haar eigen moeder, voerde Wu aan dat kinderen hun moeder een vergelijkbaar huldeblijk moesten tonen. Dit kan een poging zijn geweest om met terugwerkende kracht ongeregistreerd vreemd gedrag of zelfs een tijdelijke afwezigheid van Wu door de vingers te zien, al lijkt dat laatste onwaarschijnlijk. Wu was er de regentes niet naar om te delegeren. Het kan een oprecht eerbetoon zijn geweest aan haar moeder, maar wat Wu's reden ook was, het was een nieuwe stap in de richting van een concept dat de wereld in de middeleeuwen volkomen vreemd was: gelijke rechten voor vrouwen.

Een andere mogelijkheid kan zijn voortgekomen uit het idee dat rouwen een soort vakantie voor ministers was. Door het aantal gelegenheden waarbij een oudere minister om persoonlijke redenen verlof kon krijgen te verdubbelen, verdubbelde Wu ook het aantal mogelijkheden om een lastige oude functionaris te vervangen door een nieuwe, meer kneedbare aangestelde die ze zelf had uitgekozen. Taizongs oude garde was nu dood en begraven, maar onder Gaozongs eigen personeel konden er nog wel een paar vijanden van Wu zijn overgebleven.

Als dat zo was, geeft het Wu's laatste decreten een nieuwe betekenis; ze hebben alle drie betrekking op ministersposten. Het tiende stelde gepensioneerde ministers vrij van de plicht zich te laten terugroepen en bood wettelijke onschendbaarheid voor eventuele misdaden uit het verleden. Dit redde waarschijnlijk niet alleen de nek van ettelijke handlangers van Wu die de pensioenleeftijd bereikten; het stelde ook een aantal oudere ministers in staat met pensioen te gaan in de wetenschap dat ze niet zouden worden vervolgd voor oude misdaden. Sommigen zouden zich nog de zuiveringen herinneren onder toezicht van Xu Jingcong, waarbij Wu's vijanden op basis van verzonnen aanklachten werden verbannen en stierven op weg naar hoorzittingen waarop ze zogenaamd hun onschuld mochten bewijzen.

Het elfde en twaalfde decreet veraangenaamde het leven van de ministers die aanbleven – waarschijnlijk waren zij grotendeels huurlingen van Wu. Hoge ministers kregen allemaal een salarisverhoging, en verscheidene lage functionarissen werden met nieuwe promoties beloond voor hun 'langdurige trouwe dienst'. Aan het hof domineerden nu de mannen van Wu, zodat Gaozong nog meer een stroman werd, en het aantal ministers dat misschien had gehoopt om in zijn naam de situatie terug te draaien fors werd ingekrompen.

Er dienden zich echter nieuwe problemen aan. In 675 kreeg Gaozong opnieuw een aanval van zijn ziekte te verduren. Wat voor aanval het was, blijft onduidelijk; hij was te ziek om het land te besturen, maar goed genoeg om zijn wens duidelijk te maken, althans aan Wu, dat zij officieel regentes moest worden. Tijdens Gaozongs ziekte had Wu laten zien dat ze een capabele bestuurder was, al waren veel van haar decreten en hervormingen uit naam van Gaozong opgesteld en werden ze daardoor niet direct aan haar toegeschreven.

Dat nam niet weg dat de ministers, en dan vooral een zekere Hao Chujun, zich tegen Wu's verzoek verzetten. Hao's argument, dat vasthield aan de orthodoxe confuciaanse leer, maakte duidelijk hoe zwak Wu's greep op de macht nog steeds was. Hij weigerde Wu als regentes in aanmerking te nemen, omdat ze, ongeacht haar prestaties, haar machtspositie in het paleis alleen te danken had aan het feit dat Gaozong het paleis niet kon verlaten. 'De Hemelse Zoon regeert buiten, de keizerin regeert binnen. Zo heeft de hemel het bepaald.'[11] Als Gaozong te ziek was om te regeren, en daar had het alle schijn van, was het misschien tijd dat hij afstand van de troon deed, zoals zijn grootvader vóór hem. Hij kon dan worden opgevolgd door zijn zoon Li Hong, inmiddels een man van in de twintig die de reputatie had een attente edelman te zijn.

Li Hong was de zoon die voor het huwelijk was verwekt, hetzij in het klooster, hetzij kort na Wu's terugkeer in het paleis. Alles wijst erop dat hij een prettige man was geworden, dapper genoeg om zelfs zijn moeder te trotseren als hij het niet met haar eens was. Zo was Li Hong degene die opkwam voor de twee dochters van de Pure Concubine Xiao Liangdi. Hoewel hun enige misdaad bestond uit het feit dat zij de dochters waren van de vrouw die door Wu was verminkt en in wijn verdronken, waren de twee meisjes in afzondering grootgebracht. Inmiddels waren ze op een huwbare leeftijd. Li Hong herinnerde zijn moeder hieraan en stelde voor dat de meisjes best mochten trouwen, zelfs al was hun overleden moeder de rivale van Wu geweest. Met grote tegenzin had Wu ingestemd en de meisjes uitgehuwelijkt aan laaggeplaatste functionarissen.

Een paar maanden later verweet Li Hong zijn moeder de manier waarop zij de eerste vrouw van zijn broer Zhongzong behandelde. De vrouw, niet bij naam bekend, een dochter van Gaozongs nicht, prinses Changlo, was naar Wu's smaak iets te intiem geworden met de keizer. Er was niets onfatsoenlijks gebeurd en Wu nam drastische stappen om ervoor te zorgen dat zoiets ook nooit zou gebeuren. De ouders van het meisje werden verbannen naar de provincie en het arme meisje werd zonder voedsel opgesloten totdat ze was doodgehongerd. Zhongzong durfde zijn vrouw niet eens op te zoeken in de gevangenis, maar Li Hong gaf zijn moeder een uitbrander, waarbij hij haar herinnerde aan het feit dat ze kort daarvoor de samenstelling van een serie vrouwvriendelijke biografieën had gesteund. 'Er staat me bij dat Uwe Majesteit een boek heeft geschreven over de levens van deugdzame vrouwen. Het is daarom zeer wrang dat een deugdzame vrouw in Uw huis is doodgehongerd!'[12]

Achttien dagen later was Li Hong dood. De officiële lezing luidde dat hij met zijn moeder en vader in hun zomerverblijf logeerde, waar hij plotseling ziek werd en overleed. Uiteraard maakte dit Wu bij talloze kroniekschrijvers verdacht, aangezien het (laten) vergiftigen van een mogelijke vijand haar niet vreemd was. In Li Hongs grafschrift werd uitgebreid vermeld dat hij nooit echt gezond was geweest. Het is vreemd dat dit nieuws plotseling opdook, aangezien er nooit eerder iets over was gezegd. Was Wu koortsachtig op zoek naar een nieuw voorwendsel om de plotselinge dood van haar zoon te rechtvaardigen? Of was het vóór de tijd van de moderne geneeskunde normaal dat vele inwendige klachten, zoals blindedarmontsteking of uitstulpingen in de maag- of darmwand, onopgemerkt bleven totdat het te laat was en ze hun slachtoffer overvielen met een ondraaglijke pijn die niet te onderscheiden was van vergiftiging?[13]

Van de bronnen over de Tang-dynastie uit die tijd legt alleen het *Nieuwe Boek van Tang* de schuld voor Li Hongs dood bij zijn moeder. Andere bronnen zijn bereid om, voor één keer, aan te nemen dat Li Hong een natuurlijke dood was gestorven. Zelfs als je zou willen aannemen dat Wu haar eigen zoon had vermoord, blijft immers het feit dat haar positie na zijn dood eerder verzwakt dan versterkt was. Gaozong was zo zwak dat hij elk moment kon overlijden, terwijl Wu nog drie zonen had die meer kans maakten om Gaozong na zijn dood op te volgen dan zij.

Oorzaak en gevolg zijn moeilijk uit elkaar te houden. Latere kronieken laten weten dat Wu wel altijd had gedaan alsof prins Xian haar zoon was, maar dat hij misschien eigenlijk de zoon was van haar zus, met wie Gaozong rond 650 een affaire had. Als dat zo was, zou prins Xian jarenlang een ongewenst reserve-exemplaar zijn geweest, het restant van een lang vergeten machtsstrijd. Of hij nu de zoon van Wu of Helan was, hij was opgevoed als Wu's eigen kind, en na Li Hongs dood werd hij de nieuwe kroonprins. Om de een of andere reden, misschien wel uit lijfsbehoud, ontweek prins Xian haar; hij bracht het grootste deel van zijn tijd in Chang'an door, de stad waar Wu nog steeds niet of nauwelijks kwam. Als Wu hem uit de weg zou ruimen, zou ze niet dicht genoeg in de buurt kunnen komen om vergif te gebruiken.[14]

Hij zou niet lang te leven hebben. Wu zou nooit toestaan dat een jongen die niet haar zoon was de troon zou bestijgen. Het lijkt waarschijnlijk dat ze prins Xian een vroege dood had toebedacht. Tekenend is dat de docenten die Wu voor de nieuwe kroonprins selecteerde, mannen waren met wie zij vaak in de clinch lag. Vanuit een confuciaans perspectief getuigde dit van groot staatsmanschap, aangezien een echt wijze heerser niet terugdeinsde voor mannen die tegen zijn standpunt ingingen als hun loyaliteit dat vereiste. Het volgde een beroemd precedent, want Gaozongs eigen vader had grote bewondering getoond voor zijn recalcitrante minister Wei Zheng en had diens onbevreesde adviezen gekoesterd. De docenten van de kroonprins zouden, als hij inderdaad op de troon kwam, als eersten in aanmerking komen voor de belangrijkste ministersposten. Ze zouden Wu dan waarschijnlijk buitenspel zetten, zodat hun aanstelling door de keizerin op het eerste gezicht veel weg had van een daad van politieke zelfmoord. Wilde dit gebeuren, dan zou de prins zijn vader moeten overleven, en die kans leek uiterst gering.

In 676 prees Gaozong (lees: Wu) prins Xian in het openbaar om zijn literaire prestaties. Als proeve van staatsmanschap had Xian een commentaar geschreven op het historische werk *Het Boek van het Latere Han*, waar een scherp politicologisch begrip uit sprak – of hij had zijn naam gezet onder een boek dat was geschreven door geleerden die hij financieel steunde. Achter dergelijk eerbetoon gingen echter persoonlijke intriges schuil. Het kwam Xian ter ore dat Wu een waarzegger had geraadpleegd en dat deze haar had verteld dat de kroonprins, ongeacht zijn huidige positie, geen geschikt gezicht had om keizer te worden. Er gingen al nieuwe geruchten dat Xian niet Wu's zoon zou zijn; niemand zou de officiële lezing tegenspreken, totdat hier sanctie aan werd verleend, maar als Xian eigenlijk de zoon van Helan was, waren er al genoeg bedienden in het paleis van op de hoogte. Maar omdat niemand van een lagere rang Xian hiermee zou confronteren, was de waarheid over zijn afkomst een wapen dat Wu kon gebruiken wanneer het haar uitkwam. Als ze hier niet onmiddellijk voor koos, was dat waarschijnlijk puur omdat ze dan haar eerdere bedrog zou moeten toegeven.

Haar afspraak met de waarzegger kan een list zijn geweest om een indirecte toespeling op de onwettige status van Xian aan het licht te brengen zonder het zelf uit te spreken. Het kan echter ook een persoonlijke kwestie hebben betroffen, waar Xian nooit iets over had mogen horen. Met of zonder medeweten van Wu had Xian namelijk een stiekeme affaire met een van Wu's eigen bedienden. Elke keer dat het gerucht door paleisbedienden werd doorverteld, werd het groter: Wu zou met een ziener hebben afgesproken die haar had laten weten dat Xian, om een reden die niemand durfde uit te spreken, minder 'adellijk' was dan zijn broers. De frase was prachtig uitgebalanceerd, ze impliceerde dat hij wel de zoon van de keizer was, maar niet de zoon van de keizerin. Als het nieuws echt op straat kwam, zou hij nog maar één kans hebben om zijn positie te redden; hij zou Wu moeten smeken hem te adopteren, zodat hij alsnog geëcht werd. In plaats van een mogelijke rivaal aan te stellen, had Wu Xian zo ver de hoek in gedrongen dat hij haar alleen nog maar onvoorwaardelijk zou kunnen gehoorzamen.[15]

Op een dag in 679 raakte de waarzegger betrokken bij een gebeurtenis die hij niet had voorzien. Tot zijn grote verbazing werd hij buiten Luoyang door 'bandieten' overvallen en vermoord. De verdenking viel meteen op Xian, maar hij ontkende alles en daagde zijn aanklagers uit met bewijs te komen. Het was voor de onderzoekers echter gemakkelijker om druk uit te oefenen op Xians informatiebron, het arme dienstertje. Het duurde niet lang voordat ze bekende dat Xian de schurken persoonlijk opdracht had gegeven om zijn aanklager te doden. Of het waar was of niet, zullen we nooit weten.

Hoewel ze beseften dat ze zich in diep water begaven, probeerden Xians adviseurs zijn gedrag in toom te houden. Maar het was al te laat; nu de waarheid over zijn stiekeme affaire met het dienstertje boven water was, had Wu voldoende aanleiding om de recente handelingen van de prins aan een nader onderzoek te onderwerpen. Functionarissen begonnen een onaangekondigde doorzoeking van Xians vertrekken en troffen in zijn stallen honderden harnassen aan. De vondst werd als bewijs opgevoerd dat de prins een staatsgreep had gepland en Wu eiste zijn standrechtelijke degradatie.

Hoe ziek en zwak Gaozong ook was, hij stak zijn ongenoegen niet onder stoelen of banken. Misschien kende hij de waarheid al, wist hij dat Xian, schuldig of niet, zijn laatste nog levende kind was dat niet geheel loyaal was aan Wu. Gaozong was ook niet bereid alle nieuwe beschuldigingen voor zoete koek te slikken. Nog maar een paar maanden geleden was Xian het wonderkind geweest dat zo veel indruk op het hof had gemaakt met zijn geschiedenisessay. En nu wilde de keizerin hem wegens verraad laten terechtstellen.

Gaozong bleef maandenlang uitvluchten zoeken; hij leek zelfs bereid te zijn Xian te vergeven. Misschien was hij heimelijk onder de indruk van zijn vooruitziende blik en hoopte hij zelfs dat het complot niet tegen hem persoonlijk was gesmeed, maar tegen zijn vrouw. Wu vocht terug door de publieke opinie te bespelen. Toen opdracht werd gegeven de harnassen te vernietigen, zorgde ze ervoor dat dit in het openbaar gebeurde, wat, zelfs toen het bewijs officieel was uitgewist, aanleiding gaf tot nieuwe geruchten. Toen protesteerde ze tegen Gaozong met een heftigheid die geen tegenspraak duldde: 'Als een zoon een staatsgreep wil plegen, kunnen hemel en aarde dat niet toestaan. Hij wilde de mensen uitschakelen die hem dierbaar zouden moeten zijn. Hoe kan hem dat worden vergeven?'[16] Uiteindelijk gaf Gaozong toe; hij degradeerde Xian tot burger en verbande een stuk of tien van zijn vrienden, een voldoende groot aantal om van een 'samenzwering' te kunnen spreken. In zijn eentje zou Xian immers nooit een revolutie hebben kunnen ontketenen. Aanvankelijk kreeg Xian huisarrest in Chang'an, maar al snel verhuisde hij stilletjes naar een afgelegen provincie waar hij het, zoals Wu wel kon raden, helemáál niet naar zijn zin had.

Gelukkig waren er nog twee prinsen over om de in diskrediet geraakte Xian te vervangen. Wu gaf de voorkeur aan haar jongste zoon, Ruizong, die toen nog een teenager was, maar de voor de hand liggende kandidaat was Zhongzong, Ruizongs oudere broer. Zhongzong, die zelf net vader was geworden, werd prompt als nieuwe troonopvolger aangewezen, maar opmerkelijk genoeg sprak Gaozong ook een zegen uit over Zhongzongs pasgeboren zoontje. Zhongzong, zei de keizer, was de nieuwe kroonprins, maar zijn zoontje zou de titel van Keizerlijke Erfgenaam Kleinzoon worden verleend.

Het leek erop dat er al heel snel behoefte zou zijn aan een erfgenaam. Het jaar erop was Wu's *annus horriblilis*. In de lente van dit rampjaar veroorzaakten stortregens in Luoyang massale overstromingen, genoeg om verscheidene stadsdelen onder water te zetten en de drie bruggen voor het paleis weg te spoelen. Dit leidde er weer toe dat de oogst in de omgeving verrotte. Tijdens de droogte in de zomer leek er zicht op een moeizaam herstel, maar een sprinkhanenplaag rond oogsttijd sloeg alle hoop de bodem in. Aan het begin van de hongersnood namen roof en misdaad snel toe. Een aardbeving in de herfst maakte de ellende compleet. Te midden van al deze blijken van goddelijke woede hield Wu vol dat er een nieuw altaar moest worden gebouwd, naar voorbeeld van de Feng-Shan-locatie op de Tai Shân. Deze versie kwam echter een stuk dichter bij Luoyang te staan, op de berg Song, waar ze hoopte een nieuwe Feng-Shan in gang te zetten. Ondanks alle tegenspoed drong Wu erop aan dat de nieuwe pseudo-Feng-Shan aan het begin van 683 moest worden uitgevoerd. Haar processie legde op de aangewezen dag de weg langs de bergpassen af naar het altaar, maar toen kreeg Gaozong opnieuw een beroerte, die zo zwaar was dat hij geheel blind werd.[17]

Achter de coulissen was er van alles aan de hand. Misschien wist Gaozong dat hij stervende was en zag hij dat Wu hem op eigen titel wilde opvolgen. De aankondiging van een keizerlijke kleinzoon was misschien een bewuste poging geweest om de opvolging vast te leggen voordat Wu bezwaar kon maken. Anderzijds kon de aankondiging net zo goed bij Wu vandaan komen, en kwam deze voort uit Wu's voornemen om Zhongzong zo snel mogelijk uit de weg te ruimen en vast te stellen dat zijn opvolger een baby was die natuurlijk een ervaren oude rot als regent nodig had.

Gaozong bleef in Luoyang. Hij ging zienderogen achteruit. Wu en enkele selecte bedienden zorgden voor hem. Regeringsfunctionarissen, inmiddels terug in de oude hoofdstad Chang'an, vonden de aanhoudende stilte van de keizer uitermate verdacht, en velen begonnen te vermoeden dat Gaozong al dood was.[18] Maar dat was een oud trucje en Wu kende er zelf meer dan genoeg. Eind 683 kondigden Wu's boodschappers aan dat de zieke Gaozong terug wilde keren naar Chang'an. Gaozong was 55 jaar, maar hij leek wel een generatie ouder. Het idee dat hij triomfantelijk te paard de stad in zou rijden, werd losgelaten toen bleek dat hij niet rechtop kon blijven zitten. Hij werd zo ongeveer naar het paleis gedragen, waar hij moeizaam zwaaide om zijn instemming te betuigen met een reeks aankondigingen, waaronder gratie voor tal van veroordeelde misdadigers. Zijn zoon Xian, die onlangs was verbannen, profiteerde niet van zijn laatste wensen. Hij werd nadrukkelijk van de lijst geschrapt.

Gaozong was nu zo ziek dat het niet raadzaam werd geacht hem nog de audiëntiezaal uit te dragen. Het werd hem zo gemakkelijk mogelijk gemaakt, en zijn bedienden waakten aan zijn bed. Later die avond riep hij zijn kanselier Pei Yan bij zich en overhandigde hem zijn testament, waarmee Pei Yan niet alleen executeur-testamentair werd, maar ook beschermheer van China in het volgende interregnum.

Daarna blies Gaozong zijn laatste adem uit. Zijn bewind was ten einde, en daarmee dat van zijn keizerin. Wu zou zich nu moeten afzonderen als de weduwe van de heerser. Voor de tweede keer.

ZEVEN

De hen bij het ochtendgloren

De nieuwe keizer Zhongzong had erg weinig tijd om in zijn rol te komen. Hij was opgegroeid als een van de jongste kinderen van een relatief jonge heerser. Ook al werd zijn vader gehinderd door 'vlagen van verwarring', met Wu aan zijn zijde volgden de afkondigingen elkaar gestaag op en leek zijn bewind consequent. Daardoor had niemand enige reden om aan te nemen dat Zhongzong zelfs maar een schijn van kans maakte om zelf keizer te worden. Het lag meer voor de hand dat Zhongzong een onbeduidend leven zou leiden als keizerlijke parasiet, met een bescheiden gevolg en een paar erefuncties. Hij zou alleen kunnen hopen op een dag de oom of oudoom van de troonopvolger te worden.

Prinsjes als Zhongzong streefden vaak militaire carrières na in gevaarlijke gebieden, of ze kregen administratieve functies op saaie, afgelegen plekken. Of ze kregen alle ruimte om iets leuks of artistiekerigs te gaan doen, iets wat geen bedreiging inhield voor het zittende bewind.

恧

CHEN – MINISTER
Tijdens de regeringsperiode van Wu werd het woord voor 'minister' aangepast: voortaan bestond het uit het karakter voor 'loyaliteit', maar de bovenkant was iets afgeplat.

Kortom, Zhongzong bracht zijn hele schooltijd ijverig door met leren hoe hij *geen* keizer zou worden.

De werken van Confucius werden hem uiteraard wel ingeprent, vooral

117

de uiterst belangrijke grondregels over je plaats kennen in de maatschappij. Totdat hij plotseling werd gepromoveerd tot troonopvolger, was zijn plaats de reservebank geweest, en daar had hij prima gezeten.[1] Zhongzong had zich niet onderscheiden met een keizerlijke functie. Evenmin had hij literaire meesterwerken geschreven, zoals zijn gevallen 'broer' Xian. Hij had één officiële betrekking, al was dat meer een erebaantje dat vooral handig was om te bepalen waar hij tijdens niet-keizerlijke banketten moest zitten. Hij had geen blijk gegeven van bestuurlijke aanleg; in plaats daarvan wijdde hij zich aan zijn hobby's – vooral wijn en vrouwen, als we de Tang-annalen mogen geloven.

Zhongzong had al een voorproefje gehad van zijn moeders macht. In 675 was zijn eerste vrouw, een hooggeplaatste prinses, in opdracht van Wu gevangengenomen en onder verdachte omstandigheden gestorven. Zijn tweede vrouw, bij het nageslacht bekend als keizerin Wei, had vrijwel net zo veel macht over hem als Wu over zijn vader had. De familie van Wei bestond uit aristocraten van de oude garde die nu belangrijke ministersposten bezetten en zij kan zelfs een zekere bewondering hebben opgevat voor haar beruchte schoonmoeder.

Gaozongs testament gaf aan dat Zhongzong hem zo snel mogelijk moest opvolgen, maar dat gebeurde niet. Op basis van een clausule in het testament die rekening hield met Zhongzongs gebrekkige ervaring, behield Wu tijdelijk de leiding: 'Ingeval belangrijke staats- en defensiezaken onbeslist blijven, volge men de uitspraak van de keizerin.'[2]

Wu had geen gerechte aanleiding om tegen de wensen van Gaozong in te gaan. Haar beslissing om de troonsbestijging van Zhongzong uit te stellen tot na Gaozongs begrafenisriten lijkt bewust te zijn geweest, ingegeven door wrok en bedoeld om haar zoon te laten merken wie er eigenlijk de baas was. Zhongzong begreep de hint echter niet. Terwijl zijn moeder tijdens staatsaangelegenheden nadrukkelijk aanwezig bleef, bleef hij doen wat hij wilde, of liever gezegd, wat zijn vrouw wilde.

Binnen een maand nadat hij in 684 tot keizer was gekroond, maakten Zhongzong en zijn vrouw een cruciale fout. In plaats van, zoals Wu, een beleid te volgen van geleidelijke, zij het stiekeme verandering, deden ze plompverloren een aankondiging die hun een geheel nieuwe verzameling vijanden opleverde. Conform de wens van zijn vrouw stelde Zhongzong voor zijn (invloed)rijke schoonvader Wei Xuanjen een belangrijke ministerspost te geven.

Het voorstel druiste in tegen al het beleid waar Wu zich tijdens Gaozongs leven zo voor had ingespannen. Terwijl Wu plichtsgetrouw (en tot haar grote plezier) haar mannelijke familieleden de hoofdstad uit had gestuurd om te voorkomen dat ze te veel invloed zouden uitoefenen, vroeg haar schoondochter nu openlijk om politieke macht voor een van haar familieleden.

Voor confucianistische staatslieden was dat een veeg teken. Zoals Wu zich keer op keer had voorgehouden, hadden vrouwen alleen invloed in het paleis, maar niet in de regering. Dat Wu macht had uitgeoefend over Gaozong, had te maken met bijzondere omstandigheden, maar nu wilde haar schoondochter zonder enige aanleiding haar gezag laten gelden. Wu vond het maar niks en het was evenmin in het belang van minister Pei Yan, want hij kon zijn nieuwe hoge positie kwijtraken.

Zhongzong deed herhaalde verzoeken tot benoeming van zijn schoonvader, totdat een van zijn ministers zich geroepen voelde hem te helpen herinneren aan de protocollaire schade die dit zou aanrichten, om nog maar niet te spreken over de imagoschade voor hem als keizer. In plaats van rustig te luisteren naar het advies, ontplofte Zhongzong bijna.

'We zouden Wei Xuanjen het hele keizerrijk kunnen geven als we dat wilden,' snoefde Zhongzong. 'Het presidentschap van de kanselarij is maar een schijntje.'[3]

Zhongzongs onbeheerste opmerking werd opgenomen in het hofverslag, en onmiddellijk door Pei Yan aan Wu overgebriefd. Hoewel het waarschijnlijk gewoon overdrijving was en de context achterwege werd gelaten, kon het gemakkelijk worden opgevat als een bedreiging van de gehele dynastie. Wu en Pei Yan waren het er, ieder om eigen redenen, over eens dat het feit dat Zhongzong bereid leek om zijn gezag over te dragen aan een familielid van zijn vrouw – hoe ongemeend ook – niet zonder gevolgen kon blijven. Nu het nog kon, besloot Wu een beroep te doen op de clausule in Gaozongs testament die haar in noodgevallen speciale volmachten verstrekte. In haar eentje had ze de beslissing nooit kunnen nemen, maar Pei Yan vreesde voor zijn eigen positie en steunde haar.

Naar Chinese maatstaven was het een opmerkelijk bloedeloze coup. Aan het eind van februari 684, amper zes weken na Zhongzongs troonsbestijging, riep Wu in de grootste audiëntiezaal een enorme vergadering van paleisfunctionarissen, bedienden en bewoners bij elkaar. Zhongzong stemde in, misschien omdat hij dacht dat hij aanwezig moest zijn terwijl enkele achtenswaardige monniken een schenking kregen of omdat er enkele nieuwe adellijke titels zouden worden voorgesteld. Ironisch genoeg verwachtte hij misschien zelfs dat keizerin Wu officieel haar functie zou neerleggen en de mindere rol van keizerin-douairière zou aanvaarden.

In plaats daarvan werd de vergadering onderbroken toen de in rode zijde geklede Yulin-gardisten naar binnen marcheerden. Deze honderd paleiswachten, die symbolen van leeuwen, haviken en valken op hun borst droegen, vormden de lijfwachten van de Tang-paleizen. Officieel waren ze alleen trouw aan de keizer, maar net als andere paleiswachten elders, bepaalde hun trouw wie er heerste, en niet andersom. De Yulin-gardisten hadden Taizong gesteund bij zijn opstand tegen zijn eigen vader, en nu, zo leek het, had de Yulin-garde, een nieuwe meesteres gevonden.[4]

Zhongzong begreep niet eens wat er gebeurde toen het al te laat was. Toen Wu tegen haar verblufte gehoor verkondigde dat de keizer zijn eigen troon had verraden, trokken de gardisten Zhongzong hardhandig van zijn podium. De keizer, die eindelijk doorhad dat hij werd aangevallen, schreeuwde dat hij niets had misdaan.

'U hebt zo nonchalant alles onder de hemel aan Wei Xuanjen aangeboden,' antwoordde keizerin Wu. 'Is dat geen misdaad?'[5]

Zhongzong en zijn zwangere vrouw werden al snel naar een ballingsoord gestuurd, waar Zhongzong te horen kreeg dat hij weer gewoon een prins was en dat zijn zes weken op de troon werden beschouwd als een tragische vergissing in de geschiedenis van de Tang-dynastie. Wu plaatste ondertussen in een mum van tijd haar enig overgebleven zoon, Ruizong, op de troon.

Samen met zijn zus Taiping was Ruizong het lievelingetje van Wu, en hij was langer in haar vertrekken gebleven dan passend werd gevonden. Net als zijn vader voor hem, was hij in het binnenste paleis opgevoed door liefhebbende kindermeisjes en bedienden die hem niets konden weigeren. Nu was hij een slappe man van 22, die zo onder de indruk was van zijn moeder dat hij haar niet tegen durfde te spreken. Hij bleef dan ook veilig in zijn vertrekken, terwijl Wu een angstig hof liet weten dat de nieuwe keizer een spraakgebrek had en haar had gevraagd om in alle voorkomende gevallen namens hem te spreken.

Na de machtsstrijd vanaf 675 had Wu eindelijk de juiste man op de juiste plaats, een volgzame heerser die bijna net zo machteloos was als de verlamde Gaozong, die haar geen strobreed in de weg legde als ze haar geheime bewind voortzette.

Het duurde echter niet lang voordat ze ruzie kreeg met haar bondgenoot Pei Yan. Nadat ze in het verleden belangstelling aan de dag had gelegd voor de confuciaanse etiquette en de taoïstische religie, begon Wu steeds nieuwsgieriger te worden naar het boeddhisme. Net als haar moeder, had Wu interesse in voortekenen, vooral als ze gunstig waren, en door het hele land werden verhalen verteld over vreemde lichten aan de hemel die achteraf een plaats bleken te verlichten waar boeddhistische relikwieën werden gevonden. Wu oordeelde dat het niet voldoende was om gewoon een tempel op die plek te laten bouwen, wat ze overigens wel deed. De afgelopen jaren hadden alle voortekenen in heel China gewezen op één onontkoombare waarheid; de tijd dat de wereld zou worden verenigd door een verlosser kwam snel naderbij.

Sommige van die voorboden waren nogal frivool, het soort paranormale verschijnselen dat je tegenwoordig in sensatieblaadjes tegenkomt, zoals een kip met drie poten, nieuws waar Wu gretig naar luisterde. Andere berichten waren voor het grote publiek waarschijnlijk interessanter, of beangstigender. In heel 684 was het vreselijk weer, met zware regenval en hevig onweer. In september en oktober stond bijgelovigen een nog grotere verrassing te wachten, toen de nachtelijke hemel werd verlicht door een reusachtige komeet, gevolgd door een sleep van kleine lichten – iets wat kan zijn veroorzaakt door een toevallige meteorenregen. De 'bezemster', zoals het *Nieuwe Boek van Tang* dit verschijnsel beschreef, werd overal ter wereld gezien en over zijn verschijning werd eeuwenlang overal geschreven, van Japan tot in de *Nürnberger Chronik* van Hartmann Schedel. Het was een van de spectaculairste historische verschijningen van de komeet Halley, en Wu zag het als een teken dat er grootse dingen op stapel stonden.[6]

Wannéér Wu zich tot het boeddhisme wendde, is niet precies bekend. Misschien had het te maken met de dood van haar moeder; het kan ook een cynische list zijn geweest om haar schenkingen aan tempels en abdijen door de jaren heen te verzilveren. Rond de tijd dat ze haar eigen zoon botweg van de troon stootte, raakte ze wel meer geïnteresseerd, vooral in boeddhistische voorspellingen. Voorspellingen hadden natuurlijk een belangrijke rol gespeeld in haar jonge jaren, toen haar bijgelovige moeder een boodschap had ontvangen dat haar dochter op zekere dag als keizer zou regeren. Als de verhalen over *wu wang* uit haar jeugd enige grond van waarheid bevatten, zouden die verhalen nu toch zeker werkelijkheid moeten worden.

Uit het oogpunt van een confuciaanse minister was Wu's gedrag allesbehalve onschuldig. In 684 stichtte zij in Luoyang zeven voorouderlijke tempels ter nagedachtenis aan overleden telgen uit het geslacht Wu. Pei Yan en verscheidene andere ministers protesteerden luidkeels, al zou de bevolking hun bezwaren tegen een schijnbaar vrome daad waarschijnlijk lomp hebben gevonden. Technisch gezien maakte Wu sinds haar huwelijk niet langer deel uit van het geslacht Wu. Als zij zonodig tempels en kloosters moest bouwen ter ere van een familie, dan had ze die toch beter kunnen wijden aan het geslacht Li – de familie waar Gaozong en de officiële keizer Ruizong uit stamden? In plaats daarvan kwam haar besluit om haar eigen familieleden te eren, gevaarlijk dicht in de buurt van de crisis die was versneld door de gevallen keizerin Wei en de afgezette keizer Zhongzong.

Verontrustender nog vonden haar critici de in dat jaar toegekende gratie – die op het eerste gezicht weer geheel onschuldig leek en waarvan aanvankelijk werd aangenomen dat de toekenning ter ere was van de al genoemde wonderbaarlijke ontdekking van boeddhistische relikwieën op een onverwachte plaats. Schijnbaar was het de bedoeling om een aantal misdadigers vrij te laten en hardwerkende ambtenaren die de vorige keer niet aan bod waren gekomen, alsnog te belonen met giften en bonussen. De formulering en de bepalingen verhulden echter een serie van veelomvattende en verstrekkende veranderingen van namen en protocollen. Met andere woorden: de Tang-dynastie werd ingrijpend aangepast, waarbij vele rangen en functies een nieuwe naam kregen en veel regeringsfuncties letterlijk en figuurlijk een nieuw jasje, met bijbehorend insigne werd aangemeten. Zelfs de vlag van de Tang-dynastie werd veranderd; hij moest goud worden met een paarse rand.

Naamsveranderingen en inflatie van functieomschrijvingen waren in de Chinese geschiedenis niets nieuws. Zo werd zelfs de naam van een gehele regeringsperiode vaak gewijzigd om veranderende omstandigheden aan te geven, om vloeken ongedaan te maken of nieuwe projecten in te luiden. Wu was wel een van de meest wispelturige naamgeefsters uit de Chinese geschiedenis; ze hield van woorden en van de macht die ze zouden hebben, en ze speelde graag met titels. Nadat een boer had gemeld dat hij tijdens een overstroming een draak had gezien, had Wu de naam van Gaozongs regeringsperiode laten veranderen in Inauguratie van de Draak. En toen iemand vertelde dat hij een eenhoorn had gezien (het teken van een aardse verlosser), had ze snel de naam van de heerser veranderd in Deugd van de Eenhoorn. Andere heersers hielden gedurende hun hele regeringsperiode één titel aan die decennialang mee ging, maar Wu veranderde de hare om de paar jaar, alsof ze zo het lot nauwkeurig afstemde en China in de richting van perfectie stuurde.[7]

Maar Wu's gedrag – niemand geloofde ook maar één moment dat Ruizong erachter zat – had beangstigend veel weg van een inleiding tot een dynastieke verandering. Wu was berucht om haar eerdere pleidooien voor de gelijkheid van vrouwen en de noodzaak dat het hofceremonieel vrouwen als gelijkwaardige partners erkende. Sommigen meenden dat haar nieuwe hervormingen waren bedoeld om alle sporen van de Tang uit te wissen, zodat zij zich niet hoefde te beperken tot de rol van regentes voor een zwakke keizer, maar zich op eigen titel tot heerser kon uitroepen.

Dit soort cosmetische, maar invloedrijke veranderingen houden de Wu-vorsers vaak danig bezig, wat leidt tot discussies over haar extreme machtsbehoefte en haar vaste besluit om de spreekwoordelijke hen te zijn die kakelde bij het ochtendgloren. Maar we kunnen Wu's gratie net zo goed lezen als een reeks verlichte hervormingen, waar haar bureaucraten weliswaar fel tegen gekant waren, maar die China overduidelijk goed hebben gedaan.

Wu merkte op dat de Chinese bevolking in rap tempo was toegenomen, niet alleen dankzij de aanhoudende vrede, waardoor de grensgebieden niet langer gevaar liepen, maar ook dankzij de over het algemeen overvloedige oogsten en een paar afzonderlijke gevallen van grootschalige immigratie, bijvoorbeeld Koreanen die zich als oorlogsvluchtelingen in het noordoosten van China hadden gevestigd. Wu stelde dat een groot deel van de nieuwe bevolking onzichtbaar was voor de oude manier van volkstelling, en stelde een nieuwe afdeling in die, dankzij verbeterde verslaglegging in de provincies, belastingontduikers op het spoor kwam. De grenzen van districten en administratieve afdelingen werden opnieuw vastgesteld, en aangepast aan de nieuwe bevolkingsgrootte, zodat overbelaste besturen werden ontzien, tot grote dankbaarheid van de plaatselijke ambtenaren, en invloedrijke ministers met weinig werk het een stuk drukker kregen.

Wie tot dan toe zijn belastingplicht had ontdoken, zal zich ongetwijfeld hebben geërgerd aan het besluit van Wu, net als de ambtenaren die voorheen een luizenbaantje hadden, omdat ze maar voor een klein gebied verantwoordelijk waren. Ambitieuze politici en ambtenaren juichten Wu's hervormingen misschien juist toe, met uitzondering van diegenen die nog onder Taizong en Gaozong hadden gediend en het lef hadden om te klagen dat de nieuwe districtsindeling erop leek te zijn gericht de laatste sporen van het oude regime van de kaarten en uit de boekhouding te vegen totdat alles nieuw was gemaakt, overeenkomstig Wu's denkbeelden.

De militaire hervormingen van Wu werden eveneens met gemengde gevoelens ontvangen. Mogelijk beschouwden veel van haar ministers haar als een angstaanjagend, maar dwaas staatshoofd, dat geen flauw benul had van oorlogsvoering, maar als ze zo over haar dachten, beseften ze waarschijnlijk niet dat Wu tijdens Gaozongs ziekbed waarnemend opperbevelhebber van het Chinese leger was geweest. Haar waarnemingen ten aanzien van legerzaken waren niet de onbeduidende opmerkingen van een paleisconcubine die het hoog in haar bol had – ze waren, zeker gedeeltelijk, gebaseerd op ruim tien jaar verantwoordelijkheid voor militaire operaties. Wu heeft uiteraard nooit aan het front gevochten en ze liet de dagelijkse besluitvorming over aan de generaals in het veld, maar het kan sommige critici zijn ontgaan dat ze tijdens veel van de zogenaamde overwinningen van eerdere regeringen de geheime leider van China was.

Zodoende was ze prima in staat om voorstellen te doen voor de manier waarop het Chinese leger moest worden gerund. Of het nu op eigen initiatief was, of na een hint van een van de oude generaals, zoals Liu Rengui, ze merkte op dat corruptie hoogtij vierde. Vaak belandden medailles en promoties bij de rijken, in plaats van bij de echte helden. In verschillende gevallen stuitte Wu op gepensioneerde hoge legerofficieren in de provincie die hun zogenaamde heldendom en ervaring uitbuitten, maar niet konden bewijzen dat ze ooit hadden gevochten. Zo, stelde Wu, kon je geen leger runnen, het demotiveerde de soldaten die wel strijd leverden, en als de drager van zo'n onverdiende militaire onderscheiding de verantwoording over manschappen kreeg, kon hij hun leven in gevaar brengen.[8]

Wu had liever legerofficieren die wisten wat ze deden. Ze gaf alle officieren de opdracht om iemand te benoemen, niet op basis van familiebetrekkingen of rijkdom, maar op basis van geschiktheid voor de functie. Op deze manier bewerkstelligde zij de benoeming van een groot aantal nieuwe bureaucraten, van wie de meesten haar als hun weldoener zouden beschouwen. Haar tegenstanders zagen dit als de zoveelste sluwe manier om haar vijanden te vervangen door nieuwe volgelingen; tja, daar waren het tegenstanders voor. Bij het onderzoeken van de bronnen naar keizerin Wu, haar zogenaamde wandaden, haar vreemde besluiten en haar beruchte corruptie, moeten we ook het tegenovergestelde in overweging nemen – het feit dat het staatsapparaat van de Tang-dynastie vanaf het allereerste begin constant in crisis had verkeerd, en dat Wu de vrouw was die hier iets aan deed.

Dat de stichting van de Tang-dynastie een hachelijke zaak was geweest, is iets wat door tegenstanders, zowel die uit 684 als de huidige, allicht gemakkelijk over het hoofd is gezien. Het bewind over China was door middel van een burgeroorlog van de vorige dynastie afgepakt, de nieuwe keizer was afgezet door zijn eigen zoon, Taizong, die de rechtmatige erfgenaam vermoordde en zelf de troon inpikte. Wu heeft misschien gebruikgemaakt van Gaozongs ziekte, maar je zou kunnen aanvoeren dat als *zij* het niet had gedaan, iemand anders het had kunnen doen, met veel minder harmonieuze gevolgen.

Nu, ruim dertien eeuwen later, kunnen we alleen uitgaan van de insinuaties van Wu's opvolgers, en de verhalen die de kinderen en kleinkinderen met een mengeling van afschuw en angst over haar vertelden. Het bewijs is zo doordesemd van leugens, waarvan sommige door Wu zelf waren verzonnen, dat we bijna niet kunnen achterhalen wat de meest deugdelijke interpretatie is.

Sommigen hadden hun keuze echter al gemaakt. Wu was van plan om voorlopig in Luoyang te blijven. Tot verdere afschuw van haar opponenten doopte ze de stad om tot Hemelse Hoofdstad (*Shengdu*). Wat wilde de keizerin hiermee zeggen, fluisterden haar vijanden. Omdat ze nog steeds een betrouwbare stadhouder nodig had om de oude hoofdstad te besturen, ontbood ze Liu Rengui, de veteraan van de Koreaanse oorlog. Liu, de man die ooit had geklaagd over de spiegels rondom Gaozongs bank, was oud, maar nog zeer vechtlustig. Wu verzocht hem Chang'an in haar naam te besturen. Omdat ze wist dat Liu zich op latere leeftijd was gaan interesseren voor geschiedenis, stelde ze schalks dat de situatie wel iets weg had van de oude Han-dynastie, toen de grondlegger van die vier eeuwen durende dynastie zijn betrouwbaarste minister had uitgezonden om de regio Chang'an te besturen.

Liu Rengui was echter niet gevoelig voor dat soort toespelingen. Hij bedankte hoffelijk voor de functie en zei erbij dat hij zich herinnerde over de Han-dynastie te hebben gelezen dat het vreselijk mis was gegaan toen de vrouw van de keizer, keizerin Lü, had geprobeerd zelf de macht te grijpen.[9]

Als de verhalen over de vergiftigingen, wurgingen, moorden en slachtpartijen door Wu zelfs maar een greintje waarheid bevatten, waren veel mannen gestorven doordat ze minder schampere opmerkingen hadden gemaakt. Maar Wu liet Liu Rengui met rust. Verbazender is nog wel dat ze haar neef Chengsi naar Liu stuurde met een persoonlijk briefje. Wu schreef dat ze erkende dat de Han-keizerin haar slechte naam niet verdiende, maar dat je je niet druk moest maken om je latere reputatie als er dringende zaken af te handelen waren. In plaats daarvan, schreef Wu, waardeerde ze Liu Rengui juist om de onbevreesde manier waarop hij vasthield aan zijn overtuigingen, ongeacht de gevolgen. Ze aanvaardde zijn ondeugende waarschuwing en beloofde eraan te zullen denken. Ondertussen moest Chang'an worden bestuurd door iemand met de juiste ervaring. Wie kon dat beter dan Liu?

Ondanks zijn eerdere bedenkingen accepteerde Liu Rengui. Of hij zich liet overhalen door haar argumenten of gewoon een gemakkelijk leventje wilde, zullen we nooit weten. Historici hebben gesuggereerd dat Liu wel degelijk doorhad dat Wu zelf de macht wilde grijpen, maar er door haar brief van werd overtuigd dat, als iemand de Tang-dynastie naar zich toe moest trekken, dat maar het beste door haar kon worden gedaan.[10]

Wu's neef, die na de dood van Minzhi weer aan het hof was toegelaten om de voorouders van Wu te eren, werd voor zijn diplomatieke missie beloond met een vaste aanstelling in de regering. Ondertussen lieten anderen zich minder gemakkelijk paaien dan Liu Rengui; zij smeedden een complot tegen keizerin Wu.

In het zuidoosten van China, waar de rivier de Yangtze uit kwam op het Grote Kanaal, kwam het luidste protest van Li Jingye, de kleinzoon van de trouwe Tang-generaal Li Zhi. Zijn argumentatie was een beetje verward. Volgens sommigen wilde Li Jingye de afgezette Zhongzong terug op te troon, maar Li Jingye zei zelf dat hij prins Xian steunde, de eerdere troon-opvolger, en eiste dat hij zijn keizerlijke beschermeling aan zijn mannen kon tonen. Dit moet voor Wu en haar hovelingen nogal een verrassing zijn geweest, want zij wisten dat Xian in 684 zelfmoord had gepleegd – het is zelfs mogelijk dat Wu daarop heeft toegezien, juist om zo'n opstand als deze te voorkomen.

Ze had een kapitein van de paleiswacht naar Xians vertrekken gestuurd, naar verluidt om ze te inspecteren en om er zeker van te zijn dat Xian geen kwaad overkwam. In plaats daarvan sloot de kapitein Xian op in een ach-terkamer totdat hij zichzelf ophing. Hoewel de kapitein voor zijn 'vergis-sing' werd verbannen, was hij binnen een halfjaar terug in zijn oude baan – indirect bewijs dat Wu iets met Xians dood te maken zou hebben. De prins nam nog wel met één klein gebaar wraak. Het gedicht *Lied van de komkommerplant* werd aan hem toegeschreven, een allegorie op de dood van de keizerlijke opvolgers, dat na zijn dood clandestien nogal een hit werd. Het lied vergeleek de keizerszonen met de vruchten van een kom-kommerplant en suggereerde dat het weliswaar niet schadelijk zou zijn er één of twee te 'plukken', maar dat er na verwijdering van alle vier de vruch-ten alleen nog een kale stengel zou overblijven die zijn taak niet langer kon vervullen.[11]

Het ligt echter niet voor de hand dat het lied de taveernes in het zuiden al had bereikt, waar Li Jingye zich als Xians beschermer profileerde en aankondigde dat Xian terug op de troon moest. Het leger maakte korte metten met de opstand van Jingye. Hoewel hij in het gebied rond de mon-ding van de Yangtze op aardig wat steun kon rekenen, kon het leger ge-bruikmaken van de rivier en de kanalen. Het leger bereikte Jingye voordat hij in het noorden aanvullende steun had kunnen zoeken. Dat had Jingye helemaal aan zichzelf te wijten, want daar was ruimschoots de tijd voor geweest, maar hij was in het zuiden gebleven in een ondoordachte en ver-geefse poging de oude zuidelijke hoofdstad Nanjing in te nemen. In de-cember 684 werden de rebellen ingesloten en verslagen, maar hun opstand had verschillende repercussies.[12]

Het is zelfs mogelijk dat de opstand Wu extra steun aan het hof oplever-de, omdat hij haar eigen heimelijke angst rechtvaardigde. Net zoals Liu Rengui bereid was Wu terzijde te staan, misschien omdat hij dacht dat het alternatief erger kon zijn, was het voor de vertrouwelingen duidelijk dat

Jingye's retoriek over rehabilitatie nergens op sloeg. De 'prins Xian' die zij steunden was een bedrieger, wat hun motieven twijfelachtig maakte.

Voor de historicus biedt het verhaal over de opstand van Li Jingye verleidelijke nieuwe inzichten in de publieke opinie over Wu tijdens haar leven. De opstand is het meest bekend gebleven om zijn afkondigingen – een indrukwekkende dosis krachttermen die in kaart brachten waarom Wu moest opstappen:

Deze vrouw Wu heeft in het keizerrijk de macht gegrepen nadat ze is opgeklommen onder valse vlag, ontoegeeflijk en kil. Ooit was ze een onbeduidende bediende van keizer Taizong, die ze onder meer moest helpen omkleden. Maar toen ze volwassen werd, veroorzaakte ze onenigheid in het paleis van de kroonprins. Ze verdoezelde haar relatie met de vorige keizer; haar schaduw viel op de muren aan het hof. Ze liep onder valse voorwendselen de poort door en iedereen viel voor haar getekende wenkbrauwen. Achter haar mouwen fluisterde ze roddels en met haar sluwe geflirt overheerste ze haar meester. Ze vertrapte de fazantendecoraties van de keizerin en verstrikte haar prins met incest. Met het hart van een slang en het karakter van een wolf wierf zij pluimstrijkers voor haar zaak en vernietigde ze al wat billijk was. Zij vermoordde haar zuster, slachtte haar broers af, doodde haar prins en vergiftigde haar moeder. Ze wordt zowel door mensen als door goden gehaat, is evenmin welkom in de hemel als op aarde. Zij heeft haar snode hart op het rijk gezet, terwijl onze geliefde prins in een minder paleis wordt afgezonderd. Zelfs nu is ze op chaos uit en geeft ze haar marionetten gezag in handen. Ik zeg: Neen!…

Ik, Jingye, voormalig minister van de Tang, telg uit een adellijk geslacht, begenadigde van de keizer, vervuld van respect voor de last van de dynastie, ben diepbedroefd over de zorgen van de prins… Mijn geest ontsteekt in woede als een vlam, gereed om de altaren tot bedaren te brengen. Allen op aarde hebben de hoop opgegeven, en het hemelse volk schenkt me hun harten en houdt het vaandel van de gerechtigde opstand omhoog, opdat wij de wereld mogen verschonen van zulk een duivelse ramp. Vanuit de honderd families in het zuiden, de drie rivieren van het noorden, rijden de ijzeren ridders

Een afbeelding van Wu op hogere leeftijd uit het boek Sanlitu ('Enkele staatsieportretten')
uit de Zuidelijke Song-periode van de Song-dynastie, rond 1176.

Een detail uit een afbeelding van Wu uit het boek Wei Zhou Huangdi Wu Zao ('Wu van de Zhou') uit het Qing-tijdperk, uitgegeven in de tijd van Kangxi, de Keizer van Gezonde Welvaart (circa 1690).

De 'tepelheuvels' aan weerszijden van de Hemelse weg naar Wu's graf.

Wu's graf gezien vanaf de Hemelse Weg.

De akelig lege gedenksteen bij Wu's graf.

Het thermale bad 'Constel-
latie' dat Taizong in 644 liet
bouwen, en waar zijn zoon
Gaozong en latere Tang-
prinsen graag kwamen.

Taizongs lievelingspaard Getaande Vuist, afgebeeld met
negen pijlen in zijn lijf op
een van de bas-reliëfs bij de
Poort van de Donkere Strijder. Later is het verplaatst
naar Taizongs graf.

Het beeld van een minister bij Taizongs begraafplaats.

Een gebouw in de Famen-tempel, gerestaureerd in de stijl van de Tang-dynastie.

De vrij eenvoudige grafheuvel van Taizong.

Hofdames in loshangende japonnen met kapsels uit de Tang-dynastie, op wandschildering in een graf in de provincie Shaanxi.

Details uit een schilderij dat een jachttafereel voorstelt uit de Tang-dynastie. Afkomstig uit het graf van prins Xian.

Een van de reusachtige strijders die aan de Hemelse Weg Wu's graf bewaken.

De afbeelding van een draak op een vergulde metalen schaal uit de tijd van Wu

Een detail van de afbeelding van een feniks op een schaal uit de tijd van Wu. De feniks was het symbool voor een keizerin

Een kalende man met een snor en een haakneus verschuilt zich achter drie kletsende diplomaten. Verondersteld wordt dat hij een gezant is uit 'Hrom', aan de uiterste westkant van de Zijderoute – een ambassadeur van het Byzantijnse rijk. Schildering uit de tombe van prins Xian.

De beelden van Gaozongs buitenlandse bondgenoten; onbekende vandalen hebben ze na de dood van Wu onthoofd.

Een beeld van de pelgrim-monnik Tripitaka voor de 'Tempel van de Grote Genade' in Xi'an.

De plompe Grote Gans Pagode in Xi'an.

Houtsnijwerk van de Lachende Boeddha, d.w.z. een eerdere incarnatie van Maitreya, afkomstig van het grondgebied van de 'Tempel van de Grote Genade' in Xi'an.

Het grote gewelf en diepe gang naar de ondergrondse graftombe van prins Yide.

Violet Koo speelde Wu in een van de eerste verfilmingen van
Wu's leven uit 1938.

Een verfilming van Wu waarin de vele centimeters bloot been
bepaald anachronistisch aandoen.

voorwaarts; de jadeschepen komen samen. Land en zee zullen de rode oogst binnenhalen, totdat de pakhuizen vol zijn...

De stem van de gastheer zal aanzwellen als de noordenwind. We zullen aan de punt van ons zwaard vrede brengen in het zuiden. Ja! Het gebrul van soldaten doet de bergen schudden. Ja! Onze strijdkreten rijten de hemel open. Wie van onze vijanden kan niet verslagen worden? Welke van onze doelen kunnen niet verwezenlijkt worden?...

En wat zegt u, heren, wie de overleden keizer belangrijke taken heeft opgelegd? U, die hoorde hoe hij zijn laatste opdracht in de audiëntiezaal gaf? Als zijn woorden nog in uw oren weerklinken, hoe kan uw hart dan haar trouw zijn vergeten? De aarde op zijn graftombe is nog niet droog, en waar is zijn volwassen zoon? We kunnen het ongeluk nog afwenden, onze overleden heer eren door zijn ware, levende erfopvolger te dienen. Als één man opstaan om uw trouw te betuigen. Laat zijn decreten niet ongehoord vervagen. Kijk om u heen, naar de wereld van vandaag. Van wie is het huis dat moet heersen over iedereen op aarde?[13]

In eerste instantie reageerde Wu met groot sarcastisch plezier op de aanval. Ze stelde dat het jammer was dat Li's speechschrijver, Luo Bingwang, weggestopt zat in de provincie; hij zou zich aan haar hof veel nuttiger kunnen maken.[14]

Het meest opvallende is echter dat de aanval op Wu, ondanks alle insinuaties en beledigingen, geen melding maakt van enkele verschrikkelijke aantijgingen die door latere historici over haar zijn gedaan. Ze krijgt de schuld van de moord op haar (half)broers, dat is waar, maar ook van de dood van Helan, Vrouwe Yang en Gaozong. Hoewel ze best bij Helans dood betrokken kan zijn geweest, zou het beslist in haar voordeel zijn geweest als Gaozong was blijven leven – haar problemen begonnen pas toen zijn dood haar dwong zich te bezinnen op haar greep op de macht. Het lijkt al even belachelijk om Wu verantwoordelijk te stellen voor de dood van een oud dametje aan de vooravond van haar negentigste verjaardag, vooral omdat deze beschuldigingen vrij tam lijken in het licht van de misdaden die ze tegen de Tang-dynastie zou hebben begaan.

Als iemand dan toch bewijzen verzamelde tegen de kwaadaardige keizerin om een menigte potentiële rebellen op de been te brengen, zou het effectiever zijn geweest haar te beschuldigen van de misdaden die écht de aandacht bij het grote publiek trokken. Er wordt bijvoorbeeld niets vermeld over de verminking en langzame, pijnlijke dood van keizerin Wang en de Pure Concubine Xiao Liangdi, laat staan over de vergiftiging van Guochu tijdens het banket. Opvallender nog is dat er niets wordt gezegd over de snelle opeenvolging van diverse kroonprinsen vanaf 675. Als het bekend was, zou het toch geweldige munitie opleveren voor een 'gerechtigde opstand'? Zulke gruweldaden, die in latere dynastieke kronieken tot in detail werden opgetekend, schitteren hier door afwezigheid. Dat maakt Li Jingye's revolutionaire manifest tot een uiterst waardevol document. Voor diegenen die van mening zijn dat Wu een plichtsgetrouwe staatsvrouw was die door chauvinisten eeuwenlang zwart is gemaakt, vormen de *weglatingen* in de toespraak van Jingye belangrijk bewijs dat veel latere verhalen over haar smadelijke verzinsels waren.

Ondanks het vertoon van moed waarmee ze de beschuldigingen aanhoorde, was Wu echter wel geschokt door de implicaties van de opstand. Binnen luttele dagen was ze begonnen met een zuivering van haar eigen personeel, omdat volgens haar verscheidenen van hen deel uitmaakten van het complot. Zo zouden er aanwijzingen zijn dat minister Pei Yan de rebellen steunde en dat hij van plan was geweest Wu tijdens een bezoek aan de heilige Boeddha-grotten van Longmen te ontvoeren en te laten verdwijnen. Als dit waar zou zijn, was Pei Yans machtsgreep per ongeluk verijdeld toen Wu het bezoek wegens regenval op het laatste moment afzegde. Hoewel Wu beweerde bewijzen te kunnen overleggen, zijn er nu alleen indirecte aanwijzingen bekend. Een van de rebellen was een neef van Pei Yan en omdat hij door Gaozong was benoemd, was Pei Yan letterlijk iemand 'aan wie de overleden keizer belangrijke taken heeft opgelegd' en had hij letterlijk gehoord 'hoe hij zijn laatste opdracht in de audiëntiezaal gaf'. Dat was genoeg om Wu het idee te geven dat de kwaadaardige afkondiging een verborgen boodschap aan Pei Yan had bevat en dat, zelfs als Pei Yan niet direct betrokken was, hij met de rebellen had gepraat voordat ze hun opstand begonnen.

Pei Yans houding tijdens de opstand was krenkend geweest. Toen het nieuws over de eerste overwinning van Li Jingye de hoofdstad bereikte, had hij de keizerin gezegd dat ze in een mum van tijd de rust kon herstellen door af te treden. Andere ministers hoorden deze suggestie met enig wantrouwen aan, totdat een hooggeplaatste censor te berde bracht dat Pei Yan onmogelijk verder in rang kon stijgen als Ruizong zelf zou gaan regeren. Van Zhongzong hoefde de minister evenmin veel te verwachten, omdat hij hem zelf had helpen afzetten. In dat licht zou Pei Yans suggestie dat Wu het beste kon aftreden maar twee dingen kunnen betekenen: of hij was een ongelooflijk barmhartige staatsman, of hij wilde zelf de macht grijpen. Het ligt voor de hand dat het laatste geloofwaardiger werd gevonden, en Pei Yan werd samen met twee zogenaamde medeplichtigen terechtgesteld.

Een grimmige Wu riep al haar ministers bijeen en daagde hen uit iets soortgelijks te proberen. 'Deze mannen genoten veel respect. Toch spanden ze samen, en toch versloeg ik hen. Als uw vermogens de hunne overstijgen, mag u het proberen. Anders kunt u zich beter bedenken en mij dienen om het keizerrijk verdere smaad te besparen.'¹⁵ Het was zo'n felle uitdaging dat de kroniekschrijver van de Tang-dynastie een voetnoot inlaste, waarin hij stelde dat een vorst wel diep geschokt moest zijn om op zo'n toon tegen haar hovelingen te spreken.¹⁶

In de nasleep van Jingye's opstand besloot Wu dergelijke samenzweringen in de kiem te smoren. Haar censoren kregen meer bevoegdheden om boosdoeners op te sporen. De definitie van wat ongepast was, bestreek een steeds groter arsenaal aan afwijkende meningen. Wu's geheime politie, het ministerie van Rechtsvervolging, werd door het hele rijk gevreesd, en het duurde niet lang voordat mensen al werden gearresteerd als ze hun ontevredenheid met het huidige regime kenbaar maakten.

Wu deed er nog een schepje bovenop door haar 'ideeënbus' aan te passen. Het effect was verschrikkelijk. Gedurende de rest van haar bewind stond er een grote bronzen urn in het paleis, met vier sleuven voor verschillende doeleinden. In de eerste konden mensen aanbevelingen achterlaten voor mensen (onder wie zichzelf) die zij geschikt achtten voor een regeringsfunctie. De tweede was bedoeld voor anonieme kritiek op Wu's regering. In de derde konden mensen klachten deponeren over mensen die hun onrecht hadden gedaan, en de vierde stond open voor alle soorten interessant nieuws over voortekenen, waarschuwingen of complotten.

De effecten van Wu's hervormingen zijn grotendeels overstemd door klachten over het misbruik dat haar bemiddelaars van haar maatregelen maakten. Toch had Wu, de snode couppleger, architect van het vier jaar durende angstregime, deze mensen niet alleen aangesteld om haar onderdanen te teisteren. Evenmin vormde de urn een vrijplaats voor vriendjes en volgelingen, zoals sommige verhalen beweren – oneigenlijk gebruik en meineed werden, officieel, gestraft.[17] Sommigen kregen de verantwoordelijkheid voor liefdadigheidsinstellingen voor ouderen, zieken en wezen.[18] Aan zulke mannen is in studies over Wu's regeringsperiode echter amper een voetnoot gewijd, want ze was en bleef veel bekender om een heel ander soort functionarissen.

De grote urn van Wu zette de deuren naar de regering wijd open – schijnbaar werd het mogelijk dat burgers tot grote hoogten opklommen, en dat hun capaciteiten hun enige beperking vormden. In de praktijk leidde het tot een sfeer van angst waarin geen enkele ambtenaar beschermd was tegen anonieme kritiek. Wu's beleid beperkte zich trouwens niet tot de hoofdstad. Uit bezorgdheid voor broeiende onrust in het diepe zuiden, paste ze de regels voor informanten aan en verplichtte ze provincieambtenaren om iedereen met interessante informatie naar de hoofdstad te vervoeren. In theorie betekende dit dat iedere inwoner van China toegang had tot de grote urn. Het kwam erop neer dat plaatselijke bestuurders zo bang waren voor de kans dat ze informatie over een samenzwering hadden gebagatelliseerd, die later van belang zou blijken te zijn, dat ze iedere gek, verklikker en aanbrenger naar Luoyang stuurden. Dit riep een nieuwe bestuurlijke subgroep in het leven, die bekend zou worden als de 'gruwelbeambten'.[19]

In 689 klaagde een van Wu's ministers: 'Het hele jaar door heb ik in alle hoeken geheime aanklachten meegemaakt. We sluiten tienduizenden mannen tegelijk op, van wie de meesten ook nu nog worden beschuldigd van deelname aan [de opstand]. Maar als je iets beter kijkt, zie je dat amper één procent van de aanklachten terecht is.'[20]

Wu's urn had misschien openheid gebracht, maar hij was net zomin bestand tegen corruptie als het oude systeem van vriendjespolitiek en bescherming. Onderdanen die niets méér te bieden hadden dan smadelijke aanklachten vonden hun weg naar de regering, waar ze als vanzelf het werk kregen waar ze het best in waren, in feite het enige waar ze goed in waren: zoeken naar nog meer corruptie. Tegen 690 werden de aristocraten en bureaucraten verdrongen door burgers, van wie velen ongetwijfeld langdurig anonieme en waardevolle diensten verrichtten voor de regering van Wu. De beroemde namen uit dit tijdperk zijn echter die van mannen als Zhou Xing en Lai Chunchen, verbitterde ondervragers van het ministerie voor Rechtsvervolging die vastbesloten waren de boosdoeners uit te roeien en, bij gebrek daaraan, onschuldigen tot een bekentenis dwongen. Vooral Lai Chunchen, die later het onderzoekshandboek met de onheilspellende titel *Klassieker van de Gevangenschap* zou schrijven, koesterde grote wrok tegen de oude garde en beraamde hun ondergang met alle soorten van genoegen.[21]

ACHT

Het Paviljoen der Verlichting

In het zuiden van het huidige Xi'an staat een van de weinige overgebleven gebouwen uit de tijd van keizerin Wu. De Grote Gans Pagode, zoals
hij nu wordt genoemd, lijkt een vreemde eend in de bijt. De feestelijke ver-
sieringen en omhoog krullende dakranden van andere Chinese pagodes
ontbreken hier. De pagode ziet er zelfs erg gedrongen uit, ondanks het feit
dat ze het hoogste gebouw in het middeleeuwse Chang'an was. Het is een
opmerkelijk stevig gebouw, met stenen muren die meters dik zijn. Binnen
krijg je af en toe meer het gevoel dat je door een bankkluis loopt dan door
een religieus gebouw.

De pagode staat op het terrein van een traditionelere tempel – zelfs de
plaatselijke bevolking lijkt wel eens te vergeten dat de Grote Gans Pagode
slechts één gebouw is op het grondgebied van een veel groter complex, dat
oorspronkelijk is opgericht als de Tempel van de Grote Genade. De pagode
is ook opmerkelijk rijk. Raketvormige urnen bevatten de stoffelijke resten
van oeroude monniken, en op geloftestenen in een zijkapel staan de namen
vermeld van vrome boeddhisten die teruggaan tot de Tang-dynastie. De
muren van een andere zijkapel zijn opgebouwd uit veelkleurig jade.

YING – MOETEN
Tijdens de regeringsperiode van Wu werd het woord voor 'moeten' veranderd, waarbij
het karakter voor een overheidsafdeling werd gebruikt, die onheilspellend met een stok
zwaaide.

Een kostbaar, reusachtig reliëf aan de wanden vertelt minutieus het verhaal van Boeddha's leven, vanaf de bevruchting tot zijn transcendentie. Net buiten de tempelpoort staat het beeld van een eenzame boeddhistische monnik, zijn gewaad eenvoudig en bescheiden; in één hand houdt hij een staf, terwijl hij met de andere iemand de zegen geeft.

Het is een beeld van Xuanzang (circa 602-64), die wel wordt geëerd met de heilige naam Tripitaka, een vrome boeddhist die naar het verre westen reisde en terugkeerde met de heilige perkamentrollen uit Boeddha's geboorteplaats. Hij is een boeddhistische heilige, een man die omwille van zijn religieuze overtuigingen keizer Taizong trotseerde en na ruim tien jaar van zijn reizen terugkeerde als een religieuze held.

Als plaatselijke beroemdheid en boeddhistische wijsgeer maakte Tripitaka kennis met de beroemde leiders uit zijn tijd. Op diplomatieke wijze bedankte hij in 645 en 648 voor posten in Taizongs regering. Wel gaf hij de keizer persoonlijk kopieën van enkele van zijn vertalingen, die de keizer op zijn sterfbed in vervoering brachten, iets wat de zeer jonge Wu zou hebben meegemaakt.[1]

Het is waarschijnlijk dat Tripitaka Wu rond 650 ontmoette. Hij kan een bekende zijn geweest van Wu's moeder, die een groot aantal goede doelen steunde. Hij stierf lang voor Wu's greep naar de keizerlijke macht en zou nooit weten hoe Wu gebruik maakte van zijn levenswerk en lessen. Het valt zeer te betwijfelen of hij het zou hebben goedgekeurd. Tripitaka had diepe religieuze overtuigingen, maar in de jaren tachtig zouden zijn lessen door een voormalige make-upverkoper worden verkwanseld als onderdeel van Wu's machtspolitiek,

Hoewel China oorspronkelijk geen boeddhistische traditie kende, hadden boeddhistische overtuigingen vat gekregen op de bevolking. Boeddhisme was een van de exotische importartikelen die de Zijderoute aflegden – een geloofsrichting die troost bood bij het lijden en hoop op een beter leven in het hiernamaals. Zelfs het keizerlijk hof was niet ongevoelig. De keizer zou de hogepriester van China's eigen religie zijn, maar er bestaan veel verwijzingen naar boeddhistische ideeën, zelfs aan het hof. Toen de Pure Concubine in 656 Wu vervloekte en dreigde terug te komen als kat, maakte ze gebruik van populaire terminologie die niet bij China hoorde: het idee van reïncarnatie.

Hoezeer sommigen ook hun winkansen spreidden door gul aan boeddhistische doelen te geven, was de officiële religie van de Chinese staat nog altijd de ingewikkelde voorouderverering uit China's verre verleden. Familiebanden strekten zich uit tot in het hiernamaals; er werden offers gebracht in de hoop dat voorouders een goed woordje zouden doen bij geesten van vergelijkbare rang. Net zoals China aan haar grenzen werd bestookt door Turken, Kitan en Tibetanen, zo was het geestenrijk in de greep van hongerige schimmen en waren er spirituele bondgenoten nodig om hen op afstand te houden. Geleerden deelden dit soort zorgen echter niet; zij keken liever naar de wereld om hen heen. Net als Confucius zelf, de oude wijze wiens geschriften de normen en waarden van China bepaalden, hadden de Tang-ministers minder belangstelling voor het bovennatuurlijke dan voor het natuurlijke – zij geloofden dat als alles in de echte wereld zijn natuurlijke plaats kende en men daaraan vasthield, de bovennatuurlijke wereld eveneens in het gareel zou blijven.

De orthodoxe confucianistische praktijk hechtte er grote waarde aan dat iedereen zich bewust was van zijn maatschappelijke positie. Na een kort experimenteel uitstapje naar de machiavellistische intriges van de bureaucratie ten tijde van de Eerste Keizer, hadden de Chinese regeringen teruggegrepen op de uitspraken van Confucius en kozen ze de volgende acht eeuwen de werken die aan hem waren toegeschreven als basis voor hun staatkundige filosofie.

Het confucianisme poneerde een Gouden Eeuw in het verre verleden, een tijd toen goden zich tussen de mensen begaven en de wereld volmaakt was. Aan die toestand was een einde gekomen doordat mensen hun juiste plaats in de natuur hadden veronachtzaamd. Net als rituelen en gedrag, waren rangen van cruciaal belang.

Toen ze in de veertig was, had Wu deze fixatie op protocol uitgebuit toen ze ervoor pleitte deel te mogen nemen in het Feng-Shan-offer. Ondanks het gebrom en geklaag van confuciaanse functionarissen, had ze overtuigend een controversieel onderwerp aangesneden. De confucianistische traditie liet zich voorstaan op haar voortdurende inspanning om de Gouden Eeuw uit vroeger tijden te evenaren, maar Wu's deelname behelsde veel meer dan de vraag om aandacht van de vrouw van een keizer. Wu's inmenging had het radicale begrip seksegelijkheid in de confucianistische traditie ingebracht.

Na duizenden jaren van experimenten, verandering van gewoonten en verfijning van rituelen, waren confucianistische filosofen er nog steeds niet in geslaagd de volmaakte toestand van de legendarische koningen terug te halen.[2] Er was nog steeds oorlog, vrienden maakten nog steeds ruzie en confucianisten waren het er nog steeds niet over eens wat ze verkeerd deden. Vorsten en hun adviseurs werden opgeleid met gebruik van confucianistische boeken, er werd aan rituelen gesjord en getrokken, en astrologen probeerden meer inzicht te krijgen in de wensen van de hemel. Maar het confucianisme was geen religie op zich, het was een staatkundige filosofie die probeerde de rituelen van het oude Chinese hof te doorgronden, en net als Confucius zelf behandelde het vrouwen in het algemeen als een noodzakelijke ergernis.

Vrouwen waren in de confucianistische maatschappij ondergeschikt aan mannen. Wu's gedrag, vooral ten tijde van het Feng-Shan-offer, suggereerde dat confucianistische geleerden de oude legenden eeuwenlang verkeerd hadden geïnterpreteerd en dat vrouwen in het verleden zo niet belangrijker, dan toch minstens gelijkwaardig waren aan mannen. De hemel stond immers alleen in fysiek opzicht 'boven' de aarde, beide vereisten verzoeningsoffers en -rituelen, en het ene kon niet bestaan zonder het andere.

Nu stuurde Wu aan op een nog extremere suggestie, dat er een einde moest komen aan haar lange jaren als waarnemend vorst en dat haar in plaats daarvan de gehele soevereine macht moest worden toegekend, niet als regentes of gemalin, maar als de echte vorst van iedereen onder de hemel. Voor deze bewering zocht ze steun in een onverwachte hoek: het boeddhisme.

Plaatselijke voortekenen waren allemaal wel leuk; de kip met drie poten was goed aangeslagen en daarna had een boer de spontane geslachtsverandering van een van zijn kippen gemeld.[3] Dit zou een bittere pil zijn voor die confucianisten die hadden gewaarschuwd voor een 'hen bij het ochtendgloren'. In 687 vormde een gebergte na een aardbeving een nieuwe top. Wu beschouwde al deze zaken als goede voortekenen, al zagen sommige hovelingen dat precies tegengesteld. In een bericht aan Ruizong opperde een ambtenaar dat de nieuwe, 'gelukkige' bergtop helemaal geen goed voorteken was, maar een aandoening van de aarde, alsof deze uitslag had gekregen van de onnatuurlijke machtspositie van een vrouw. Maar Ruizong was natuurlijk niet de laatste die dit memo onder ogen kreeg, en de ambtenaar die dat wel deed, werd door een nijdige Wu verbannen naar het zuiden.[4]

Het probleem met standaardvoortekenen was dat ze werden geïnterpreteerd door confucianisten – een zichzelf onderhoudend staatsapparaat van saaie oude mannen die vasthielden aan tradities die waren opgetekend in moeilijk te begrijpen oude boeken. Wu zag zichzelf als een vernieuwer die zich door eeuwen van verstarde tradities heen moest worstelen, terwijl de confucianistische geleerden haar beschouwden als een onberekenbaar en gevaarlijk vrouwspersoon. Misschien biedt dit enig inzicht in Wu's motivatie voor wat latere generaties confucianistische historici hebben aangeduid als haar 'terreurbewind'. Haar beruchte urn haalde niet alleen roddel en smaad het paleis binnen, maar overspoelde het hof ook met nieuwelingen die in haar ogen niet waren aangetast door de vooroordelen van een confucianistische opleiding.

Er was één groep heilige mannen van wie ze een ander soort wijsheden kon verwachten: de boeddhisten. Het boeddhisme was al eeuwenlang bekend in China. Het was, net als verbannen Perzische prinsen en zeldzame parfums, vanuit het westen via de Zijderoute gekomen. In de jaren voor de stichting van de Tang-dynastie was het vooral populair gebleken bij de barbaarse stamleden die over delen van China hadden geheerst. Zij zagen in de buitenlandse religie een afspiegeling van hun eigen heersende positie in een vreemd land.

Na aankomst kan het boeddhisme echter iets van zijn oorspronkelijke betekenis hebben verloren. Indiase monniken die het Chinees onvoldoende machtig waren, of plaatselijke aspiranten met gebrekkige kennis van het Sanskriet, hadden sommige leerstellingen verdraaid of afgezwakt. Her en der begon het boeddhisme sterk op China's inheemse religie te lijken, maar onder de ware gelovigen waren er mensen die op zoek wilden naar de zuivere waarheid. Dat behelsde een gevaarlijke reis naar het westen langs de Zijderoute, door woestijnen en over bergketens die volgens de legenden onbegaanbaar waren, naar de verre gebieden die weinigen hadden gezien en waar nog minder mensen van waren teruggekeerd. Sommigen wilden dat risico wel nemen.

De beroemdste reiziger was de monnik Tripitaka, een man uit de regio Luoyang die in 629 heimelijk China achter zich had gelaten nadat hij in een droom de opdracht had gekregen een pelgrimstocht naar het westen te maken. Daarmee brak hij een wet van keizer Taizong, die Chinezen verbood buiten het keizerrijk te reizen terwijl er oorlogen tegen de Turken woedden. Zoals tijdens zo veel van zijn buitenlandse avonturen, kon Tripitaka aan de grens een beroep doen op de boeddhisten die hij tegenkwam. Boeddhistische grenswachters knepen een oogje toe, boeddhistische families namen hem in huis. Toen hij verder naar het westen kwam, genoot hij de steun van een onzichtbaar netwerk van boeddhisten. Reizend langs de volken van Centraal-Azië kwam Tripitaka helemaal tot Samarkand, voordat hij zuidwaarts reisde, in de richting van India, het thuisland van het boeddhisme, waar hij in 630 aankwam.

Zijn oorspronkelijke reisdoel was Gandhara geweest, een oud boeddhistisch centrum, maar toen hij er aankwam, was de hoofdstad Peshawar in verval geraakt. In plaats daarvan reisde hij door India, trok op zijn gemak van klooster naar klooster en deed belangrijke plaatsen aan die waren verbonden met Boeddha's leven en dood. Na verloop van tijd belandde hij in de universiteitsstad Nalanda, waar hij minstens twee jaar verbleef. Uiteindelijk keerde hij in de loop van de jaren na 640 terug in China, beladen onder honderden boeddhistische geschriften van onschatbare waarde, en werd hij een plaatselijke beroemdheid.

Tripitaka had enige financiële steun ontvangen van Gaozong, wat er gezien Gaozongs 'vlagen van verwarring' waarschijnlijk op neerkwam dat Wu hem zelf een aantal jaren had gesponsord. Maar Tripitaka had geen belangstelling voor politieke of wereldse zaken. Het enige wat hij wilde was een plek waar hij rustig kon wonen en de geschriften kon vertalen die hij mee terug had gebracht.

In 652, net toen Wu's kloosterleven tot een scandaleus einde was gekomen en zij naar het paleis terug was gekeerd, ging Tripitaka's wens in vervulling. De Tempel van de Grote Genade, oorspronkelijk gebouwd ter ere van keizerin Wende, werd uitgebreid met de Grote Gans Pagode, een plomp, solide gebouw dat was ontworpen om de kostbare perkamentrollen brandvrij te bewaren. Het was zo veilig dat het ondanks alle aardbevingen, overstromingen, aanpassingen, aanbouwen en minstens één brand, aan het begin van de 21ste eeuw nog steeds intact is. In 656, rond de benoeming van de gedoemde Li Hong tot kroonprins, deed Tripitaka aan Gaozong een verzoek hem assistent-vertalers toe te wijzen. Ook diende hij een tiental hofdames van advies toen zij opeens de wens uitten om non te worden. Ontvluchtten ze de beginnende invloed van Wu?[5]

De eerste melding van direct contact tussen Tripitaka en Wu dateert uit de winter van 656, toen de hoogzwangere keizerin hem vroeg te bidden voor een voorspoedige bevalling van haar kind. Tripitaka stemde toe, maar vroeg zijn beschermvrouwe of het kind een monnik kon worden als het een jongetje bleek te zijn. Het kind, dat oorspronkelijk Boeddha-Licht zou worden genoemd, was Zhongzong. Hoewel zijn geplande kloostercarrière nooit van de grond kwam, schonk Tripitaka hem bij zijn geboorte onder meer een verguld exemplaar van de *Hart Soetra*, alsook ascetische attributen als een monniksstaf en een rozenkrans.[6]

Nadat zijn verzoek te mogen stoppen met zijn publieke taken, door Gaozong zelf met veel moeite geschreven, per decreet werd geweigerd, ging Tripitaka door met preken in de tempel en wijdde hij zich aan de vertaling van de vele perkamentrollen. In sommige gevallen betroffen de geschriften in de beleving van de Chinese boeddhisten 'geheel nieuwe' soetra's, vol nieuwe onthullingen. In andere gevallen waren het nieuwe vertalingen van documenten die eerder verkeerd waren begrepen. Gedurende deze periode van revisie en herinterpretatie kwamen er enkele tot dusverre onbekende elementen van het boeddhisme aan het licht. Een ervan betrof de onthulling dat Boeddha had aanbevolen alle familiebanden te verbreken – iets wat volgens de confucianisten, bezeten als zij waren van voorouderverering, neerkwam op ketterij, maar wat voor Wu hoogst amusant moet zijn geweest, aangezien zij al jaren vlijtig familiebanden aan het verbreken was.

Wat Wu mogelijk nog opwindender vond, was dat volgelingen van het boeddhisme beseften dat de oorspronkelijke geschriften in de verste verte niet zo anti-vrouw waren als de Chinese vertalers hadden beweerd. Voor hun eigen, van het confucianisme doordrongen publiek, hadden de vertalers de nodige tact gehanteerd, zodat de indruk ontstond dat echtgenoten hun vrouw 'de baas moesten blijven' en dat vrouwen moesten 'opzien tegen' hun man. Het oorspronkelijke Sanskriet sommeerde mannen echter hun vrouwen te 'steunen', en vrouwen om hun man te 'verlichten' – een veel gelijkwaardiger wereldbeeld en precies wat Wu nodig had om haar invloed te vergroten.[7]

In 664, het jaar voordat Wu haar halfbroers verbande, stierf Tripitaka een rustige, natuurlijke dood. In de schaduw van zijn grote stenen pagode sprak hij zijn laatste woorden tegen zijn volgelingen:

Vorm is onwezenlijk. Perceptie, gedachten, handelingen en kennis – allemaal onwezenlijk. Het oog, het oor, de geest – alle drie zijn onwezenlijk. Bewustzijn door middel van de vijf zintuigen is onwezenlijk. Alle Twaalf Oorzaken, van onwetendheid tot ouderdom en dood, allemaal onwezenlijk. Verlichting is onwezenlijk. Onwerkelijkheid is op zich al onwezenlijk... Maitreya zij geloofd... die de Boeddha-status zal bereiken. Dat ik en alle denkende wezens hem weldra mogen aanschouwen.[8]

Hij verwees naar de volgende incarnatie van Boeddha, de verlosser die in de laatste dagen naar de mensheid zou komen, waarbij zich ingrijpende voortekenen zouden voordoen. In dat opzicht was het misschien een onschuldige suggestie om naar de toekomst te kijken, al lijken sommigen het anders te hebben opgevat. Sommigen, zelfs in het paleis, begrepen uit Tripitaka's woorden dat de Laatste Dagen al aangebroken waren en dat de verlosser van de mensheid, Maitreya de Ongeëvenaarde, Maitreya van het Gouden Wiel, Wijze en Heilige Keizer, weldra zou komen om een nieuw tijdperk van heilige vrede in te luiden. Er was echter een marskramer voor nodig om zo'n voorspelling in het voordeel van keizerin Wu uit te leggen.

De belangrijkste figuur in deze periode van Wu's leven was de man die volgens sommige bronnen haar minnaar was geworden. Xue Huaiyi was een cosmeticaverkoper in Luoyang, een beroep dat in hedendaags Nederlands geen negatieve associaties oproept, maar dat in middeleeuws Chinees zweemde naar toverij en wellust.

Hoewel sommige cosmeticaverkopers volkomen onschuldige leveranciers waren van rouge en lipstick, lijken andere criminele banden te hebben gehad. In de Chinese beleving was er immers maar een klein verschil tussen parfum verkopen en handelen in drankjes en vergif. Los van de reputatie en handelingen van de beruchte keizerin Wu, was het boudoir van een vrouw in Luoyang een plek van geheimen en intriges. Concubines, bijvrouwen, dienstertjes en prostituees concurreerden met elkaar om mannelijke aandacht. De meest voor de hand liggende methoden waren nogal alledaags – lang haar werd opgestoken in ingewikkelde kapsels, kleding en accessoires werden zorgvuldig geselecteerd. Ook werd volop gebruik gemaakt van gezichtscrèmes en balsems met mysterieuze ingrediënten, bijvoorbeeld vogelbloed of exotische kruiden.

Om cosmetica te verkopen moest je zo ongeveer alchemist zijn; je moest neutrale oplossingen binden met onschuldige ingrediënten, bijvoorbeeld rijstmeel, dan voegde je er cerussiet (loodcarbonaat of 'wit lood') aan toe voor schmink, cinnaber (kwiksulfide, vermiljoen) om rouge te maken, of aluin (kalium- en aluminiumsulfaat) en knoflook voor nagellak. Dames die zich wilden onderscheiden, epileerden hun wenkbrauwen compleet en tekenden ze in plaats daarvan met een groenige oogschaduw hoog op hun voorhoofd. Soms werden daar nog stipjes of andere vormen tussen getekend, symmetrische schoonheidsvlekjes. Als er een gezichtslezer of waarzegger in de stad was, brachten sommige dames een soort loodoxide aan om hun gezicht een gelige waas te geven, wat de kans op voorspellingen van geluk zou vergroten.[9]

Schoonheid was een drug, en mannen als Xue Huaiyi dealden erin. Hun handel bracht hen in contact met alle standen van de Tang-maatschappij, waaronder ook de zelfkant. Voor pruiken kochten ze haar van verarmde boeren, of ze schoren machteloze slaven en krijgsgevangenen. Als gestolen juwelen te herkenbaar waren om te verkopen, verpulverden de helers jaden hangers of smolten goud om, in de hoop hun buit te kunnen slijten aan een marskramer die het een of ander nodig had voor zijn nieuwste vinding. Aan het hof werd cosmetica gebruikt om de schoonheid van toch al mooie vrouwen te accentueren, maar in de seksindustrie diende het een ander doel. Misvormde hoeren en verminkte slaven gebruikten poeders en crèmes om littekens en brandmerken te bedekken, of om tatoeages te verbergen omdat die criminele banden zouden verraden. Al deze vrouwen, van de wanhopige onderklasse tot de verfijnde aristocratie, hadden één ding gemeen: hun afhankelijkheid van en vertrouwen in de mannen die hun de artikelen verkochten die hen mooi hielden.

De cosmeticaverkopers hadden meer te bieden dan gezichtscrèmes. Ze verkochten ook producten voor inwendig gebruik – brouwsels die iemand mooi maakten van binnen uit. Er waren kruidnagelen en kamfer tegen slechte adem, en tincturen op basis van meloenzaden en mandarijnschillen, waarvan driemaal daags een lepel moest worden ingenomen om de huid een frisse blos te geven.[10]

Verkopers als Xue Huaiyi kenden hun klanten door en door. Bij gelegenheid werden ze achter het kamerscherm toegelaten om te laten zien hoe iets moest worden aangebracht, of advies te geven over huiduitslag.

Hun klantrelatie en hun afzet bracht geheimen aan het licht waarvan geen dame wilde dat haar vijanden erachter kwamen – wie lustopwekkende middelen nodig had, wie aambeien had, wie last had van menstruatiekramp of diarree. Deze toestand van moeizaam vertrouwen en delicate geheimen kon ertoe leiden dat een cosmeticaverkoper ook andere zaken ging aanbieden. We kunnen misschien speculeren over het precieze karakter van sommige 'tovenaars' die hofdames in het verleden zouden hebben ingeschakeld, en misschien kunnen we zelfs raden hoe hofdames aan hun medicijnen en vergif kwamen.

Xue Huaiyi trok Wu's aandacht door zijn connecties met een onbelangrijke prinses, Qianjin, een zus van de overleden Taizong. De vrouw was in de vijftig en woonde in hetzelfde paleis als Wu. Gezien het feit dat Wu in het verleden goede betrekkingen had onderhouden met vrouwen die aan het hof waren uitgerangeerd, ligt het voor de hand dat zij elkaar kenden, en in zekere zin vriendinnen waren. Een prinses zou natuurlijk niet kunnen omgaan met ongewenste personen; in plaats daarvan stuurde Qianjin haar dienstertje eropuit om de gewenste drankjes of crèmes te halen, totdat ze hem uiteindelijk zelf ontmoette.

Om een onbekende reden beval Qianjin de verkoper aan bij Wu; ze noemde hem een man met 'ongewone gaven'. Wat deze gaven waren, wordt niet nader uitgelegd, maar het duurde niet lang voordat Wu zelf een beroep deed op Huaiyi. Uiteindelijk liet ze hem haar paleis binnen brengen.[11] De roddels over de aard van hun relatie zijn grotendeels toe te schrijven aan Wu's gedrag. Huaiyi had vrije toegang tot het paleis en werd toegelaten in het besloten vrouwengedeelte – het exclusieve voorrecht van de keizer (maar zolang Ruizong in afzondering leefde, mocht zelfs hij er niet komen) en enkele zeer jonge prinsjes. Het protocol vereiste dat een man die keizerin Wu direct wilde dienen, moest zijn gecastreerd, al stond Wu dit nadrukkelijk niet toe.

In plaats daarvan stelde ze dat Huaiyi de rondtrekkende cosmeticaverkoper nu Huaiyi de monnik was, en benoemde ze hem tot abt van het Witte Paard-klooster op het platteland, waar ze hem zou kunnen bezoeken tijdens zogenaamde godsdienstoefeningen. Bovendien dwong ze haar schoonzoon, de onfortuinlijke echtgenoot van prinses Taiping, om Huaiyi te 'adopteren' als zijn *vader*, een bizarre regeling. Huaiyi nam zijn achternaam aan, eiste zijn respect en kon nu blijkbaar op meer gelijke voet met Wu omgaan als het ging om alledaagse zaken als de tafelschikking tijdens het diner. Als Huaiyi echt alleen maar een parfumverkoper was, was dit – zoals roddelaars toentertijd al opmerkten en nog steeds beweren – een idioot ingewikkelde manier om ervoor te zorgen dat hij altijd in de buurt was.

In het verleden hadden veel Chinese vorsten van middelbare leeftijd, duizelig van macht en uit angst voor de oude dag, hun toevlucht genomen tot medicijnen en alchemie, in een poging vast te houden aan het idee van eventuele onsterfelijkheid. Maar zelfs als keizerin Wu hiermee bezig was, wijst niets erop dat Huaiyi haar had kunnen helpen. Als hij behalve cosmetica ook medicijnen verkocht, toonde hij absoluut geen aanleg om ze zelf te maken. In plaats daarvan stond Huaiyi in Luoyang wijd en zijd bekend als een misdadige zuipschuit die geen blijk gaf van intellectuele bagage, laat staan technische kennis. Daarom, al kunnen we niet helemaal uitsluiten dat zijn waarde voor Wu van medische aard was, is wel aangenomen dat zijn nut veel meer op het fysieke vlak lag en dat de twee een affaire begonnen.

Beschermd door de naam van Wu's schoonzoon en gekleed in gewaden die de keizerin hem zelf schonk, ging Huaiyi flink tekeer aan het Tang-hof. Hij had een gevolg van zelfbenoemde monniken die amper meer waren dan kaalgeschoren schurken en het boeddhisme alleen aangrepen als een excuus om plaatselijke boeren met geweld 'aalmoezen' af te dwingen. Ongelukkig was de langharige taoïstische priester die Huaiyi en zijn gevolg tegenkwam, want zij sloegen maar al te graag hun religieuze 'rivalen' in elkaar en schoren hen onder dwang kaal. Huaiyi beschikte over de bravoure en zwier van de machtige crimineel – hij schoof ministers opzij en stuurde zijn volgelingen af op eenieder die hem durfde te trotseren.

Eén functionaris probeerde zijn wangedrag aan Wu te melden, maar later werd hij door onbekende belagers op straat opgewacht en bijna doodgetrapt. Er meldden zich geen getuigen om de aanvallers te identificeren.

Een ander incident ontstond toen Huaiyi opzettelijk een belangrijke minister opzij duwde en deze uit wraak zijn lijfwachten de opdracht gaf hem een lesje te leren. In het strijdgewoel dat volgde, werd Huaiyi vastgepakt en meermaals gestompt. Hij ging onmiddellijk naar de keizerin om verhaal te halen. In plaats van een van beide partijen te straffen, raadde ze Huaiyi aan voortaan een andere ingang te gebruiken dan de minister in kwestie. Hierdoor kon de politicus zijn reputatie ophouden, en Huaiyi kreeg via de noordelijke poort toegang tot het binnenste van het paleis.[12]

Los van de toespelingen op zijn seksuele talenten, die hooguit geruchten blijven, had Huaiyi nog een herkenbare vaardigheid, althans, dat vond hij zelf. Tot grote ergernis van de hovelingen kondigde keizerin Wu aan dat Huaiyi de architect zou zijn van een nieuw keizerlijk project, bedoeld om de dynastie en de wereld eeuwige roem te bezorgen, de bouw van een Paviljoen der Verlichting, oftewel *Ming Tang*.

Het is onduidelijk waarom Huaiyi geschikt zou zijn voor deze taak. Als zogenaamd boeddhistische priester zou hij zich al helemaal niet met confucianistische rituelen moeten inlaten. Evenmin wordt duidelijk wat de taak precies inhield. Net als het Feng-Shan-ritueel dat Wu tijdens de regeringsperiode van haar overleden man zo effectief had opgeëist, was het Paviljoen der Verlichting een legendarisch symbool voor keizerlijke macht. De precieze toedracht en functie van het symbool waren na de tijd van de mythische vorsten van China geleidelijk aan verloren gegaan. Hoewel niemand er zeker van kan zijn, lijkt het een majestueuze combinatie van verscheidene andere gebouwen te zijn geweest; een soort supertempel, een solide paleis waar de vorst letterlijk de rituelen beleefde die van hem – of *haar*, zoals Wu ongetwijfeld zou hebben benadrukt – werden vereist.

Van keizers werd verwacht dat zij offers brachten en ceremoniën leidden die met de goden communiceerden en hen verzoenden. Veel minder belangrijke rituelen werden door plaatsvervangers uitgevoerd, maar de vorst werd wel geacht de belangrijke gebeurtenissen op de kalender van het keizerlijke Chinese jaar zelf bij te wonen. Dat zou er zelfs op kunnen neerkomen dat de keizer het hele jaar door om de week wel een ritueel van enig staatkundig belang zou moeten uitvoeren, waarvan de belangrijkste plaatsvonden op astronomisch belangrijke momenten, zoals nacht- en dagevingen en zonnewenden. Een Paviljoen der Verlichting bundelde en versterkte de energieën van de vorst die hem bouwde, mogelijk doordat het functioneerde als één voortdurende ceremonie. In plaats van om de week naar een afgelegen altaar af te reizen dat speciaal voor dat doel was gebouwd, zou de keizer in wezen *in* een reusachtig altaar wonen en permanent dienstbaar zijn. Om aan de voorgeschreven eisen van het seizoen te voldoen, zou hij zijn kleding, activiteiten en zelfs voedingsgewoonten aanpassen.[13]

Een functie kan zijn geweest dat de zaal een soort driedimensionale kalender vormde, zoals Stonehenge dat was – waarbij de ramen en de toren het verstrijken van de tijd door het jaar heen markeerden. Daarnaast was het misschien een functioneel keizerlijk paleis waar een vorst audiëntie kon houden en vergaderingen kon beleggen. Misschien was het wel niets van dit alles, maar dat is in elk geval de conclusie die Wu lijkt te hebben getrokken uit de sporadische verwijzingen naar eerdere Zalen der Verlichting in andere bronnen.

Keizerin Wu was niet de enige die geobsedeerd was door het Paviljoen der Verlichting. Taizong had al als prins de mogelijkheid besproken er een te bouwen. Vervolgens hadden confuciaanse geleerden zestig jaar lang regelmatig geruzied en gekrakeeld over wat daarbij kwam kijken, met zeer uiteenlopende conclusies betreffende grootte, vorm en functie. De komst van Huaiyi zorgde ervoor dat er binnen de kortste keren een definitief plan op tafel lag, of dat nu juist was of niet, en dat er aan de bouw werd begonnen.

In verre uithoeken van het keizerrijk, waar de excessen van de onderlinge strijd en de schandalen van Wu's hof niet doordrongen, werd het nieuws over de bouw met groot enthousiasme ontvangen. Het kenmerkte, althans oppervlakkig gezien, een dynastie die zo machtig, succesvol en zelfbewust was, dat deze streefde naar staatkundige prestaties die sinds het legendarische verleden niet meer waren voorgekomen. Dichter bij het machtscentrum werd het gezien als een symbool voor een regime dat bezeten was van zijn eigen macht en een ziekelijke wens koesterde om alles wat vooraf was gegaan te overtreffen, al zou niemand dat tegen de keizerin en haar liederlijke vertrouweling durven zeggen.

Het Paviljoen der Verlichting, ontworpen door Huaiyi, werd ingewijd tijdens het Chinese Nieuwjaar (11 februari) van 689.[14] Het besloeg een oppervlakte van ongeveer honderd bij honderd meter, was bijna negentig meter hoog en bevatte twee vierkante verdiepingen en een ronde bovenverdieping bekroond met een drie meter hoge vergulde ijzeren feniks. Niet dat iemand er iets van durfde te zeggen, maar als een dynastie de macht van haar vorst wilde uitdragen, zou een draak toch heel wat toepasselijker zijn geweest. In plaats van het traditionele symbool voor een keizer, plaatste Huaiyi's ontwerp echter een symbool voor een keizerin op de top van de supertempel. Toen de feniks kort daarna tijdens een stormvlaag naar beneden kwam, werd hij vervangen door een gloeiende 'vuurbol' – gemaakt van een lichtgevend materiaal, of gewoon een eeuwig brandende vlam, en versterkt door middel van spiegels en prisma's. In een later gedicht over het Paviljoen werd gesteld dat zijn baken zo fel was dat het 's nachts werd verward met een tweede maan, of overdag met een bovennatuurlijk heldere ster. Wie oud of belezen genoeg was om zich de voortekenen aan het einde van Taizongs regeringsperiode te herinneren, zou ook nog weten dat destijds Venus overdag opmerkelijk lang te zien was geweest, en dat dit werd geïnterpreteerd als de komst van een vrouwelijke heerser.

Op het terrein van het Paviljoen der Verlichting stonden negen grote bronzen driepoten die bijna honderd ton per stuk wogen. Ze waren gemaakt in navolging van de legendarische Negen Driepoten die de eigenaar ervan de macht zou geven over alle gebieden van de bekende wereld.[15] Het was een gewaagd en brutaal machtsvertoon waar niet iedereen even gelukkig mee was. Zeker één minister legde zijn leven in de waagschaal door de keizerin uit te leggen dat mogelijk iets over het hoofd was gezien – in het verleden was het Paviljoen der Verlichting naar men aannam veel functioneler en bescheidener geweest. Bovendien was er sinds de oplevering nog nooit een religieus ritueel uitgevoerd. Wu hield zo nu en dan grootschalige audiënties in het hoofdvertrek, maar werd nooit de inwonende hogepriesteres die ze volgens het protocol zou moeten worden. Misschien was ze aanvankelijk van plan geweest om Ruizong, die alleen in naam keizer was, in de talrijke rituelenruimten de schijn op te laten houden. En misschien kon het haar gewoon niets schelen.

Net zoals het uitvoeren van het Feng-Shan-offer was de bouw van het Paviljoen der Verlichting een teken van groot dynastiek succes. Het nageslacht, zo hoopte men, zou vermelden dat de heerser van China in Wu's tijd alle eerdere heersers had overtroffen. Echter, die heerser was officieel nog altijd Ruizong en Wu fungeerde alleen als regentes. In 686 had ze halfslachtig aangeboden af te treden, maar Ruizong kende zijn plaats en drong erop aan dat zijn moeder regentes bleef. Maar sinds de inwijding van het Paviljoen der Verlichting waren er aanwijzingen dat Wu Ruizong compleet wilde vervangen en zichzelf wilde laten uitroepen tot regerend vorst van China.

De schok die dit in de Chinese taal veroorzaakt, gaat verloren bij vertaling naar het Engels [en het Nederlands, vert.]. Wij gebruiken het woord 'keizerin' zowel voor een regerend vorst die toevallig een vrouw is (*huangdi*) als voor de echtgenote van een keizer (*huanghou*). Keizerin Wu zou de enige vrouw uit de Chinese geschiedenis worden die in haar eigen naam regeerde. Zoals veel andere Chinese zelfstandige naamwoorden wordt de term *huangdi* meestal beschouwd als mannelijk, maar feitelijk is het onzijdig. Sommige Engelstalige schrijvers die zich met dit onderwerp bezighouden, verwringen de taal om dit te benadrukken; zij stellen dat Wu de enige 'vrouwelijke keizer' was, waarbij het gebruik van de mannelijke titel moet aangeven hoe vreemd haar greep naar de macht moet zijn geweest voor de orthodoxe traditie en het protocol.

Het Paviljoen der Verlichting was maar een van de mijlpalen op haar weg naar de absolute macht. Een uiterst verdacht 'voorteken' lijkt te zijn bedacht door Wu's neef Chengsi; hij zorgde ervoor dat er in de nabije rivier een steen werd gevonden waarop de volgende veelzeggende voorspelling stond: De Wijze Moeder komt onder de mensen – een rijk van eeuwigdurende welvaart.[16] De ontdekking van dit opportune staaltje propaganda was bedoeld om andere vrienden aan te sporen alles op alles te zetten.

Hoewel het Paviljoen op de nodige spirituele steun van Chinese religies kon rekenen, maakte Wu meer kans als ze een beroep deed op de liefhebbers van het nieuwe en exotische: vereerders van Boeddha. De beroemde pelgrim Tripitaka was twintig jaar dood, maar de woorden van zijn laatste preek over Maitreya kreeg een nieuwe lading, vooral toen Xue Huaiyi ermee aan de haal ging. Misschien was Huaiyi op zoek naar een nieuwe manier om bij Wu in de gunst te komen nu het Paviljoen der Verlichting af was. Hij ontdekte in elk geval dat een van de boeddhistische teksten, die hij als 'abt' allang werd geacht te kennen, de indruk wekte dat Boeddha de volgende keer in het lichaam van een vrouw op aarde zou verschijnen. Met de hulp van zeven echte monniken die de soetra's echt goed kenden, duikelde Huaiyi wat bevestigende frasen op uit een obscuur geschrift dat de *Grote Wolk Soetra* wordt genoemd.

Latere generaties deden de *Grote Wolk* vaak af als vervalsing. Pas vrij recent, sinds de boeddhistische manuscripten die zijn gevonden in de grotten van Dunhuang zijn gecatalogiseerd en vertaald, is duidelijk geworden dat hij echt is. Er waren voor de tijd van keizerin Wu al vijf pogingen gedaan om deze soetra te vertalen en keizer Taizong las altijd graag een eerdere versie. Onderdeel vormt een reeks voorspellingen van Boeddha over zijn toekomstige incarnaties, waaronder helemaal aan het eind:

> Als er zevenhonderd jaren zijn verstreken nadat ik geheel heenga door [mijn vaardigheid in] middelen, zal deze godin Vimalaprabha verschijnen in het nageslacht van een koning, geheten Udayana in een stad die heet Absoluut-Want-Begenadigd-Met-Grootse-Kwaliteiten op de zuidoever van de rivier Gunstig-Duister in het district *Mun can*...[17]

Zelfs de goedgelovigen zagen in dat de relatie met Wu op zijn zachtst gezegd zwak was. Zevenhonderd jaar na de dood van Boeddha was nog altijd enkele eeuwen geleden, maar met een beetje creativiteit kon je dat nog wel wegredeneren, want hoelang duurde het voordat Boeddha 'geheel' was heengegaan? Wat voor Huaiyi zwaarder woog, was de ruimte die andere paragrafen van de tekst boden, helemaal als de vertaling uit het Sanskriet een beetje werd opgerekt, zodat het iets gemakkelijker werd die te interpreteren zoals hem dat het beste uitkwam.

Ten eerste was het mogelijk een aantal geleerden het eens te laten worden dat Boeddha van plan was in zijn laatste 'Maitreya'-incarnatie terug te komen als vrouw. Toen dat eenmaal was vastgesteld, werden andere aspecten van Huaiyi's kunstgreep gemakkelijker te organiseren. Als je even vergat dat je plaatselijk bijgeloof niet zou moeten combineren met boeddhistische geschriften, had je een voorspelling dat een Wijze Moeder de mensheid zou regeren... Was keizerin Wu dan niet de ideale kandidaat?

Met de wolkige logica die aanhangers van een religieuze cultus eigen is, begon Huaiyi verkeerde conclusies te trekken uit andere paragrafen van de soetra. Maitreya, zo werd verteld, kon alle kwaad uitbannen. Was Wu daar niet al mee bezig door middel van haar waakzame geheime politie? Maitreya zou 'ten oosten van de rivier' wonen. Lag Luoyang niet ook ten oosten van een rivier, min of meer? Maitreya zou een Citadel van Metamorfose bouwen. Dat sloeg natuurlijk op het Paviljoen der Verlichting zelf, dat al volop in gebruik was!

'Daarom,' schreef Huaiyi, 'zeggen wij dat Maitreya met de keizerin overeenkomt. Zij moet het zijn, en de strekking bevestigt dit.'[18]

Huaiyi argumenteerde zo nog ettelijke pagina's door, waarbij hij tal van andere ongeloofwaardige parallellen trok, maar steeds opnieuw uitkwam bij het onderwerp van het Paviljoen der Verlichting. Dit, stelde hij, was hét beslissende bewijsstuk dat Wu dezelfde was als de levende god Maitreya, verlosser van de mensheid. Het Paviljoen der Verlichting was het ultieme bewijs, en Huaiyi was letterlijk de architect van haar goddelijkheid.

Alsof dat nog niet genoeg was, begon Huaiyi toen de voorspellingen uit de *Grote Wolk* te vergelijken met de inscriptie die Wu's neef had 'aangetroffen' op de steen in de rivier. Niet langer, zo lijkt het, bevatte de mystieke steen slechts een regel over de komst van een Wijze Moeder. In plaats daarvan volgde er nog een hele waslijst van bonusinscripties die in eerdere verslagen over het hoofd waren gezien: in tegenstelling tot luipaard of wolf, heet zij Wu en is zij koning in Luoyang... Iemand met de deugd der aarde zal regeren in de grootste welvaart... Geen van het gewone volk zal problemen kennen... Een heldere kat, ver weg, zal u beschermen in de vier windstreken.[19] 'Deugd der aarde' was een subtiele vondst, een verwijzing naar Wu's deelname aan het Feng-Shan-offer, toen ze zo overtuigend had beargumenteerd dat de vrouwelijke natuur (aarde) op gelijke voet zou moeten staan met de mannelijke natuur (hemel). Maar Huaiyi toonde zijn onzekerheid door Wu bij haar naam te noemen, haar te plaatsen in Luoyang en zelfs door de toespraak van Li Jingye te ontzenuwen, met de verwijzing dat zij zeker geen wild dier was en dat het volk erg op haar gesteld was. Nu hij toch bezig was, had Huaiyi zelfs nog een voorspelling uit de zesde eeuw opgeduikeld: 'Er wordt een eenhoorn geboren met twee hoorns en generaties lang zullen mensen dit niet weten. Als hij is volgroeid, in volle majesteit, ontvangen zijn leraren aanstellingen en functies. Aan het hof bevinden zich oprechte en trouwe ministers en zij die onwaardig zijn, worden verbannen uit het gezichtsveld van de vorst.'[20]

Het sleutelwoord is hier 'mensen', ofwel *shimin*, wat toevallig ook de voornaam was van keizer Taizong, geboren als Li Shimin. Deze tekst, benadrukte Huaiyi, was honderd jaar geleden geschreven, maar kon worden gelezen als een voorspellende biografie van Wu. Was zij immers niet als een meisje naar het paleis gekomen en daar opgegroeid tot volle wasdom tijdens het bewind van drie andere keizers? Was haar komst Taizong niet voorspeld en had hij zelfs toen niet beseft wat dit betekende, terwijl Wu zich op enkele passen van zijn troon bevond? De betekenis was duidelijk: er was een godin op aarde, en zij heette Wu.

NEGEN

De stralende leegte

In 688 gaf Chengsi, de neef van Wu, de opdracht een enorme tempel in Luoyang te bouwen die met gemak elk eerbewijs aan de keizerlijke familie evenaarde. Hij was echter niet opgedragen aan het huis Li, de nakomelingen uit de mannelijke lijn van de stichter van de Tang-dynastie, maar aan de familie van Wu.

Volgens de enorme hoeveelheid voorspellingen en voortekenen die door de volgelingen van Wu werden opgeduikeld vanuit stoffige oude bibliotheken tot aan plattelandsgraffiti, was de naam Wu duidelijk een rijzende ster. Een keizer met vele vrouwen heeft echter al snel veel kinderen. Ondanks Wu's opmerkelijke pogingen om in 670 de keizerlijke familie uit te dunnen, waren er nog steeds kinderen van de stichter van de Tang-dynastie in leven – zonen en neven van Taizong en neven van Gaozong. Hun aanspraak op de macht was erg minimaal – de meesten waren provinciale bestuurders of lagere adel, wier familieband met de keizerlijke familie al aanzienlijk was verwaterd.

曌

ZHAO – HELDER OF STRALEND
Gedurende het bewind van Wu werd het karakter voor 'helder', hetgeen ook haar voor-
naam was, gewijzigd om de leegte van de ruimte aan te geven waarop de 'stralende'
zon en maan neerschenen.

Een paar generaties later zouden ze waarschijnlijk helemaal van de adellijst zijn afgevoerd, tenzij ze erin zouden slagen te trouwen met de dochter van iemand die zich hoger in de hiërarchie bevond, of een zoon kregen die promotie verdiende door zijn heldhaftige krijgsdaden. Dit was doorgaans de manier waarop dingen verliepen in elke keizerlijke familie met veel tweedegraads bloedverwanten, maar Wu's activiteiten hadden onder de lagere prinsen voor aanzienlijke onrust gezorgd.

Het keizerrijk was gewoon niet veilig in de handen van Wu. Al gaven de officiële verslagen blijk van grote voorspoed, er deden nog steeds geruchten de ronde dat Wu haar boekje te buiten ging. Zelfs degenen die Wu's hervormingen zouden hebben goedgekeurd, ondergingen deze alleen zolang ze slechts regentes was. Niemand klaagt over een bekwaam bestuurder, maar met een verbannen erfgenaam en een andere van wie werd beweerd dat hij niet kon praten, klonk vaak de vraag op wat er zou gebeuren na Wu's dood of troonsafstand – ze was tenslotte al in de zestig.

Als Ruizong inderdaad gehandicapt zou zijn (wat in werkelijkheid geenszins het geval was), zou hij nog steeds een regent nodig hebben, maar het was niet langer aannemelijk dat die regent uit de mannelijke lijn van het huis Li zou komen. Hoewel Wu haar halfbroers ijverig van het politieke toneel had verwijderd, verwierven haar neven grotere bekendheid in Luoyang en waren twee van haar achterneven getrouwd met dochters van de afgezette keizer Zhongzong. Er was niet veel verbeeldingskracht voor nodig om tot de conclusie te komen dat het geslacht Wu steeds meer in de richting van de troon schoof.

Velen die Wu in het verleden hadden gesteund, keurden haar recente activiteiten af. Een vice-minister verklaarde dat Wu erin was geslaagd de incompetente Zhongzong te verwijderen en dat Ruizong uitstekend in staat leek te regeren zonder zijn moeders hulp. Hij vroeg zich daarom af wat de reden zou kunnen zijn om überhaupt een regent te hebben. Hoewel hij deze opmerkingen in besloten kring maakte, kwamen ze Wu al snel ter ore en de onfortuinlijke minister werd het onderwerp van een lastercampagne. Binnen 24 uur zonk hij van vertrouweling van de keizerin tot iemand die werd beschuldigd van omkoping en onbetamelijk gedrag met andermans concubine. De minister was onder andere verantwoordelijk voor de bekendmaking van Wu's decreten en was dus nogal verrast dat de proclamatie van zijn schuld op de een of andere manier over zijn hoofd heen openbaar was gemaakt. Ruizong zelf kwam uit zijn afzondering om te pleiten voor vrijspraak van de minister – maar voor de eerste maal hadden de valse bewijzen meer invloed op de wet dan het woord van de keizer zelf.[1]

Ruizongs bereidheid zijn nek uit te steken toont aan dat er achter de schermen de nodige intriges plaatsvonden. Hij had inmiddels drie zonen (de derde, de toekomstige keizer Xuanzong, was geboren in 685) en was waarschijnlijk op de hoogte van de ongerustheid van zijn neven en ooms over Wu's gedrag. Ruizong was echter onder zijn moeders invloed in Luoyang opgegroeid en was zich volledig bewust van waar ze toe in staat was. Zijn pogingen zich in de strijd te mengen verzandden en het werd verder aan anderen in de familie overgelaten.

Intussen kreeg Wu's ministerie van Rechtsvervolging het alsmaar drukker, wellicht in een bewuste poging iedere potentiële tegenstander van een naar dominantie strevend geslacht Wu uit te schakelen.[2] Deze geheime politie werkte vanuit een locatie die te bereiken was via de Poort van het Mooie Landschap, ofwel *Lijing-men*, in het westen van Luoyang.[3] Een grappenmaker onder hen hernoemde de poort door andere karakters met dezelfde klank voor te stellen – de Poort van Wettige Onontkoombaarheid, wat suggereerde dat iedereen die er binnentrad alle hoop kon laten varen. De sadistische beambten deden werkelijk alles wat binnen hun macht lag om ervoor te zorgen dat een verdachte zijn misdaden zou 'bekennen', waarmee ze tevens zijn eerdere arrestatie rechtvaardigden. Gevangenen werden ondergronds opgesloten, niet alleen in omstandigheden die donker en ongezond waren, maar tevens op een diepte die ervoor zorgde dat het onplezierig koud was. Wanneer slaapgebrek en herhaalde verhoren niet resulteerden in een acceptabele schuldbekentenis, ging men over op martelingen zoals omschreven in de *Klassieker van de gevangenschap* – modder in de oren, aan de haren ophangen en bamboesplinters onder de nagels. Er was ook een variant die over de hele wereld bekendstaat als de 'Chinese watermarteling', waarbij een slachtoffer ondersteboven werd opgehangen en men azijn in zijn neusgaten liet druppelen. Een meer duivelse methode bestond uit een metalen kooi rond het hoofd van het slachtoffer, waarin wiggen konden worden ingebracht die langzaamaan de druk op de schedel opvoerden, hetgeen uiteindelijk tot een breuk leidde. Deze navorsingen vonden plaats in een kamer waar zich tien speciaal ontworpen folterbanken bevonden. Als een persoon nog steeds zijn onschuld volhield, werd hij naar een van deze apparaten gebracht, waarvan de namen bekend zijn gebleven als een ware catalogus van gruwelen. Eén apparaat was vergelijkbaar met de middeleeuwse Europese pijnbank, waarbij de ledematen in toenemende mate werden verdraaid en verbogen. Een ander gebruikte hetzelfde proces, maar zonder de geleidelijke toename – in plaats daarvan vielen zware contragewichten op het eind van de touwen, zodat er een woeste ruk aan de ledematen van de gevangene werd gegeven. Weer een ander leek ontworpen om de adem uit een gevangene te knijpen door de druk op zijn borst langzaam op te voeren. Alle tien hadden ze namen die met angstaanjagende vanzelfsprekendheid de wrede aard van de beambten bevestigde: Stop de Polsslag, Nooit meer Hijgen, Gillend op de Grond, Onmiddellijke Bekentenis, Hoogste Verschrikking, Gerochel van een Stervend Varken en Smeek om Snelle Dood. De achtste, Smeek om Ondergang van Familie, demonstreerde het vertrouwen dat een gevangene bereid zou zijn anderen te beschuldigen wanneer hij erin werd opgesloten. De laatste twee, Het is Waar en Ik ben een Opstandeling, gaven blijk van een cynische houding ten aanzien van de aard van deze 'bekentenissen' en suggereerden dat mensen het overal mee eens zouden zijn om aan de pijn te ontsnappen.[4]

De geheime politie gedroeg zich ten opzichte van leden van de adel al net zo, en behaalde een aantal indrukwekkende zeges. Een hertog, de voormalige bevelhebber van de legers die de opstand in Li Jingye had neergeslagen, mijmerde dat hij, nu de zaken zich op deze manier ontwikkelden, zelf een aannemelijke kandidaat voor de troonsopvolging zou zijn. Dat was strikt genomen een feit, aangezien de decimering van Gaozongs kinderen het mogelijk maakte dat de successie zou overgaan op zijn ooms. Maar Wu's neef Chengsi, die zijn eigen kansen hoog inschatte, verdraaide het tot een aanklacht wegens rebellie en zorgde ervoor dat de hertog naar het zuiden werd verbannen.

Een nog schandaliger vorm van rechtsverkrachting vond plaats in de zaak van een zekere maarschalk Hao, een leidinggevende functionaris in de hofhouding van Ruizong. Hij werd beschuldigd van een samenzwering om Wu ten val te brengen – dubbel vervelend voor de keizerin, omdat het niet alleen blijk gaf van haat jegens Wu, maar ook van een terecht wantrouwen ten opzichte van de kans die Ruizong en zijn erfgenamen hadden op een natuurlijke troonsopvolging na haar vertrek. Of de aanklacht tegen maarschalk Hao nu terecht was of niet, de omstandigheden klonken nogal verdacht. Het bewijs tegen hem was niets meer dan de verklaring van een dienstmeisje dat beweerde de samenzweerders te hebben afgeluisterd. Het is ook het vermelden waard dat Hao de kleinzoon was van Hao Chujun, een van de ministers die zich had uitgesproken tegen het regentschap van Wu in de dagen van Gaozongs onbekwaamheid wegens zijn ziekte – iemand die Wu zou kunnen zien als een struikelblok op haar weg naar de top.

Waarschijnlijk omdat de aard van de zaak nogal wankel was, werd deze door het college van rechters afgewezen. Dit paste echter niet in het plan en dus werden de rechters nu zelf beschuldigd van misdaden, ze werden veroordeeld en verbannen, zodat de verdachte een geschikt vonnis zou krijgen. Maarschalk Hao werd schreeuwend en schoppend naar zijn executie gesleept, terwijl hij Wu en haar familie luidkeels vervloekte en geheel onverwachts 'paleisgeheimen' naar de menigte begon te schreeuwen. Hoewel de aard van de geheimen niet werd onthuld, hadden ze waarschijnlijk betrekking op de wijze waarop Ruizong in afzondering werd gehouden. Zijn bewakers probeerden hem stil te houden, maar op de een of andere manier wist hij een tak van een dichtbij staande wagen te grissen en viel hen daarmee aan. Uiteindelijk doodden zijn beulen hem ter plaatse, zonder de doorgaans bij deze straffen behorende ceremonie, en in het vervolg werden misdadigers op weg naar hun executie vastgebonden en gekneveld.[5]

De stad Luoyang was duidelijk in handen van Wu en haar familie. Het aantal vijanden verminderde snel en de gerechtvaardigde tegenstanders aan het hof werden overstemd door nieuwe benoemingen die niet alleen Wu steunden, maar ook de hervormingen die ten grondslag lagen aan hun promotie. En het was duidelijk dat zelfs het deel uitmaken van de keizerlijke familie geen gewicht in de schaal legde bij het nieuwe regime – als zelfs de vermeende keizer opzij kon worden geschoven en rechters werden verbannen omdat ze de wet naleefden, was de hoofdstad verloren.

De laatste hoop lag in de provincies, waar degenen die Wu zagen als een veroveraar en zichzelf als Tang-loyalisten, wellicht zouden proberen weerstand te bieden. Verspreide edelen, die niet de aandacht op zich wilden vestigen door openlijke ontmoetingen, kozen de gevaarlijke weg om via de post een opstand te organiseren. In de zomer van 688 schreef hertog Huang, een neef van Gaozong, een gecodeerde boodschap aan andere uitgerangeerde prinsen: 'Ik heb een verslechterende interne ziekte die snel moet genezen. Wanneer het de komende winter nog niet is behandeld, vrees ik dat het fataal zal blijken te zijn. We moeten snel handelen; reageer zo snel mogelijk.'[6]

Kort na deze aanzet tot rebellie kwam er een uitnodiging van Wu zelf voor alle leden van de keizerlijke familie om zich te verzamelen in Luoyang voor de inwijding van het Paviljoen der Verlichting. De prinsen, die Wu's motieven al wantrouwden, kregen nu toch wel een sterk vermoeden dat dit een enkele reis naar de hoofdstad zou zijn, waar ze gevangen zouden worden gezet, vermoord of op een andere wijze verhinderd ooit nog te vertrekken terwijl de Wu-clan de macht greep.

Hertog Huang verspilde geen tijd. In de overtuiging dat het doel de middelen heiligde, vervalste hij een bevelschrift van de formele keizer, Ruizong, waarin deze zogenaamd alle loyale leden van de keizerlijke familie opriep zich tegen de hoofdstad te keren en hem uit Wu's klauwen te bevrijden. Deze 'rebellie van de Tang-prinsen', zoals hij bekend werd, kon al in een vroeg stadium worden verijdeld als gevolg van de problemen bij het coördineren van deze gigantische onderneming zonder een duidelijke leider.

Een andere keizerlijke neef, de prins van Langya, bezette in de vroege herfst korte tijd een gebied op het schiereiland Shandong in het oosten met een klein leger van vijfduizend man. Het vervalste bevelschrift was echter al in handen gevallen van Wu-sympathisanten en er waren al keizerlijke troepen onderweg naar andere vermoedelijke revolutionaire brandhaarden, bereid elke welwillende opstand de kop in te drukken. Het snelle succes van de prins van Langya kwam tot een eind toen de wind draaide bij een poging tot brandstichting tijdens een aanval op een belegerde stad, waardoor velen zich afvroegen of ook dit een voorteken was dat de elementen uiteindelijk Wu meer steunden dan de keizerlijke familie. De prins van Langya werd bij de nadering van het keizerlijke leger door zijn eigen troepen vermoord, in de hoop dat dit hen genade zou opleveren.[7]

Het domino-effect trad in werking. Tang-gerechtigheid was wreed voor de familie van misdadigers – hoewel de prins van Langya dood was, begreep zijn vader dat hij bij het daaropvolgende onderzoek zou worden betrokken en startte zijn eigen rebellie. Maar zijn armzalig kleine aantal soldaten was kansloos tegen de legers van de Tang-dynastie en hij mocht zelfmoord plegen terwijl zijn mannen van het slagveld bij Luoyang vluchtten. Zijn kinderen en hun vrouwen stierven met hem; liever nog beëindigden ze hun eigen leven dan in handen te vallen van Wu's ondervragers.

Zij mochten nog van geluk spreken. De geheime politie verspilde geen tijd bij hun jacht op bevoorradingslijnen en commandostructuren. Zelfs tijdens de eerste rituelen in het Paviljoen der Verlichting, waarbij Wu opvallend voor haar zoon Ruizong stond terwijl deze zijn ceremoniële plichten vervulde, volgde het ministerie van Rechtsvervolging de papieren sporen al. Ze vonden bewijzen dat twee andere ooms van Gaozong zich hadden voorgenomen de rebellie te steunen – maar anders dan bij de vader van de prins van Langya, hadden zij gehoopt dat hun plannen niet zouden worden opgemerkt.

In een mysterie dat de geheime politie eindelijk een zaak gaf waar ze hun tanden in konden zetten, werd er een vermoorde hoffunctionaris gevonden. Onderzoekers kwamen erachter dat hij verantwoordelijk was voor belangrijke hoeveelheden militaire voorraden, die volgens de keizerlijke voorraadadministratie nog steeds bestonden, maar nergens in de magazijnen konden worden aangetroffen. Hij bleek te zijn vermoord door een comité van lagere edelen, waaronder Wu's eigen schoonzoon, de echtgenoot van prinses Taiping, die genoeg had van de langdurige schertsvertoning die van hem verlangde dat hij deed alsof Xue Huaiyi zijn vader was. Hij werd in de gevangenis gegooid, waar men hem liet omkomen van de honger.

Net als enige jaren eerder bij de opstand van Li Jingye, eindigde de mislukte coup in een overwinning voor Wu, maar ditmaal kende ze geen genade. Ze liet haar agenten elke mogelijke aanwijzing najagen, tijdens een zuivering die twee jaar duurde. En hoewel de onrust nauwelijks twee weken hadden geduurd, bleken de 'gruwelbeambten' in staat in de huizen van enkele honderden familieleden bewijzen te vinden of aan te brengen, waardoor elf volledige takken van de keizerlijke familie zo goed als uitgeroeid werden. Hun lijden werd tot over het graf verlengd, door hun ware achternaam te vervangen door het woord 'Hagedis'.[8]

Wu's vijanden, van wie een groot aantal de officiële geschiedenis van haar bewind zouden schrijven, zagen dit als een volgend voorbeeld van haar wreedheden. Maar zelfs zij moesten toegeven dat er enige verzachtende omstandigheden meespeelden, waarvan de meest opvallende was dat het complot tot de opstand zich volledig centreerde rond degenen die aan macht zouden winnen. De Tang-prinsen hadden waarschijnlijk meer succes gehad als de bevolking hen had gesteund, maar daar was geen sprake van. In feite werd er, ongeacht de aansporingen van de adel en ondanks het vervalste bevelschrift van Ruizong dat alle getrouwen opriep hem te bevrijden, door de meerderheid van de bevolking bijzonder lauw gereageerd. Dat wilde nog niet zeggen dat men Wu dus stilzwijgend steunde; het was waarschijnlijker dat men weinig vertrouwen had in de opgedrongen laatste grote kans van het huis Li. In feite had het er alle schijn van dat er, zelfs gedurende de verschrikkingen van de zuiveringen van de keizerlijke familie door de geheime politie, aan het hof de nodige wrijving bestond tussen deze wraakzuchtige 'gruwelbeambten' en bepaalde oprechte functionarissen die zich hielden aan de letter van de wet.

Onderzoek van de feitelijke hofarchieven laten zien dat er nog een zekere mate van rechtvaardigheid bestond. Indien de ondervragers het bewijs hadden geleverd door marteling of een schuldbekentenis in ruil voor strafvermindering, bereikten deze zaken het hof met een reeds schuldig bevonden verdachte. Er bleef de rechter, of soms Wu zelf, weinig anders over dan te vonnissen. Maar in andere zaken, met name die waar de politie de regels te veel had aangepast, waren er nog steeds onverschrokken functionarissen die zich tegen hen verzetten.[9]

Eén zo'n moedige man was Xu Yugong, die een volledige ambtsperiode als provinciaal rechter had uitgediend, zonder zelfs maar een verdachte te laten geselen om een bekentenis los te krijgen. Nadat hij in de hoofdstad was aangesteld, bemiddelde hij aan het hof letterlijk in honderden zaken en pleitte direct bij de keizerin in gevallen van een valse aanklacht. Een wrange grap uit die periode vermeldde dat wanneer Xu Yugong je zaak behartigde, je je leven zeker was, terwijl het tegenovergestelde het geval was met Lai Chunchen, de beruchte leider van de geheime politie.

Deze twee functionarissen kwamen met elkaar in botsing in de zaak van een geldschieter, die een schuldeiser was van de prins van Langya. Indirect bewijs suggereerde dat hij de prins niet alleen geld had geleend, maar hem ook had gesteund in zijn plannen, zelfs al bestond dit alleen maar uit het zich niet bemoeien met hoe het geld werd besteed. De zaak sleepte voort, totdat de geldschieter gebruik maakte van een periodieke amnestie en in ruil voor een bekentenis werd veroordeeld tot ballingschap in plaats van executie. Desondanks probeerden ondervragers de zaak door te zetten door te stellen dat de amnestie alleen maar gold voor het voetvolk onder de rebellen en dat de geldschieter duidelijk een van de leiders was.

Xu Yugong weigerde dit te accepteren en bepleitte de zaak tot voor Wu zelf, waarbij hij stelde dat amnestie niets voorstelde indien het in een opwelling kon worden teruggedraaid. Evenmin had de geldschieter volgens hem ooit gevaar mogen lopen, aangezien hij slechts een medeplichtige was en er al was besloten dat alleen de leiders van de rebellen zouden worden vervolgd. In dit geval was de leider van de rebellen, de prins van Langya, al dood.

Een verwarde en enigszins geïrriteerde keizerin Wu luisterde naar deze argumenten en vroeg Xu Yugong een aantal rechtsdefinities te verduidelijken. Nadat hij dit had gedaan, antwoordde ze: 'Wel, je kunt de zaak maar beter herzien' – niet echt het decreet van een onredelijke tiran.[10]

Een andere loyale functionaris was rechter Tie (Di Renjie), een populaire magistraat van in de vijftig.[11] Aangesteld in de afgelegen westerse regio Gansu, genoot hij de steun van zowel de Chinese kolonisten als de niet-Chinese lokale bevolking. Zijn carrière kende een aantal tegenslagen door de vijanden die hij aan het hof maakte, en kort voor 690 diende hij als magistraat op een afgelegen zuidelijke post. Ten gevolge van de bliksemsnelle promotieronde die samenviel met de zuiveringen van de keizerlijke familie, belandde hij in een administratieve positie die voorheen was bekleed door de vader van de prins van Langya. Rechter Tie vond bij aankomst een chaotische prefectuur, waar veel van het administratieve personeel was afgevoerd voor schijnprocessen, terwijl hele legers geheime politie de bevolking terroriseerden.

Hier zien we een interessante momentopname uit het regime van Wu. Haar geheime politie gedroeg zich dan wel als stoottroepen, maar niet per definitie met haar medeweten of goedkeuring. In het geheim schreef rechter Tie een brief aan Wu zelf, waarin hij klaagde dat hij getuige was van dagelijkse vervolgingen van onschuldige burgers. Maar als hij protesteerde zou de geheime politie hem ongetwijfeld beschuldigen van een verzonnen misdaad. Als hij echter zijn mond hield zou hij daarmee keizerin Wu een slechte dienst bewijzen, aangezien zij uiteindelijk verantwoordelijk zou worden geacht voor de misdaden die in haar naam werden gepleegd. In plaats van te reageren met de ergernis die haar vijanden ons willen doen geloven, beval keizerin Wu de vrijlating van velen die ten onrechte waren beschuldigd en wijzigde ze de vonnissen in minder duidelijke zaken van executie naar ballingschap.

Rechter Tie zou doorgaan met het vechten voor gerechtigheid tegen een aantal van Wu's ergste waakhonden. Toen een militair gouverneur de provincie overnam, verzette rechter Tie zich tegen hem. Zijn zaak, zoals die van Xu Yugong in de hoofdstad, had betrekking op mensen die werden gestraft voor de daden van een handvol aristocraten. In zijn eigen standplaats werden boeren die waren onderdrukt en geslachtofferd door potentiële rebellen en onder dreiging met de dood opdrachten hadden uitgevoerd, nu door de politie net zo onder druk gezet. Rechter Tie ging zelfs zo ver dat hij stelde dat de geheime politie in zijn regio meer schade veroorzaakte dan de rebellen ooit hadden aangericht. Met voorspelbare koppigheid schreef de gouverneur keizerin Wu en beweerde dat rechter Tie zich schuldig had gemaakt aan corruptie. Hij was dus onaangenaam verrast toen het antwoord dat hij ontving hem overplaatste naar een verre en onplezierige post, terwijl rechter Tie bij wijze van promotie werd gesommeerd aan het hof in Luoyang te dienen.[12]

Er is een verhaal over een loyale dienaar van Wu, een leidinggevende officier in het leger dat de zuidelijke rebellen bedwong, die blijkbaar iets verkeerds had gezegd en door de Poort van het Mooie Landschap werd gesleept voor een 'onderzoek'. Orders voor zijn executie werden naar behoren verkregen en de man werd naar de binnenplaats gebracht om te worden onthoofd. Maar Wu was op het laatste moment van gedachten veranderd en stuurde een boodschapper om bekend te maken dat het vonnis was omgezet naar levenslange verbanning. De man leek echter niet onder de indruk van deze gratieverlening. Knielend op de grond had hij het zwaard van de beul afgewacht en aanvankelijk weigerde hij te geloven dat zijn leven werd gespaard. In een ander geval werd een veroordeelde Tang-prins langs een begrafenisstoet geleid, wat hem de opmerking ontlokte dat het prachtig zou zijn geweest van ouderdom of aan een ziekte te zijn gestorven.

Met een aanzienlijk zwakkere keizerlijke familie, bouwde Wu verder aan haar meesterplan om het regentschap opzij te zetten en de ware heerser te worden in haar eigen naam. In het voorjaar van 689 leidde ze een grootse offerplechtigheid in het Paviljoen der Verlichting, waarbij ze scepters van jade droeg en gekleed was in keizerlijke gewaden. Haar zoon Ruizong en zijn eigen erfgenamen fungeerden slechts als haar assistenten, terwijl zij eer betoonde aan de hemel, de grondlegger van de Tang-dynastie en de overleden Taizong. Met een maatregel die haar bedoelingen zelfs bevestigden voor degenen die eerder nog hun twijfels hadden, bevatte de ceremonie tevens rituelen om haar eigen vader Wu Shihou te eren. Chinese beleefdheidsvormen strekken tot na de dood – het zou van slechte manieren getuigen om je eigen wereldse successen niet door te geven aan je voorouders, zelfs als die voor je promotie waren gestorven. Ten gevolge daarvan was Wu Shihou in het hiernamaals al een prins en nu dus keizer en vijf generaties van zijn voorvaderen hadden nu de status van prins. Nu deze promoties een feit waren, kon men stellen dat Wu werkelijk van adellijk bloed was en haar verheven taak verdiende. Hoewel ze nog slechts weinig naaste familie bezat, kregen haar nog levende neven allen een hoge rang toebedeeld, hetgeen de greep van de Wu-clan op de troon verstevigde. Zodra hij in de gaten kreeg hoe de vlag erbij hing, vroeg Ruizong zelf of zijn achternaam kon worden gewijzigd in Wu.

Er werden meer voortekenen bekendgemaakt – er was een feniks gezien, het symbool van een keizerin, die rondfladderde in de buurt van het keizerlijke paleis en er waren verwarde verslagen over honderden rode mussen, een symbool van grote voorspoed, op het dak van een van de audiëntiehallen. Wu buitte de voorspellingen echter zo veel mogelijk uit.[13]

En ze maakte haar eigen geluk. Kopieën van de *Grote Wolk*, afgeladen met duidelijke profetieën over haar komst en heerschappij, werden naar alle bestaande boeddhistische kloosters gestuurd en vele nieuwe werden gesticht met de opdracht de *Grote Wolk* tot de kern van hun preken te maken. Vanaf dat moment draaide voor het gewone volk een religieuze ervaring om hun opperste leider, evenals vele populaire liedjes en balladen van dat moment, en plaatselijke natuurrituelen.

Wu begon de rol te spelen van een verrijzende godheid, naar de legende van een goddelijke keizer, die, zo werd beweerd, het schrijven had uitgevonden aan de oever van de Luo. Kalligrafie en woordspelletjes schijnen voor Wu een populair tijdverdrijf te zijn geweest en er zijn verslagen waaruit blijkt dat ze op avonden dat ze zich verveelde, wetenschappers testte op hun kennis van obscure karakters. Ze tekende in zo'n geval zelden gebruikte woorden om te zien of haar adviseurs de betekenis konden raden en blufte soms ook door een karakter te produceren dat gewoon niet bestond. En nu legde ze een aantal van haar nieuwe creaties op aan de bevolking, door nieuwe schrijfwijzen voor algemene termen te verzinnen, waaronder zon, prins en hemel. Sommige van haar beslissingen in dezen wekken de indruk nogal frivool te zijn, veranderingen om het veranderen, puur om te laten zien dat zij, als opperste heerser van China, zelfs de taal kon beheersen. Bijzonder interessant is haar verandering van het karakter voor 'menselijk wezen'. Uitgesproken als *ren*, bestaat dit simpele karakter uit een staande figuur en wordt nog steeds, tot op de dag van vandaag, de 'basisman' genoemd, al is het in feite geslachtsneutraal. Wu's hervorming verwierp de oude versie en verving die door een nieuw beeld, bestaande uit elementen die 'een geborene' betekenden – en sleepte daarmee de levensvraag zelf terug naar de erkenning van het vrouwelijk principe. Wu veranderde eveneens het karakter voor 'natie', behield de grens die het omcirkelde, maar vulde het midden met haar eigen achternaam, waarmee ze nu het centrum en het wezen van de natie zelf was.

Andere veranderingen werden bedacht om de bevolking een gevoel van schaamte te besparen. Het werd als onbeschaafd gezien om de eigennaam van een vorst in alledaagse correspondentie te gebruiken en de naam van Wu was, bij gebrek aan een betere omschrijving, nogal veelvoorkomend. Wu vond daar een oplossing voor door er simpelweg op aan te dringen dat haar naam in het vervolg met een ander karakter werd geschreven – in feite creëerde ze een nieuw, voorheen ongebruikt karakter en verbood daarna het gebruik, zodat men in het dagelijks leven de oude naam kon blijven gebruiken. Haar eigennaam Zhao, 'helder', werd algemeen gebruikt. Ze verzon een nieuwe manier om het te schrijven, door de karakters voor 'stralend' en 'leegte' te combineren. Dit was nu haar persoonlijke naam, een beeld van verlichting dat de leegte in stroomt.

Wu was er duidelijk op gebrand de officiële heerser te zijn, de eerste vrouwelijke *huangdi*, in plaats van *huanghou*, optredend als regent. Er was geen enkele reden denkbaar om deze verandering in de taal door te voeren, tenzij ze zich had voorgenomen om de persoon te worden wier eigennaam in correspondenties moest worden vermeden. In de herfst van 690 reageerde een van haar functionarissen op de hint en stelde dat, alles in aanmerking genomen, het moment voor Wu was aangebroken om haar voorbestemming te aanvaarden en de heersende vorst te worden. Zoals het protocol voorschreef, weigerde Wu koket. Korte tijd later werd zij weer door haar ministers benaderd, ditmaal met een petitie getekend door duizenden loyale onderdanen, waaronder de overlevende leden van de keizerlijke Tang-familie, iedereen aan het hof die wist wat goed voor hem of haar was en vertegenwoordigers van de vele tempels en kloosters, die zich de afgelopen jaren hadden gebogen over de *Grote Wolk* en andere argumenten voor Wu's aankomende goddelijkheid.

Wu weigerde wederom, aangezien China al een keizer had in de persoon van Ruizong en er dus geen echte noodzaak was om het over te nemen. Het was nu de zaak van Ruizong zelf, de onfortuinlijke persoon die werd geacht China de afgelopen zes jaar te hebben geregeerd. Nog wonderbaarlijk levend, ondanks het feit dat hij een aantal malen de stroman was geweest bij loyalistische couppogingen, begreep Ruizong wat er nodig was om te blijven ademen. Hij diende zelf een petitie in bij zijn moeder, waarin hij aankondigde dat hij, in zijn keizerlijke wijsheid, had besloten dat het tijd was om af te treden. Niets stond nog in de weg, geen doem of profetie – het lot had duidelijk bepaald dat Wu was voorbestemd om de meesteres van de wereld te worden. Waarzeggers hadden voorspeld dat de komst van een levende godin een tijdperk van goddelijke welvaart zou inluiden en zij was die godin.

Met zorgvuldig gespeelde tegenzin en bescheidenheid aanvaardde Wu zijn aanbod.

TIEN

De wijze moeder der mensheid

De Tang-dynastie was verdwenen. Wu riep een nieuwe dynastie uit, de Zhou, genoemd naar Chinese heersers uit het verre verleden, de tijd van de grote denkers Lao Tse en Confucius en de heersers uit de dagen dat Boeddha leefde in het verre India. Degenen aan het hof met een klassieke opleiding waren niet blind voor het feit dat de eerste heerser van de oude Zhou-dynastie een man was die 'Oorlogskoning' – *wu wang*[1] – werd genoemd.

Haar motieven hiervoor zijn altijd een vraag gebleven. Ze was in de zestig; de meesten van haar naaste mannelijke familieleden waren dood en hoewel hij afstand had gedaan, was Ruizong nog steeds haar erfgenaam – een van de weinige historische figuren die door het lot waren aangewezen om tweemaal tot keizer te worden gekroond. Als de ouderdom eenmaal zijn tol had geëist, zou ze sterven en een zoon van Gaozong zou in haar plaats regeren. Men zou kunnen stellen dat, met een paar veranderingen in naamregisters en achternamen, Wu's dood de situatie zou creëren die de voorouders van de Tang hadden gewenst.

Wu leek tevreden met de voortekenen van het lot en accepteerde haar rol als wijze moeder der mensheid.

REN – PERSOON
Gedurende de regeringsperiode van Wu werd het woord voor 'persoon' zodanig veranderd dat het nu componenten had die konden worden gelezen als 'iemand die is geboren'.

De opzet van haar nieuwe dynastie leek erop te zijn gericht de kern van de keizerlijke familie Li te beschermen tegen aanmatigende neven en niet om het rijk te stelen van de rechtmatige erfgenamen, al zou de afgezette Zhongzong, die nog steeds in ballingschap in het verre zuiden leefde, daar waarschijnlijk anders over hebben gedacht.

Wu gedroeg zich niet als een zegevierende keizer – ze verordende geen nieuw wetboek, zoals andere stichters van een nieuwe dynastie voor haar hadden gedaan en er waren evenmin blijvende hervormingen, behalve die ze reeds tijdens haar regentschap had ingevoerd. Ze maakte niet eens het heersende element van haar dynastie bekend – te vergelijken met een algemene standpuntverklaring, zoals het zwarte waterkenmerk van de Qin dynastie, of het rode vuurkenmerk van de Han.

Vergeleken met haar nijvere intriges van de voorafgaande decennia, waren de vijftien jaar waarin Wu onder haar eigen naam China regeerde relatief rustig. Dit is wellicht een teken dat ze zich realiseerde dat ze de situatie al zo ver had gedreven als maar mogelijk was. Ze had de steun van het volk, met name de boeddhisten, maar haar aanwezigheid als heerser had nog steeds een kwetsbare basis. Zonder de *Grote Wolk* als steunpilaar was ze niet meer dan een overweldiger. Zonder de brutale, magische verklaring van het Paviljoen der Verlichting was ze een 'kip die kakelt bij het ochtendgloren'. Het is opmerkelijk dat ze twee proclamaties uitbracht, waarin ze de bevolking op het hart drukte zich niet te laten leiden door 'bijgeloof'. De gunstige interpretatie van de voortekenen hadden haar gebracht waar ze was en ze kon zich niet veroorloven om anderen natuurverschijnselen en geruchten in hun eigen voordeel te laten verdraaien. Na alle 'lichten aan de hemel', nieuwe bergen en miraculeuze inscripties van de voorafgaande jaren, bleven de jaren van Wu's feitelijke regering grotendeels vrij van spectaculaire verschijnselen. Het is bekend dat er in het daaropvolgende decennium drie kometen aan de Chinese hemel verschenen, maar hoewel ze in Korea en Japan werden vermeld, repten Wu's astrologen er met geen woord over.[2]

Wu's proclamaties tegen bijgeloof, één in 689 en de tweede in 695, hadden tot taak een nieuwe serie geruchten de kop in te drukken. Ze kon echter geen weerstand bieden aan een aantal propagandacoups tijdens de vroege jaren van haar regering. In januari 692 bloeiden de bloemen ongewoon vroeg in een park in Luoyang. Nog voordat dit nieuws de meerderheid van de bevolking bereikte, was Wu in staat een proclamatie uit te brengen:

Met grote haast verwittig ik de lente
Laat de bloemen vanavond ontluiken
En wacht niet op de wind van de morgen![3]

Ze streek op die manier met de eer voor een vroege bloei, een incident dat is verminkt en geherinterpreteerd door latere schrijvers als een teken van haar aanmatiging of van haar toenemende geloof in haar eigen goddelijke krachten. Datzelfde jaar zag een nieuwe proclamatie het licht, die verkondigde dat Wu het eerste teken van verjonging had ontvangen doordat er blijkbaar een 'nieuwe tand' in haar mond was verschenen. Haar onderdanen waren in elk geval tevreden met de gunstige aard van haar heerschappij en zetten hun opvallende eerbewijzen aan haar voort. Uit alle hoeken van het rijk kwamen cadeaus binnen, waaronder prachtige curiosa zoals een cape van ijsvogelveren, geschonken door de adorerende bewoners van Kanton.[4]

Maar in het algemeen nam haar interesse in voortekenen snel af, met name na een incident met haar huisdieren. Wu beweerde een kat met succes te hebben geleerd om in dezelfde kooi als een aantal papegaaien te leven, zonder hen kwaad te doen. De annalen vermelden niet hoeveel papegaaien en katten Wu versleet voordat ze dit geweldige evenwicht bereikte, maar haar noviteit met dieren leek gebaseerd te zijn op simpele principes. De kat kreeg altijd goed te eten en was om die reden niet bijster geïnteresseerd in de papegaaien. Wu bracht dit 'wonder' naar het hof om mee te pronken bij haar maatjes. Maar om de een of andere reden, wellicht de lange afwezigheid van vers voedsel, of de druk van de bewondering van zo veel ministers, kreeg de kat plotseling weer trek in vers vlees. Het hele incident was aanleiding voor stiekeme lol aan het hof, maar Wu kon de grap er niet van inzien – het was niet alleen de aanblik van huisdieren die elkaar opaten, maar de mogelijkheid dat roddels weer nieuwe voortekenen zouden brengen. Was de kat Wu, die de 'vogels' van de keizerlijke familie greep en opvrat? Of was de kat de wraakzuchtige geest van Xiao Liangdi, terug om deze miniatuur'feniksen' te verslinden voordat ze de opperste feniks, Wu zelf, zou grijpen? Ondertussen viel er in 693 sneeuw buiten het seizoen. En toen bondgenoten uit Turkestan het hof een tweekoppige hond zonden als tijdverdrijf en vermaak, durfde niemand een mening te ventileren met betrekking tot de status van het dier als goed of slecht voorteken.[5]

Sommigen van Wu's makkers werden op het verkeerde been gezet door haar plotselinge standpuntwijzigingen. De voornaamste onder hen was Wu Chengsi, haar neef, die nog steeds verwachtte dat de hervormingen en zuiveringen na Wu's troonsbestijging zouden worden voortgezet. Hij was nu getrouwd met een vrouw van adel, de dochter van Wu's vertrouwelinge, prinses Qianjin. Qianjin had de achternaam Wu aangenomen – een eerbewijs, maar ook een die de fatsoensnormen op zijn kop zou hebben gezet, aangezien Wu Chengsi, als het heel strikt werd genomen, met een geadopteerd familielid was getrouwd en zich op het randje van incest bevond.

Degene die het meest werd getroffen door het plotselinge gebrek aan belangstelling voor het bovennatuurlijke, was Xue Huaiyi. Uit vrees dat hij geen voorspellingen meer zou kunnen uitleggen of wonderen ontsluiten, koos hij een nieuwe carrière als militair. Turkse indringers knaagden in 694 aan de grenzen en Wu stuurde een leger, formeel onder leiding van Huaiyi, hoewel de werkelijke generaals ervaren soldaten waren. De Turken werden naar behoren op hun nummer gezet, Huaiyi richtte een stenen monument op ter meerdere eer en glorie van zijn eigen genie en keerde terug naar Luoyang, nog net zo verwaand als voorheen.

Maar hoewel Wu de verdere interpretatie van voortekenen had verboden, lagen ze voor het oprapen, en ze waren niet altijd in Huaiyi's voordeel. Hij liet een boeddhistische dependance aan het Paviljoen der Verlichting toevoegen, een indrukwekkende Zaal der Hemelen, waarin het grootste Boeddhabeeld ter wereld zou komen te staan. Kort na de bouw werd de zaal vernield door een grillige wind, waardoor Huaiyi om meer fondsen moest vragen. Wu kende die toe, maar anderen stelden met zekerheid vast dat deze onzalige gebeurtenissen een element van goddelijk ongenoegen in zich hadden.

Wu beperkte haar liefdadigheid niet tot het boeddhistische geloof, al was boeddhisme als gevolg van haar begunstiging duidelijk terrein aan het winnen. Reusachtige boeddhistische standbeelden, waaronder een enorme van Maitreya, waarvoor Wu naar verluidt model heeft gestaan, werden uitgehouwen in de grotten van Longmen. Het eten van vlees begon uit de mode te raken toen de minachting voor het slachten van dieren meer gedragen werd door de bevolking – dit zal waarschijnlijk meer zijn opgevallen aan het hof dan bij de doorsnee bevolking, waar een vleesgerecht toch al een zeldzaamheid was. Wu ging echter ook door met het vereren van niet boeddhistische figuren, met name Confucius, het icoon van de vrouwenhatende, wetenschappelijke elite, die zich zo lang tegen haar had verzet. Confucius en zijn beroemdste discipelen kregen gedurende Wu's bewind nieuwe eretitels en velen van de wetenschapselite werden waarschijnlijk overtuigd van Wu's manier van denken.

Ze gaf toestemming voor de bouw van alweer een opzichtig bouwwerk, de Hemelse Pilaar, een torenhoge, achthoekige ijzeren kolom van meer dan drieënhalve meter in doorsnee en ruim 34 meter hoog, waarvan de hoogte zo goed als werd verdubbeld door de grote metalen voet waarin hij was geplaatst. Aan de top waaierde de kolom uit tot een omvangrijke basis voor vier indrukwekkende draken die een stralende bol ondersteunden – waarschijnlijk een bol van gepolijst brons. Het bouwwerk, dat de as voor moest stellen waar Wu's wereld om draaide, was ontworpen door een vreemdeling die in de Tang-annalen Mao Polo werd genoemd, hoewel zijn ware naam en oorsprong onbekend zijn.[6]

Slechte voortekenen bleven Luoyangs grote religieuze complex achtervolgen. Een speciaal festival liet het publiek toe bij het grote standbeeld van Boeddha, waarna Huaiyi handenvol munten in de menigte wierp. Dit had een nieuwjaarsgeste van liefdadigheid moeten zijn, maar verscheidene mensen in de menigte werden vertrapt in de daaropvolgende worsteling.[7]

Huaiyi's gedrag werd al maar vreemder. In wat leek op een toestand van religieuze extase tijdens een bepaalde ceremonie, sneed hij zich in zijn dijbeen en smeerde zijn bloed op het standbeeld van Boeddha.[8] Kort daarna trok hij zich terug op zijn basis in het Witte Paard-klooster en vermaakte zich met de andere valse monniken uit zijn gevolg.

Het lijkt erop dat Huaiyi Luoyang ietwat nukkig verliet, omdat hij niet langer de enige charlatan was die de aandacht van keizerin Wu trok. Als gevolg van de werkelijk immense hoeveelheid geld die Wu gedurende het laatste decennium in boeddhistische instituten had gestopt, had ze allerlei klaplopers en opportunisten aangetrokken, waarvan een groot aantal totaal geen interesse in religie had. Een vrouw benoemde zichzelf tot abdis, waarmee ze onmiddellijk profiteerde van het bijbehorende belastingvoordeel, ondanks het feit dat haar 'tempel' de dekmantel was voor een bordeel. Het lijkt erop dat Wu in dit bedrog is getrapt en veel belang hechtte aan beweringen van de vrouw dat ze de toekomst kon voorspellen en net als Boeddha kon leven van één rijstkorrel per dag. In feite sloop ze elke avond naar de achterkamers van haar bordeel voor een feestmaal met haar collega-hoeren, maar niemand die Wu daar ook maar een woord over durfde te vertellen.[9]

Doordat Huaiyi afwezig was, kon hij ook niet langer het gefluister onder zijn vijanden voorkomen. Het duurde niet lang voordat een magistraat overpeinsde dat Huaiyi zich in het Witte Paard behalve met bidden, ook bezighield met een samenzwering die de ondergang van de dynastie tot doel had. Hoewel hij er eerder op kon bogen Wu's gunsteling te zijn, was ze niet in de stemming om verhalen over nieuwe opstanden aan te horen en gaf ze de magistraat toestemming voor een onderzoek. Nadat hij was ontboden, arriveerde Huaiyi te paard en verwaardigde hij zich niet uit het zadel te komen voordat hij de rechtszaal binnen was gereden. Hij had gerekend op een schijnproces dat hem al snel zou vrijspreken, maar toen hij werd geconfronteerd met de feitelijke bewijzen, klom hij weer op zijn paard en reed weg. Toen de rechter zich hierover bij Wu beklaagde, lachte Wu Huaiyi's botte gedrag weg. Wel merkte ze op dat, hoewel de monnik ongevaarlijk was, ze niet zo beschermend was ten opzichte van zijn volgelingen. Binnen korte tijd werden veel van Huaiyi's volgelingen verbannen, waarmee de valse monnik een groot aantal van zijn maten moest missen.

Hij maakte zijn wrok kenbaar door brand te stichten in het Paviljoen der Verlichting, wellicht met de bedoeling om nieuwe status te verwerven als architect van een vervangend gebouw. Zijn vandalisme werd nog geholpen door een sterke wind die de zaal in vlammen deed opgaan en tevens het grote Boeddhabeeld omverwierp.

Het Paviljoen der Verlichting werd volledig vernietigd en daarmee tevens al het vertrouwen dat Wu had in haar priesterlijke adviseurs. Toen de nep-abdis haar medeleven kwam betuigen, eiste Wu een verklaring voor het feit dat zij als vermeende profetes niet had voorzien dat de belangrijkste tempel ter wereld zou worden vernietigd. Het duurde niet lang voordat de ware aard van de nonnentempel gemeengoed was en een in verlegenheid gebrachte Wu gaf opdracht de valse abdis en haar aspiranten tot slaaf te maken.[10]

Huaiyi overleefde zijn ongenade niet lang. Om haar ware relatie met hem voor altijd geheim te houden en de mogelijke gêne van een openbare executie te voorkomen, nam Wu zich voor om met hem af te rekenen zonder enige vorm van proces. Huaiyi verdween op een dag gewoon, kort nadat hij op het paleis was ontboden. Enkele dagen later arriveerde zijn lijk bij het Witte Paard-klooster; het was zonder enige plichtpleging achter op een boerenkar gegooid. De ware doodsoorzaak werd nooit vastgesteld, hoewel sommigen zeiden dat hij in het paleis aan een boom was gebonden en door een van Wu's verre neven was doodgeslagen. Een meer spectaculair gerucht beweerde dat hij naar Wu's slaapkamer was gebracht onder het voorwendsel van een orgie met Wu's dienstmeisjes. Daar hadden Wu's dochter Taiping en een aantal van de sterkere hofdames hem vastgebonden en, terwijl hij daar hulpeloos lag, kalmpjes toegekeken hoe Taipings min hem wurgde.[11]

Wu had haar geduld met een aantal bondgenoten die haar in haar machtsstrijd hadden geholpen, verloren. Hoewel er in de annalen nog steeds verslag werd gedaan van onrecht en corruptie in Luoyang, valt het op dat wanneer zulke zaken onder Wu's aandacht kwamen, ze een rechtvaardig bemiddelaar was. De magistraten Xu Yugong en rechter Tie, oude mannen die alles te vrezen hadden, hielden dapper stand tegen de vervolgingen van de geheime politie, ongeacht de consequenties. Beiden waren slachtoffer van verdere aanvallen van de 'gruwelbeambten', maar wisten op de een of andere manier te overleven.

In de zaak van Xu Yugong was er de beschuldiging dat hij samenzweer met een gouverneur die werd verdacht van corruptie – in feite was Xu's enige 'misdaad' dat hij had geopperd dat de man onschuldig was. Welk bewijs Zhou Xing en Lai Chunchen ook 'produceerden', het was genoeg om Xu in diskrediet te brengen. Maar Wu weigerde hem de doodstraf te geven, in plaats daarvan veroordeelde ze hem tot de lichtst mogelijke straf. Ze ontsloeg hem, maar maakte haar gevoelens duidelijk door hem kort daarna aan het hof te ontbieden voor een nieuwe positie.

Waarschijnlijk omdat ze een bedankje verwachtte van de in waardigheid herstelde magistraat, riep Wu hem bij zich voor een audiëntie, maar Xu bleef pessimistisch. Hij vergeleek zichzelf met een hert op een helling;

ontsnappen aan de ene jachtpartij betekende dat je een doelwit werd voor de volgende. Wu stond erop dat hij een positie aanvaardde als censor, een ondankbare baan waarbij men diende aan te geven in welke gevallen hoffunctionarissen (of de keizerin zelf) zich gedroegen in strijd met het protocol en de tradities.

Vasthoudend aan hun vroegere macht en positie, gingen sommige leden van de geheime politie nu elkaar te lijf. Lai Chunchen, de wreedste onder de 'gruwelbeambten' en schrijver van *Klassieker van de gevangenschap*, nodigde zijn collega Zhou Xing uit voor een diner, waarbij het gesprek onvermijdelijk op de ontwikkeling van martelmethoden kwam. Lai verzuchtte dat het moeilijk was om bekentenissen los te krijgen van slachtoffers die vaak weinig bereid waren hun schuld toe te geven en soms zelfs niet eens in de gaten hadden dat ze schuldig waren. Zhou kreeg de geest te pakken en stelde voor om de verhoren te houden naast een enorme ketel met kokend water, zodat de ondervraagde maar weinig fantasie nodig had om uit te vogelen wat er zou gebeuren wanneer hij zijn ondervragers niet alle informatie zou geven die ze hem vroegen. Onder het gelach dat rond de tafel opsteeg om deze slimme truc, gaf Lai enthousiast opdracht om een ketel neer te zetten in de zaal waar ze dineerden. Terwijl vlakbij het water langzaam het kookpunt bereikte, nam een ijzige atmosfeer bezit van de zaal. Lai begon te vertellen over recente vervolgingen en over de zaak van een generaal die werd verdacht van samenzwering met paleisfunctionarissen. Hij vermoedde dat sommige handlangers van de generaal nog steeds op vrije voeten waren en dat een aantal van hen misschien zelfs deel uitmaakten van de geheime politie. Zodra het water kookte, draaide Lai zich naar Zhou en verkondigde dat Zhou zelf als medeplichtige was genoemd door de generaal, voor diens voortijdig einde. Hij was verdacht en had nu een kans om alles op te biechten, omdat hij anders in het kokende water zou worden gegooid.

Zhou gaf onmiddellijk toe dat hij schuldig was aan alles waar hij van werd beschuldigd. Hij werd ontslagen en verbannen naar het verre zuiden, maar werd onderweg vermoord door misnoegde familieleden van zijn vroegere slachtoffers. De lijst van potentiële verdachten was te lang om op te noemen.

Lai Chunchen was dan wel officieel door Wu benoemd, maar het zou niet eerlijk zijn haar direct verantwoordelijk te stellen voor al zijn wandaden. In feite zwoer Lai in het geheim samen met Wu's neef Chengsi, die nog steeds geloofde dat de volgende stap in Wu's zuiveringen Ruizong zijn status als erfgenaam zou ontnemen en dat hij de vervanger zou zijn. Bij vele van de gruweldaden die na 690 werden gepleegd zou kunnen worden gesteld dat we hier niet getuige zijn van de voortdurende intriges van keizerin Wu, maar van die van haar neef Chengsi. In een berucht incident in 693 keurde Wu met terugwerkende kracht een aantal executies goed in het verre Kanton, onder verantwoordelijkheid van een agent van het ministerie van Rechtsvervolging. Jaren later beweerde ze dat men haar had doen geloven dat er sprake was geweest van een samenzwering. In werkelijkheid had een lagere aanklager, Wan Guojun, de vrouwen en kinderen van verdachte misdadigers de opdracht gegeven om zelfmoord te plegen. Toen ze dit weigerden en protesteerden, liet hij hen naar een nabijgelegen rivieroever brengen en door zijn soldaten vermoorden. Deze driehonderd doden waren vergelijkbaar met een aantal andere provinciale incidenten waarbij massamoorden in de dossiers van het ministerie van Rechtsvervolging werden verantwoord als zelfmoorden of executies . Wu's critici beweerden dat ze volledig op de hoogte was van dit bedrog, terwijl haar medestanders bereid zijn te geloven dat de eindverantwoordelijkheid bij haar neef Chengsi lag.[12]

Chengsi's verlangen om troonopvolger van zijn tante te worden, had maar bijzonder weinig kans van slagen. Maar als je keizerin Wu's succesvolle manipulaties gedurende de voorafgaande veertig jaar in ogenschouw nam, kon je hem toch nauwelijks kwalijk nemen dat hij dacht een kans te hebben? Zijn dochter was getrouwd met de zoon van Wu's vertrouweling prinses Qianjin, wat hem waarschijnlijk een grotere kans gaf om de regent van een keizerlijke schoonzoon te worden, als zo'n honderd leden van de Tang-dynastie tenminste bereid waren om op tijd dood te vallen. Dus nam hij een voorbeeld aan zijn tante en speelde het spel wat voorzichtiger. In plaats van de keizerlijke familie verder direct aan te pakken, imiteerde hij de aanval van Wu op Gaozongs ministers in haar jonge jaren en maakte elke ambtenaar die hem in zijn ambitie zou kunnen stuiten, tot doelwit. Chengsi schijnt te hebben geloofd dat hij alleen maar een aantal ouderwetse adviseurs uit de weg hoefde te ruimen, zodat Wu in de gelegenheid zou worden gesteld om hem tot haar erfgenaam te benoemen.

Een van de meest waarschijnlijke kandidaten om hem de voet dwars te zetten was de recalcitrante rechter Tie, die dan ook samen met een aantal andere ambtenaren werd opgepakt en naar het hoofdkwartier van de politie bij de Poort van het Mooie Landschap werd overgebracht. Lai Chunchen deelde zijn gevangenen mede dat ze één kans op genade hadden – met de regels voor strafvermindering die Wu onlangs had goedgekeurd, werd elk vonnis bij een directe bekentenis omgezet van executie naar verbanning. Met dat in zijn achterhoofd vroeg Lai Chunchen aan rechter Tie of er een samenzwering was. Tie's antwoord was bot en sarcastisch: [Wu's] grote Zhou Revolutie heeft plaatsgevonden en er zijn tienduizend dingen aan het veranderen. Oude ambtenaren van de Tang-dynastie zoals ik zullen binnenkort worden geëxecuteerd. Natuurlijk is er een samenzwering.'[13] Lai Chunchen had liever een simpel ja of nee gehad, maar beschouwde het antwoord van rechter Tie als bevestigend. Tie werd voor de duur van het proces weer opgesloten, hoewel hij door zijn houding wel indruk maakte op een aantal van zijn bewakers. Een van zijn ondervragers, die vermoedde dat de ballingschap van Tie niet erg lang zou duren, vroeg de rechter of hij bij zijn terugkeer een goed woordje voor hem wilde doen. Rechter Tie antwoordde door zijn hoofd letterlijk tegen een houten pilaar te beuken en de ondervrager eens flink uit te schelden.

Tie had het gevecht echter nog niet opgegeven. Hij wachtte tot hij weer alleen was en schreef toen op de binnenkant van de voering van zijn jasje een brief aan zijn zoon. Hij haalde zijn bewakers over om het jasje naar zijn huis te sturen, zodat zijn familie de wintervoering kon gebruiken.

Nadat zijn zoon de geheime boodschap had gevonden, vroeg hij onmiddellijk audiëntie aan bij Wu en toonde de keizerin de beschuldigende brief. Lai Chunchen werd opgeroepen om hier een verklaring voor te geven, maar beweerde dat de brief een vervalsing was, aangezien er nergens melding was gemaakt van het verzenden van kleren naar Tie's huis. Hier had de zaak van Tie kunnen eindigen voordat hij goed en wel was begonnen, wanneer Wu niet was benaderd door een slaaf. Deze tienjarige jongen was een van de velen die zijn positie als paleisdienaar dankte aan de vermeende misdaden van zijn oudere familieleden. Zich niets aantrekkend van het feit dat zijn woord tot zijn eigen marteling en dood zou kunnen leiden, verklaarde de jongen dat zijn familie onschuldig was en dat zijn leven als slaaf slechts te danken was aan de vervolgingen en leugens van de 'gruwelbeambten'.

Deze dramatische ommekeer dwong Wu om Tie naar het paleis te roepen om zijn kant van de zaak te verhelderen. Ze vroeg waarom Tie in eerste instantie had bekend, waarop Tie antwoordde dat dit de enige manier was om marteling en dood te ontlopen. Waarom, vroeg de keizerin, had hij dan een aparte petitie ingediend om de strafvermindering ongedaan te maken en te worden geëxecuteerd?

Natuurlijk wist Tie hier niets van af – Lai Chunchen had gewoon zijn naam op een vervalsing gezet. Aangezien de verdediging slechts indirecte bewijzen had en de zaak van de aanklager nu berustte op vervalste documenten, bleef Wu niets anders over dan de zeven beschuldigde ambtenaren vrij te spreken, ofschoon de meesten naar een provinciale post werden gezonden, waar ze voorlopig geen schade konden aanrichten.[14]

Chengsi's belangrijkste tegenstanders mochten dan niet zijn gedood, ze waren in elk geval op een behoorlijke afstand gezet. Hij probeerde zijn geluk nu door een medeplichtige namens hem een petitie in te laten dienen, waarbij deze keizerin Wu in overweging gaf dat de tijd was gekomen om Ruizong te ontslaan als haar opvolger en hem te vervangen door de meerwaardige Chengsi.

Wu stuurde Chengsi's woordvoerder bij verschillende gelegenheden weg; verslagen van haar audiënties geven aan dat ze zich in toenemende mate ergerde aan zijn gezeur over het onderwerp Chengsi. Uiteindelijk gaf Wu op een ongelukkig moment haar onderminister Li Zhaode opdracht om de indiener van het verzoekschrift te laten geselen. Zhaode was een vurig traditionalist, een fatsoensrakker die iedereen aan het hof tegen zich in het harnas joeg. Wu kan hem niet echt aardig hebben gevonden, aangezien hij een ouderwetse loyalist was en een aanhanger van het huis Li. Hij verachtte de omhooggevallen neven van het geslacht Wu en moest evenmin iets weten van de 'gruwelbeambten'. Keizerin Wu scheen de daaropvolgende maanden tevreden achterover te leunen terwijl Zhaode en zijn diverse opponenten met elkaar in de slag gingen.

Ondanks zijn houding en gebrek aan vrienden, gaf Zhaode de keizerin belangrijk advies. Hij was het die haar eraan herinnerde dat Chengsi's vader ten gevolge van haar vonnis in ballingschap was gestorven en dat Chengsi in plaats van een loyaal familielid te zijn, al zijn leven lang wrok en wraakzuchtige gevoelens koesterde. Hoewel Wu dit in eerste instantie weigerde te geloven, was het Zhaode die een einde maakte aan Chengsi's politieke carrière, toen Wu hem de gelegenheid gaf om in een toespraak de onzin van een troonsafstand aan te tonen:

De Keizerlijk Opvolger [Ruizong] is Uwe Majesteits zoon. Uwe Majesteit heeft zonen en kleinzonen voortgebracht die het keizerrijk tot in de eeuwigheid zullen erven. Waarom zou U een neef tot erfgenaam benoemen? Zelfs vanuit de oudste geschiedenis heb ik nog nooit gehoord dat een neef Zoon van de Hemel werd en [daarna, als tegendienst] voorouderlijke tempels bouwde voor zijn tante. Uwe Majesteit werd het regentschap van het keizerrijk toevertrouwd door Gaozong. Mocht U het doorgeven aan Chengsi, dan zal hij altijd zonder voorouderlijke offers zijn.[15]

Zhaode had gelijk. Wu was zo ver gegaan als ze maar kon. De volgende heerser zou een afstammeling in de mannelijke lijn van Gaozong moeten zijn, anders kon ze de uiterst belangrijke overgebleven steun van de wetenschappelijke elite verspelen. In een herhaling van haar harde acties tegen haar halfbroers, verkondigde ze al snel een serie 'promoties' en provinciale benoemingen af, die de groeiende macht van haar neven neutraliseerde – diegenen die aan het hof bleven, verloren alle werkelijke macht en hoewel ze fel protesteerden, weigerde Wu om op hun tegenbeschuldigingen in te gaan.

Met de ondermijning van Chengsi's macht verloren de 'gruwelbeambten' hun belangrijkste beschermer. Niet lang daarna oordeelde een onderzoek van de censors dat Lai Chunchen zich in honderden gevallen schuldig had gemaakt aan het vervalsen van bewijsstukken en werd de overlevende leider van de gruwelbeambten zelf naar zijn executie gesleept. Aangezien het werk van Li Zhaode hiermee was gedaan en zijn functie verder overbodig was, werd hij op dezelfde dag ter dood veroordeeld.

Twee rivaliserende facties aan het hof hadden elkaar op succesvolle wijze uitgeschakeld, waarmee Wu op een aangename wijze de baas bleef. In de daaropvolgende maanden liet ze haar hofhouding in het duister tasten over de opvolging. In januari/februari 693 organiseerde ze een ceremonie met negenhonderd tempeldansers die deinden op muziek die Wu geacht werd zelf te hebben gecomponeerd. Het ritueel bevestigde haar status als levende godheid, maar ze koos twee van haar in ongenade gevallen neven als assistenten, die pas kortgeleden een ondergeschikte rol hadden gekregen.

Dit werkte nogal verwarrend – niemand die nog begreep of deze promoties nu een straf waren of niet. De neven zelf kregen tegenstrijdige signalen, elke machtsfunctie was hun ontnomen, maar nu werden ze uitgenodigd om in plaats van de rechtmatige erfgenaam, Ruizong, aan een ceremonie deel te nemen. Deze uitsluiting viel ook bij de erfgenaam zelf niet in goede aarde en leidde tot een serie aanklachten ten aanzien van zijn eigen gevolg. Kort na Wu's grote Nieuwjaarsceremonie werden twee van Ruizongs concubines, onder wie de moeder van de toekomstige keizer Xuanzong, geëxecuteerd op verdenking van hekserij.[16] Datzelfde jaar beval Wu de openbare executie van twee hoffunctionarissen die hadden geprobeerd om Ruizong in het geheim te ontmoeten. Er werd een onderzoek naar Ruizong ingesteld, hoewel het beantwoorden van directe vragen hem bespaard bleef door de actie van een van zijn dienaren. Gedurende het vooronderzoek naar de vermeende betrokkenheid van Ruizong bij een samenzwering, deed de dienaar een poging om zijn eigen hart uit te snijden, waarmee hij zijn trouw aan de prins wilde bewijzen en, in het verlengde daarvan, de trouw van de prins aan keizerin Wu. Het was een nogal smerige publiciteitsstunt, maar Wu vond het gepast overtuigend. Ruizongs positie was voorlopig weer veilig.[17]

Wu's gedrag gedurende deze jaren heeft menig historicus versteld doen staan. Het is verleidelijk om het af te doen als de grillen van een bejaarde oriëntaalse dwingeland, hoewel sommigen nog steeds bereid zijn om te stellen dat er sprake was van een methodische gekte. Gedurende de voorafgaande eeuwen was er nog geen dynastie in geslaagd langer dan een paar generaties greep op China te houden. Dit probleem, dat gedoemd was om zich tot in eeuwigheid te herhalen, werd veroorzaakt door het feit dat rebellen een incompetente dynastie opzijschoven, om vervolgens te worstelen met het vaststellen van hun eigen legitimiteit en adeldom. Gedurende dit proces werden ze al snel verleid door de gebruikelijke valkuilen – het sluiten van dynastieke verbintenissen met machtige adellijke families, die al snel zouden beginnen om vanachter de troon macht uit te oefenen. Vroege meritocratieën – systemen waarin sociale status is gebaseerd op verdiensten –, waardevolle loyaliteit en competentie maakten plaats voor nepotisme en erebaantjes, totdat het verval inzette. Voor degenen die bereid zijn deze visie te accepteren, kan Wu's gedrag worden gezien als een poging de cyclus te doorbreken.

Met de stichting van de Tang-dynastie hadden Gaozong en zijn vader de macht overgenomen van hun incapabele neven. Maar gedurende Gaozongs regeringsperiode was de oude adel al bezig haar macht uit te oefenen. Gaozong had zelf een moeder uit de oude adellijke Zhangsun-familie en Wu's moeder was trots op haar familiebanden met de afgezette Sui. Door haar zonen de macht te ontnemen kan Wu hebben geprobeerd de corruptie een halt toe te roepen. Zhongzong, een slaaf van zijn vrouw en schoonouders, mocht verder leven in ballingschap. Ruizong, niet in staat om voor zichzelf op te komen, werd de mond gesnoerd en mocht nu zelfs met geen enkele functionaris aan het hof contact hebben. Ondertussen hadden Wu's hervormingen, ondanks het voor de hand liggende en veelvuldige misbruik, ook het nodige dode hout gekapt. Officiële benoemingen namen in aantal toe, maar in lengte af, waarschijnlijk om te voorkomen dat ambtenaren zelfgenoegzaam werden en ongepaste verbintenissen aangingen. Wu maakte voortdurend gebruik van haar keizerlijke voorrecht om haar ministers te benoemen, ontslaan, promoveren of degraderen. Op die manier eindigde tachtig procent van haar ambtenaren hun carrière met ontslag of degradatie, tegen 33 procent tijdens de regering van Taizong. Maar in tegenstelling tot de haar vijandige historici, die dit zien als een bewijs van Wu's verwarde grillen, beweren haar medestanders dat ze een dynamisch, evenwichtig systeem creëerde ten aanzien van machtsmisbruik.[18]

Men kan aanvoeren dat de dramatiseringen van Wu's leven hun doel volledig hebben gemist. Latere schrijvers hebben Wu's regeringspolitiek opgeklopt tot een evenwicht tussen goed en kwaad, rechtschapen ministers zoals rechter Tie in gevecht met lamlendige, corrupte ambtenaren zoals Wu's neven. Maar als we de data van zijn benoemingen bekijken, zien we een vreemde symmetrie die sommigen graag uitleggen als een vorm van oppositionele regering. Toen Tie voor het eerst aan het hof van Wu tot minister werd benoemd, werd hij op dezelfde dag geïnstalleerd als Yuning, een neef van de keizerin wiens houding lijnrecht tegenover de zijne stond. In 698, toen rechter Tie promoveerde tot het voorzitterschap van de keizerlijke kanselarij, werd Wu's neef Sansi benoemd in een vergelijkbare rang op het secretariaat.

Wu werd regent in een dynastie die alle regels had gebroken die ze nu probeerde af te dwingen. Maar haar acties tijdens haar regeerperiode, met name het decennium na 690, diende er in de eerste plaats voor om de ladder om te schoppen die de Tang-dynastie had gebruikt om naar de troon te klimmen. Hoewel opstanden en onrust gedurende de Tang-dynastie zouden blijven voortduren, hield deze tot twee eeuwen na haar dood stand, wellicht deels als gevolg van de meedogenloze zuiveringen tijdens haar bewind.

Ondanks de schandalen waar latere generaties haar mee opzadelden, was Wu immens populair bij het gewone volk. Haar lasteraars zouden natuurlijk het liefst stellen dat niemand die tégen haar was in leven bleef. Hoewel ze een enorme hoeveelheid gemeenschapsgeld uitgaf aan extravagante zaken zoals het Paviljoen der Verlichting en de opvolger daarvan, lijkt het erop dat er domweg meer gemeenschapsgeld beschikbaar was. China was welvarend, de Zijderoute bood geweldige handelsmogelijkheden met het Westen en Wu's belastingdienst streek de voordelen op.[19] In tegenstelling tot andere legendarische potverteerders, zoals de oude eerste keizer, die zijn onderdanen uitwrong om zijn publieke werken te kunnen uitvoeren, lijkt het erop dat Wu's grote projecten makkelijk konden worden gefinancierd uit de toename van de inkomsten. Het is zelfs zo dat Wu in 695 het hele rijk een belastingvrij jaar schonk.[20]

Dat betekent niet dat Wu's handelingen haar de lieveling van de hofhouding maakten. Voor haar ministers was ze een ontzagwekkende persoon, bereid om degenen te ontslaan die haar ongenoegen wekten. Hoewel de hofgeschiedenis gewag maakt van talloze gevallen waarin ze luisterde naar ministerieel advies, zoals haar beroemde bereidheid om kritiek van rechter Tie te accepteren, duldde ze in bepaalde cruciale gevallen geen tegenspraak. De opvolging stond net zomin ter discussie als bezwaren tegen de bezigheden van haar persoonlijke gevolg, die een slimmerd aan het hof met 'rotte noedels' had vergeleken – het zag er van buiten leuk uit, maar was volkomen nutteloos voor het officiële doel. Zulke onderwerpen werden door Wu afgewimpeld als 'familiezaken' en waren als zodanig buiten de invloedssfeer van de ministers, ondanks de niet te ontkennen invloed die ze hadden op het bredere politieke spectrum. Het ziet ernaar uit dat het uiteindelijk Wu zelf was die de zaak Xue Huaiyi afhandelde, niet een van de censors of de geheime politie.[21]

Maar Wu werd er niet jonger op. Het onderwerp van haar opvolging hield de gemoederen nogal bezig, zowel die van haar aanhangers als die van haar voornamelijk zwijgende tegenstanders. Sommigen maakten van hun hart echter geen moordkuil. In Luoyang had Wu steeds dezelfde droom. Ze speelde een spelletje Chinees schaak dat ze elke keer verloor. Tie was snel beschikbaar om haar droom te duiden en vertelde haar dat het woord voor 'schaakstukken' hetzelfde was als dat voor 'zonen'. In de optiek van Tie zou Wu in haar dromen blijven verliezen zolang ze de hemel tartte door haar zonen hun geboorterecht te onthouden. In plaats van hem te ontslaan, op te sluiten of te executeren voor deze inbreuk op het bespreken van 'familiezaken', luisterde keizerin Wu slechts in stilte.[22]

ELF

Het ministerie van de Kraanvogel

E enmaal per generatie kwam de heerser van de vroege Tang naar de Famen-tempel voor een eerbetoon aan de relikwieën van Boeddha. Wu is de enige die tweemaal op de schilderijen daarvan voorkomt. De eerste maal als de boosaardige waarnemer van Gaozongs processie (zie hoofdstuk vijf), daarna toen ze zelf heerste. Bij de aanvang van de achtste eeuw keerde Wu terug naar de Famen-tempel en schonk een prachtig, met brokaat versierd zijden gewaad aan de schatkamer van de tempel, evenals andere kostbare dingen, zoals gouden en zilveren kunstvoorwerpen. Op het schilderij wordt Wu, tenger en met wit haar, naar de tempel geleid door twee fraaie knapen, die haar ieder een arm geven, gelukzalig naar haar glimlachen, diep in haar ogen staren en nét iets te dicht bij haar staan.

Voor zover het de Chinese bevolking in haar algemeenheid betrof, regeerde de goddelijke keizerin Wu gedurende een periode van ongekende voorspoed. Slechte ministers waren, zo hadden ze gehoord, weggezuiverd door trouwe politiemensen. Grootse publieke werken hadden de instemming van de goden zelf, hetgeen had geleid tot de aardse belichaming van een levende god.

SHENG – HEILIG

Tijdens de regeringsperiode van Wu werd het karakter voor 'heilig' vervangen door componenten die de betekenis 'lang' en 'zwaar' hadden.

Maar, net zoals Wu trachtte de eer op te strijken voor al het goede, werd een Chinese heerser ook geacht de verantwoordelijkheid te nemen voor al het kwade. Ondanks de ban op het spreken over bijgeloof, waren er in het laatste decennium van de zevende eeuw nog steeds tekenen dat de hemel niet zo tevreden was als Wu's regime iedereen wilde doen geloven.

In sommige provincies werkte het innen van belasting maar matig, aangezien de kloosters, landlopers en niet-geregistreerde burgers allen hun verplichtingen ontliepen. Ambtenaren hadden velen door de mazen van het systeem laten glippen en na de kwistige uitgaven van de afgelopen jaren zag het er naar uit dat Wu's regering niet zo rijk was als zij had gedacht.

En ook niet zo onwankelbaar. Wu's periode van voorspoed had op zijn minst voor een deel gesteund op het ontbreken van dreiging aan China's grenzen. Kort na 690 zag alles er nog rooskleurig uit. De Koreanen bezorgden de Chinezen geen problemen nu de Zijderoute voor een groter deel over Chinees grondgebied liep als gevolg van een lange landtong, de Gansu-corridor, die ver naar het westen reikte, tot in de nieuw veroverde provincies. De Turken waren op dat moment ook geen probleem. Een miljoen vreemdelingen vestigde zich tussen 690 en 695 in China, maar ze deden dit legaal en vreedzaam. Hele stammen Centraal-Aziatische nomaden kregen toestemming om zich in relatief onherbergzame delen van China te vestigen. Een Turkse leider, de khan Qapagan, hield plundertochten rond de grens, maar toen hij door niemand minder dan generaal Xue Huaiyi werd teruggedreven, zwoer hij al snel trouw aan de Chinese troon en kreeg in ruil daarvoor een hertogdom in het grensgebied.

Het goede weer verslechterde. De plotselinge druk op de graanvoorraden kan het eerste zijn geweest dat Wu's ambtenaren wees op het aantal ongeregistreerde burgers; onverwachte aantallen steunzoekers kwamen naar de stadskantoren op zoek naar gratis voedsel. Dit werd vooral nijpend in het noorden, waar een Chinese provinciale commandant meedogenloos had geweigerd voedselhulp te geven aan de hongerende stammen van Kitan, dat al tientallen jaren een Chinese satellietstaat was. De Kitan rebelleerden, terwijl in het westen de Chinezen werden geconfronteerd met een Tibetaans invasieleger.

Men kon natuurlijk stellen dat zulke grensproblemen het gevolg waren van de Chinese welvaart, omdat China's minder georganiseerde buren in het zicht van een hongersnood gedwongen werden tot geweld over te gaan. Dit was in 696 een schrale troost voor de Chinese ambassadeur bij de grote khan Qapagan, die had gehoopt op een makkelijke en plezierige uitwisseling van geschenken en diplomatieke aardigheidjes. In plaats daarvan kreeg hij, nadat hij Qapagan wat snuisterijen en kleinigheden had overhandigd, te maken met een stoutmoedige stammenleider. De khan eiste dat het gebied waar hij verantwoordelijk voor was, zou worden uitgebreid, zodat ook het gebied van een aantal naburige stammen er binnen zou vallen, een gebied dat op dat moment viel binnen China's noordwestelijke grenzen. Qapagan wilde ook een groter deel van het voedsel dat naar hij had gehoord door het hele keizerrijk werd uitgedeeld, evenals een grote keizerlijke schenking aan landbouwgereedschap, dat zijn mensen zou helpen het land waar ze woonden 'te cultiveren'. Dit laatste verzoek was voor de Chinezen waarschijnlijk mateloos irritant, aangezien ze in het geheim gedwongen waren geweest om tonnen landbouwgereedschap om te smelten teneinde Wu's grote ijzeren pilaar in Luoyang af te kunnen maken – en ze waren evenmin gecharmeerd van het idee zo'n grote hoeveelheid bijlen, zeisen en pikhouwelen te schenken aan een leider die zich begon te laten gelden.[1]

Qapagan toonde zijn vastberadenheid door een kampement in Kitan aan te vallen en de vrouwen te ontvoeren. Hij deed er nog een schepje bovenop door te eisen dat de Chinezen een van hun mannen zouden leveren; aangezien hij nu in de ogen van Wu's hof een hertog was, had hij besloten dat het tijd werd dat zijn dochter met een Chinese prins trouwde.

Ondanks haar status als levende godheid was Wu genoeg van slag door Qapagans verzoek om toestemming te geven. Zijn grenzen werden uitgebreid tot aan de westelijke oever van de Gele rivier en hij werd voorzien van grote schenkingen graan, zijde (dat zowel binnen als buiten China een betaalmiddel was), baren gietijzer en drieduizend 'landbouwwerktuigen'. Deze omkoopsom ging vergezeld van een soort prins, Wu's achterneef Yanxiu, van wie ze hoopte dat hij vorstelijk genoeg was om als bruidegom voor Qapagans dochter te dienen.

Rechter Tie liet aan het hof zijn ongenoegen blijken en nam een riskante stap door precedenten op te noemen. Wu had er een hekel aan als haar ministers aan kwamen dragen met voormalige heersers als lichtend voorbeeld. Maar Tie had een redelijk argument: in de dagen van Taizong hield

China's grondgebied op bij de rand van het zand. Als de Turken problemen wilden veroorzaken, moesten ze toch eerst de afschrikwekkende leegte van de Taklamakan- of Gobiwoestijn doorkruisen. Voordat ze zelfs maar in het zicht kwamen van de Grote Muur moesten ze dagen van dorst en ontberingen doormaken, hetgeen een bijzonder effectieve hindernis was aangezien ze gedwongen werden om door een gebied te marcheren waar 'geen spriet [gras] wilde groeien'.[2]

Maar door de expansie van het Chinese grondgebied en het schenken van gebieden aan deze parvenu's, waren de Chinezen de Turken in feite halverwege tegemoetgekomen. Nu werden ze geacht waardeloze provincies te verdedigen tegen vijanden die zo goed als op hun stoep woonden. En Qapagan zou trouwens nooit genoeg hebben.

Wu negeerde het advies van Tie en de minister moet weinig plezier hebben beleefd aan de brief van Qapagan, waaruit bleek dat hij zelfs meer gelijk had dan hij had durven dromen. Qapagan schreef:

Het slechte graan dat u stuurde wilde niet ontkiemen. De gouden en zilveren cadeaus waren waardeloze imitaties. De honneurs die ik van uw afgezanten ontving zijn verworpen. De zijde was oud en gerafeld. Mijn dochter is de dochter van een khan en verdient als zodanig de zoon van een keizer als echtgenoot. Het geslacht Wu is inferieur aan het mijne en u probeert me te bedriegen. Dit alles heeft ertoe geleid dat ik een leger op de been heb gebracht en [Noord-China] zal overmeesteren.[3]

Qapagan was zelfs nog duidelijker geweest tegen de gezant die de ongelukkige bruidegom had begeleid. Hij haalde een aantal sentimentele herinneringen uit de goede oude tijd onder het huis Li op (Taizong en Gaozong dus) en beweerde geschokt te zijn dat slechts twee prinsen (Zhongzong en Ruizong) nog in leven waren. Vervolgens stelde hij dat zijn gevoel voor vaderlandslievende plicht hem ertoe dwong om China binnen te vallen, omdat hij op die manier de Tang-dynastie kon herstellen.

Het hierop volgende conflict in het noorden zou schadelijk blijken te zijn voor Wu's machtsbasis. Ze werd gedwongen om toezeggingen te doen aan de binnenvallende Tibetanen, zodat ze troepen van dat front vrij kon maken voor de verdediging van het noorden. Ze werd tevens gedwongen een groot aantal compromissen te sluiten met de bewoners van het noorden – van wie velen naar het zuiden waren getrokken om zich te onttrekken aan de hoge belastingen, verplichte werkzaamheden aan regeringsprojecten en de dienstplicht, die niet gold voor mannen van buiten de grensgebieden. Toen zelfs die afspraken niet leidden tot een leger dat groot genoeg was om de Turken een lesje te leren, voerde Wu de dienstplicht voor misdadigers en slaven in: een teken van wanhoop.

De veldtocht tegen Qapagan verliep ook onder de maat. Het tegen hem ingebrachte leger werd geleid door een van Wu's andere neven, die de zaak volledig verstierde en achteraf zijn frustraties afreageerde op de plaatselijke bevolking. Rechter Tie's aankomst in de provincie maakte een eind aan de vervolgingen, maar diende eigenlijk alleen om het hof eraan te herinneren hoe totaal ongeschikt Wu's familieleden waren voor hoge functies.

De grootste verandering die het gevolg was van Qapagans invasie, betrof de identiteit van de persoon die rechter Tie naar het noorden had begeleid. Na het falen van haar neef en intensieve besprekingen met haar ministers, had Wu een commandant voor de militaire versterkingen benoemd van wie het zeker was dat hij de steun van het volk had, de instemming van het hof en, zo veronderstelde men, de goedkeuring van de goden – haar oudste zoon Zhongzong.

Zhongzong had in het zuiden een ongelukkige tijd in ballingschap doorgebracht, voortdurend bang dat hij deel zou uitmaken van de volgende zuivering en in de volgende brief uit de hoofdstad de botte opdracht zou lezen om zelfmoord te plegen. Hij had in feite zelfs met de gedachte gespeeld om zich vrijwillig van het leven te beroven, maar zijn vrouw, de voormalige keizerin Wei, had hem van het idee af geholpen. Ze was een ambitieuze vrouw die absoluut van plan was haar oude status van keizerin te herstellen.

Geplaagd door de invasie aan haar grens had Wu naar men zei gedroomd van een papegaai met een fleurig verenpak, maar twee gebroken vleugels. Ondanks haar verbod op bijgeloof, had ze rechter Tie gevraagd wat dit betekende. Tie legde uit dat het woord voor papegaai, *wu*, bestond uit Wu's eigen achternaam en de beeltenis van een vogel. De papegaai stelde Wu zelf voor, de grote keizerlijke feniks die China regeerde, terwijl de gebroken vleugels haar uit hun rechten ontzette zonen Zhongzong en Ruizong waren.[4]

Dat is althans de poëtische versie van het verhaal. In werkelijkheid drong rechter Tie al enige tijd stoïcijns op rechtsherstel voor Zhongzong aan. De tegenslag in het noorden en de voortdurende teleurstellingen in haar neven, leidden ertoe dat Wu uiteindelijk van mening veranderde en opdracht gaf om haar eigenzinnige zoon in het geheim het paleis binnen te smokkelen. Met Zhongzong verborgen achter een scherm liet ze rechter Tie op audiëntie komen en vroeg hem wat hij ervan zou vinden als ze Zhongzong uit ballingschap terug liet keren. Rechter Tie huilde van blijdschap en schonk Wu het plezier om met veel gevoel voor drama het gordijn open te trekken en Zhongzong te onthullen.

Rechter Tie drong er echter direct op aan meer openlijk blijk te geven van haar veranderde mening. Zhongzong, die ongetwijfeld meer en meer geïrriteerd raakte over deze behandeling, werd vervolgens het paleis weer uit gesmokkeld en in de gelegenheid gesteld om met de nodige praal en ceremonie te 'arriveren', vergezeld van een in alle haast in de stad bijeengesprokkeld gevolg. Zhongzongs jongere broer Ruizong werd geïnstrueerd om wederom 'vrijwillig' afstand te doen als kroonprins en Zhongzong werd voor de tweede maal de keizerlijke troonopvolger.

Gaozongs oudste nog levende zoon was nu duidelijk weer de erfgenaam en werd onmiddellijk naar het noorden gestuurd om met de Turken af te rekenen, samen met zijn onderbevelhebber rechter Tie, die geacht werd al het werk te doen. Een cynicus zou meteen vermoeden dat Wu erop hoopte de twee nooit meer terug te zien, maar haar benoeming van de twee als nieuwe leiders lijkt bewust tot doel te hebben gehad dat de bevolking van het noorden zich achter gerespecteerde openbare figuren zou scharen. De operatie was een succes. Hoewel Qapagan ontsnapte (hij zou het in 702 nogmaals proberen) werd de invasie verhinderd, hetgeen zowel Tie als Zhongzong tot held maakte. Nu Wu zich dan eindelijk toestond de opvolging bespreekbaar te maken, moest ze toegeven dat er een einde was gekomen aan haar persoonlijke Zhou-dynastie. Of het nu van het begin af aan haar plan was geweest of niet, het was nu overduidelijk dat de scepter uit handen van een Wu-neef zou blijven. Zhongzong zou de troon erven waar Wu hem zo veel jaren geleden van af had gesleept. En zelfs al had hij de achternaam Wu aangenomen als teken van loyaliteit, hij zou zeker zijn familienaam in ere herstellen zodra zijn moeder ten grave was gedragen. De Zhou-dynastie met zijn levende godin zou een voetnoot worden in de geschiedenis en de Tang was gerehabiliteerd.

Zelfs toen ze de zeventig naderde, was Wu nog steeds in goede gezondheid, iets wat ze gemeen had met haar moeder. Het zou onbehoorlijk zijn geweest om openlijk over haar overlijden te praten – een standaardterm om een zittende heerser mee aan te spreken of te eren was de aanmoediging: 'Leef voor tienduizend jaar!' Men kon na een dergelijke groet moeilijk verdergaan met het bespreken van de begrafenis, hoewel werd aangenomen dat Wu zou worden begraven in het mausoleum dat al vijftig jaar op haar wachtte, naast haar overleden echtgenoot Gaozong.

De eerste keer dat Wu haar ouderdom erkende, werd geregistreerd in het voorjaar van 699 toen ze een samenkomst bijeenriep die bijgewoond diende te worden door de prinsen Zhongzong en Ruizong, hun zuster Taiping en de overlevende edelen van het geslacht Wu, merendeels verre neven en achterneven. De verzamelde edelen werden gedwongen een eed te zweren die garandeerde dat zij na Wu's overlijden in harmonie zouden leven. Deze belofte was zó belangrijk voor haar, dat ze hem in een ijzeren plaat liet graveren en in de keizerlijke archieven liet bewaren. De kans dat haar nakomelingen zich aan hun woord zouden houden was, zoals zelfs zij geweten moet hebben, bijzonder klein.[5]

Maar Wu moest eerst nog wel overlijden. Inmiddels over de zeventig, ontwikkelde ze een onder Chinese vorsten veelvoorkomende interesse en overlegde ze met wijze mannen over hoeveel van die tienduizend jaar ze mogelijk te zien zou krijgen. In 699 kondigde ze de formatie van een nieuw departement in haar regering aan – het ministerie van de Kraanvogel.

Een kraanvogel was het verkozen rijdier van de taoïstische onsterfelijken, die, zoals de legenden vertellen, op de rug van de vogel der hemelen reden. Wu's ministerie van de Kraanvogel werd aan het werk gezet om op zoek te gaan naar drankjes, elixers, pillen en diëten die zouden kunnen helpen om de keizerin nog langer in leven te houden. Er was niets buitengewoons aan het vormen van zo'n departement en keizerin Wu was zeker niet de eerste die dit deed. Wat haar hovelingen choqueerde waren de aantijgingen van Wu's favoriete verjongingsmethode.

Na verloop van tijd ontwikkelde zich onder de hovelingen enige argwaan met betrekking tot het ministerie van de Kraanvogel. De leiding was namelijk in handen van twee broers, Zhang Yizhi en Zhang Changzong. Zij waren al sinds 697 aan het hof, in eerste instantie in het gezelschap van

Wu's dochter Taiping. Het duurde echter niet lang voordat ze kennis-maakten met de keizerin zelf en vaak waren er drink-, gok-, of andere feestjes met de levende godheid. Wanneer twee knappe jonge knapen zich dermate dicht bij een keizerin bevonden, zelfs al was ze weduwe, was cas-tratie gewoonlijk een vereiste. Maar net als bij Xue Huaiyi was hier kenne-lijk sprake van een ontheffing. Hoewel ze geacht werden eunuchs te zijn, ontging het de hofhouding niet dat ze zich meer gedroegen als gigolo's.

Ze waren gekleed in prachtige zijden gewaden, kregen geweldige ge-schenken (Wu gaf zelfs haar ijsvogelmantel aan Changzong) en werden volgens de paleisroddels regelmatig naar het bed van de 72-jarige keizerin gebracht om haar seksueel te bevredigen.[6]

De gebroeders Zhang waren slechts de eersten en beroemdsten van een lange rij jonge, aantrekkelijke jongens die in Wu's latere jaren haar gevolg vormden. Sommigen klaagden dat het ministerie van de Kraanvogel geen legitiem departement voor medisch onderzoek was, maar slechts een in-stelling die geen ander doel diende dan voor Wu's vermaak een serie mooie jonge jongens het paleis in te smokkelen. Er ontstond een situatie waarin functionarissen op grond van heel nieuwe criteria familieleden be-gonnen aan te bevelen voor benoeming: niet om hun kennis van confuci-aanse klassieken, of beheersing van de wet, maar om de bleekheid van hun huid en hun fijne gelaatstrekken. Een minister schepte er zelfs over op dat hij qua afmeting en uithoudingsvermogen een veel beter figuur sloeg dan Xue Huaiyi zaliger en de Zhangs en dat hij daarom hoopte dat de keizerin hem zou bevorderen tot haar besloten kring.[7]

Keizerin Wu hield van mooie jongens. Haar bedienden, die make-up droegen en gekleed gingen in sensuele zijde, werden door Wu's ministers gezien als dierlijk, en haatdragend bejegend. Maar zelfs als de belangrijk-ste werkzaamheden van de gebroeders Zhang bestond uit nachtelijke dienstverlening aan keizerin Wu, dan nog vertoont het afwijzende gedrag van de hovelingen een opvallende dubbele moraal. Niemand zou zich ook maar een moment druk maken als er een vergelijkbare regeling bestond voor een mannelijke keizer van over de zeventig. Oude keizers werden in feite zelfs aangemoedigd om hun tijd door te brengen met frisse jonge concubines, aangezien het zich geestelijk voeden met hun *yin*-wezen het leven verlengde. Wu was zelf haar carrière begonnen als een van honder-den keizerlijke concubines – het was haar plicht het de keizer op welke manier dan ook naar de zin te maken, om de harmonie van het paleis in stand te houden.

Nu Wu de heerser was, zou een vergelijkbaar gedrag te verwachten zijn, wat automatisch een veelvuldige blootstelling aan het mannelijke *yang*-wezen zou betekenen. Aangezien andere onsterfelijkheidsbehandelingen ontbraken, hunkerde keizerin Wu naar orgasmen en sperma en hoe meer ze kreeg, hoe langer ze zou blijven leven. Als het ministerie van de Kraan-vogel een rookgordijn was om tientallen mannelijke concubines voor de buitenwereld verborgen te houden, was het enige echte mysterie waarom Wu het überhaupt noodzakelijk vond om ze te verstoppen.

Ondertussen werd het door het ministerie geboden vermaak steeds extremer. Tijdens een van de hofspektakels hielden de broers ganzen en eenden in een kooi en gaven hen niets anders te drinken dan kruidige dranken, terwijl ze ze op een langzame manier levend roosterden, wat ertoe moest leiden dat ze hun veren verloren en met een lekkere saus werden gevuld. Toen dit een succes bleek, probeerden ze hetzelfde experiment op wat grotere schaal, met een levende ezel.[8]

Mogelijkerwijs was Wu's interesse in haar jonge knapen totaal onschuldig – de wens van een oude rijke dame om haar tijd door te brengen met knappe mannen die in al haar behoeftes voorzagen, lachten om haar grappen, haar heerlijk voedsel en mooie wijnen brachten en haar lieten winnen bij spelletjes. Maar week ze zelfs in dat geval zo veel af van de vele keizers uit de Chinese geschiedenis? Voor een man in een ultieme machtspositie was een veelheid aan sekspartners een meegenomen extraatje. De confucianisten misgunden Wu dan wellicht haar dienaren, maar ze misgunden haar ook haar bestaan als heerser en keizerin.

Wu's ministers waren mogelijk ook bang voor het effect dat het op andere vrouwen zou kunnen hebben. Al sinds enkele generaties waren Chinese vrouwen brutaler en agressiever geworden, namen gewoonten van de noordelijke barbaren over, legden hun sluier af en genoten de bewegings-vrijheid van het dragen van barbaarse broeken in plaats van de zware Chinese gewaden. Gedurende Wu's regering hadden vrouwen zich nog meer ideeën boven hun stand toegeëigend – Wu's oprechte verdriet om de dood van haar moeder had vrouwen zelfs in het hiernamaals dezelfde status gegeven, door te verlangen dat plichtsgetrouwe kinderen net zo lang om hun moeder zouden rouwen als ze om hun vader zouden doen.

Wu's seksuele bevrijding – waarom zou je het promiscue seks noemen als haar gedrag nauwelijks afweek van dat van ontelbare keizers voor haar – leek ook zijn invloed te hebben op andere hofdames. Wu's dochter, prinses Taiping, was nu van middelbare leeftijd en genoot de aandacht van verscheidene jonge mannen in haar eigen gevolg – er werd zelfs beweerd dat Taiping de jongste van de Zhangs eerst had uitgeprobeerd voordat ze hem met haar aanbevelingen naar haar moeder doorschoof. Wu's schoondochter, de voormalige én toekomstige keizerin Wei, had een verhouding met Wu's neef Sansi. Sansi deelde daarnaast het bed ook nog met Shangguan Wan'er, de kleindochter van de in ongenade gevallen minister Shangguan Yi, die als een soort slaaf was opgegroeid na de dood van haar grootvader.

Wan'er had haar grootvaders intelligentie geërfd en had zich tot een soort wonderkind ontwikkeld. Ze gaf al vroeg blijk van talent voor het schrijven van poëzie en liedjes, vaak op verzoek, en schreef al jaren keizerin Wu's toespraken. Ze was in haar eentje ook prima in staat om de hovelingen te ergeren door middel van de onvergeeflijke zonde een beter bestuurder te zijn dan de meeste mannen. Wonderbaarlijk genoeg verweet ze keizerin Wu niet haar vader te hebben gedood. Wan'er was door haar paleisopvoeding volkomen gehersenspoeld en een van Wu's meest vertrouwde dienaren. Maar zelfs zij was niet veilig voor de woede van de keizerin. Wan'ers haardracht zag er wat vreemd en ongelijk uit, de helft van haar voorhoofd was altijd bedekt door haar krullen. Hiermee bedekte ze een litteken dat Wu haar had bezorgd door haar op een feest met een gouden mes te verwonden nadat ze kennelijk had geflirt met een van de Zhangs.[9]

Toen ze de tachtig naderde, leek Wu iets milder te worden. Ze stond wat meer open voor kritiek van haar ministers, vooral de onverschrokken rechter Tie, en beval de heropening van een groot aantal zaken die waren behandeld door de 'gruwelbeambten' van het ministerie van Rechtsvervolging. Dit leidde tot de rehabilitatie van een aantal voormalige staatsvijanden, maar omdat de meesten van hen al waren geëxecuteerd, was de teruggave van titels en eigendommen alleen een voordeel voor de familieleden die hen hadden overleefd. Een kwakkelend provinciaal bestuur dwong Wu de langetermijneffecten van haar politiek in de hoofdstad onder ogen te zien. Wu's verblijf in de hoofdstad, om het even

Chang'an of Luoyang, was al dermate lang dat ze het stadsleven met zijn weelde was gaan zien als het toppunt van bestaan. Deze houding straalde af op de behandeling van haar ministers en het feit dat ze provinciale benoemingen zag als een straf of degradatie, hetgeen er uiteindelijk toe leidde dat de afgelegen gebieden vol zaten met incompetente of gedesillusioneerde ambtenaren, die er niet in slaagden om de omstandigheden in het door hen bestuurde gebied te verbeteren.

Wu deed zelfs een aantal simpele pogingen om de corruptie in boeddhistische kloosters, waarvan vele nog profiteerden van betaalde, formele functies en belasting ontduikende bedienden, een halt toe te roepen. Ondanks haar status van levende godheid, begon haar interesse in het boeddhisme te tanen, wellicht omdat haar slechte geweten zich afvroeg hoe ze in het hiernamaals zou worden behandeld. Als gevolg daarvan begon ze meer interesse te ontwikkelen voor het taoïsme, waarbij de nadruk niet op reïncarnatie, maar onsterfelijkheid lag. Wu leek te hebben besloten niet op reïncarnatie te gokken, niet met alle doden die ze op haar geweten had.

Als bewijs voor deze omslag hoeven we niet verder te zoeken dan een van de laatst vastgelegde daden van rechter Tie, knielend voor Wu's rijtuig toen ze op het punt stond om naar een boeddhistisch heiligdom te vertrekken.

'Deze Boeddha,' sprak rechter Tie, 'is een barbaarse god.' Hij beklaagde zich erover dat Wu haar aandacht wijdde aan een niet-Chinese godheid, maar wees haar ook op andere redenen die de reis onverstandig maakten. Hij vermoedde dat de tempel haar alleen maar had uitgenodigd om zichzelf daarna te promoten als een van Wu's bedevaartsoorden en zinspeelde op de belangrijkere kwestie van de weg naar de tempel, die te veel plekken had voor een hinderlaag. Wu nam rechter Tie's advies over, hoewel het onduidelijk is of ze daarbij werd gemotiveerd door de bezorgdheid om haar eigen veiligheid, of het meer controversiële argument dat Boeddha haar aandacht niet waard was. Haar afnemende interesse in het boeddhisme was in elk geval genoeg om een aantal Chinese boeddhisten te alarmeren, die aan het begin van 700 een toenemend aantal verslagen gaven van boeddhistische wonderen en voortekenen, mogelijk in een poging haar aandacht te herwinnen of een openlijke veroordeling te voorkomen.[10]

Toen rechter Tie in 700 een natuurlijke dood stierf, huilde Wu naar verluidt openlijk en verklaarde: 'Nu is het hof leeg.' In feite was het gevuld met rechter Tie's erfenis, een aantal benoemingen van personen die hij persoonlijk had voorgedragen en met wie Wu regelmatig in de clinch lag. Wu bleef blind of ongeïnteresseerd voor corruptie elders in haar regering. De gebroeders Zhang vonden baantjes voor familieleden en men kwam er zelfs achter dat ze posities aan het hof verkochten voor goud. Deze wandaad werd naar een belachelijk niveau getild in het geval van ene Xue, die was afgestudeerd na zijn keizerlijke examens te hebben gehaald, maar nog geen benoeming aan het hof had gekregen. Hij benaderde Zhang Changyi, een broer van de befaamde twee en bood hem anderhalve kilo goud om het pad te effenen. Changyi ging ermee akkoord en gaf de ambtenarencommissie opdracht de man een baan te geven, maar was zo weinig geïnteresseerd, dat hij vergat wie hem had omgekocht. De vice-voorzitter van de commissie vroeg om opheldering, maar alles wat de minister zich nog kon herinneren was de achternaam van de nieuwbenoemde, waarvan er zestig op de lijst van nieuw afgestudeerden voorkwamen. Aangezien de vice-voorzitter geen zin had om de woede van de Zhangs over zich heen te krijgen, benoemde hij hen allemaal.

Iemand had het op de Zhang-broers gemunt. Zolang ze de keizerin blij maakten, waren ze betrekkelijk veilig, maar zodra ze hun macht over haar uitbuitten, maakten ze nieuwe vijanden. Pogingen van de broers om hun corruptie te verdoezelen leidden aan het hof een aantal malen tot een onrechtmatige dood, wat een onbekende graffitiartiest ertoe bracht om de tekst 'Hoelang blijft het spinnenweb heel?' op de muur van Zhang Changyi's villa te schilderen. De woorden werden er een aantal malen afgeschrobd, maar verschenen telkens weer, totdat Changyi er een sarcastisch antwoord bij kalkte: 'Zelfs één dag is genoeg.'[11]

De manier waarop Wu de Zhangs voortrok, zou tot de ondergang van een aantal van haar eigen kleinkinderen leiden. Ironisch genoeg verenigde het zelfs de rivaliserende Li- en Wu-clans. Nu alle hoop op het erven van Wu's troon was vervlogen, vielen de neven terug op familiebanden. Daar waar de keizerlijke erfgenaam Zhongzong zich gedeisd hield, was zijn lankmoedige vrouw een relatie begonnen met Wu's neef. Twee van Zhongzongs dochters waren met achterneven van de keizerin getrouwd, hetgeen de voormalige rivalen verbond in hun zorgen over de groeiende invloed van de Zhangs.

Ondertussen was de sfeer tussen Zhongzongs kinderen niet best. Een aantal had om onduidelijke redenen ruzie met elkaar – waarschijnlijk omdat Zhongzongs oudste, Chongfu, slechts de zoon van een concubine was en om die reden werd gepasseerd in de volgorde van opvolging door zijn halfbroer prins Yide. Wetende dat hij met gangbare methodes niets zou bereiken, knoopte de opzijgeschoven Chongfu vriendschappelijke betrekkingen aan met de Zhangs en liet hen weten dat zijn halfbroer prins Yide, prinses Yongtai en zwager Wu Yanji onder elkaar bitter klaagden over de groeiende macht van keizerin Wu's aantrekkelijke jonge jongens.

Of Chongfu had meer belastend bewijs dan de onbeduidende roddels die we in de kronieken vinden, of Wu had op haar oude dag haar geduld verloren. Zelfs als je het belastende materiaal dat door haar vijanden over Wu is geschreven grotendeels gelooft, lijkt haar reactie onmenselijk. Hoewel het nog tieners waren, werden prinses Yongtai en prins Yide gedood. Inscripties op hun graftomben vertellen halfhartige leugens over dood bij geboorte en door ziekte, terwijl beiden in werkelijkheid werden doodgegeseld, waarschijnlijk met Wu's instemming. Yongtai's echtgenoot kreeg het bevel zich op te hangen.

Macht aan het Tang-hof was verslavend. Aangezien Wu had verkozen om jaar na jaar vast te blijven houden aan haar status en haar zonen en neven prijs stelden op hun luxe en het bezit daarvan nastreefden, begonnen de Zhangs zich af te vragen wat er zou gebeuren na de onvermijdelijke dood van hun weldoenster. Een wildplakcampagne beschuldigde hen van samenzwering tegen de troon. Deze anonieme aanval werd uiteindelijk onderbouwd door een ambtenaar die beweerde te hebben gehoord dat een van de Zhangs ideeën had die zijn positie te boven gingen. Hij zou met een waarzegger hebben gesproken, die hem had verteld dat zijn gezicht hem in de toekomst een keizerlijke status voorspelde, als hij tenminste opdracht zou geven voor de bouw van een boeddhistische tempel op een bepaalde locatie. Toen dit tempelproject van start ging vreesden de hovelingen het ergste.

Er werden verschillende pogingen ondernomen om de autoriteit van de Zhangs te ondermijnen, maar Wu wilde geen slecht woord over haar jongens horen. Sommige confucianisten hebben hier wellicht de ironie van ingezien. Precies zoals Confucius eens had gewaarschuwd tegen de onwelkome invloed van de vrouwelijke sekspartners van een keizer, zo leek het dat de mannelijke sekspartners van een keizerin dezelfde problemen konden opleveren bij het leiden van een regering. De invloed van de Zhangs maakte Wu belachelijk – al was er dan niemand die durfde te lachen. Een loyale minister deed een aantal pogingen om haar aandacht te vestigen op de schade die in haar naam werd veroorzaakt; hij werd als dank uit de hoofdstad verbannen. Toen collega's van het hof hem opzochten om hem sterkte te wensen, beval Wu in eerste instantie hun executie. Een bedeesde hoveling legde vervolgens uit dat de minister nergens van beschuldigd was en alleen op Wu's bevel de hoofdstad verliet en dat Wu nu de mensen wilde doden die hem uit wilden zwaaien.

De keizerin liet zich vermurwen, maar de schade was al aangebracht. Een volgende zaak tegen een van de Zhangs had succes, maar de keizerin veegde het van tafel door de jongen na zijn veroordeling amnestie te verlenen. De Zhangs waren onaantastbaar, met wettelijke middelen althans.

TWAALF

Het Paleis van de Dageraad

In de herfst van 704 werd keizerin Wu ziek. Te zwak om regeringsbijeen-komsten bij te wonen, verdween ze voor twee maanden uit het openba-re leven, verzorgd door niemand anders dan haar twee favoriete broers, de Zhangs. Zelfs haar eigen zonen mochten haar niet zien, wat ertoe leidde dat men aan het hof het ergste vermoedde.

De ondergang van de broeders Zhang werd geregisseerd door Wu's nieuwe eerste minister, Zhang Jianzhi (geen familie), een van de laatste benoemingen van rechter Tie voor zijn dood. Hoewel hij al in de tachtig was, verzilverde Jianzhi alle uitstaande gunsten en omringde zich met hem toegenegen ambtenaren en soldaten. Als er iets moest worden onder-nomen, moest het snel gebeuren en met de instemming van de keizerlijke opvolger. Het minste gerucht over een revolutie zou ertoe kunnen leiden dat provinciale militaire garnizoenen – waarvan velen onder bevel van le-den van het geslacht Wu stonden – in opstand zouden komen.

Jianzhi vertelde zelfs zijn collega's niets over zijn plannen. In één geval haalde hij met een oud-collega slechts herinneringen op aan een gesprek dat ze ooit op een boot op de Yangtze hadden gevoerd, tijdens een over-plaatsing.

JIJ – GROOTBRENGEN [JONGEN]
Gedurende het bewind van Wu werd het woord voor 'jongen grootbrengen' veranderd
door karakters samen te voegen die 'verborgen geschiedenis met een staart' betekenden.

De bootreis was het enige moment dat ze er zeker van waren niet te worden afgeluisterd en Jianzhi drong er bij zijn collega op aan nooit te vergeten wat ze hadden besproken. Ofschoon de functionaris niet wist waar hij mee instemde, gaf hij zijn medewerking.

Een andere samenzweerder werd gevraagd vanwaar zijn loyaliteit stamde. Hij antwoordde dat zijn macht en positie afkomstig waren van de voormalige keizer Gaozong. Jianzhi vroeg hem wat hij ervan zou vinden als gewetenloze personen de kinderen van Gaozong kwaad zouden willen doen. De man antwoordde dat hij trouw was aan de staat en dat hij zich onder Jianzhi's bevel schaarde. Het idee van trouweloosheid aan keizerin Wu kwam niet ter sprake; de architecten van de revolutie zagen zichzelf slechts als de handhavers van Gaozongs wensen door te garanderen dat Zhongzong de volgende keizer zou zijn. Voor zover zij wisten waren de Zhangs hun eigen complot aan het beramen, een vervalst keizerlijk testament, of wellicht een proclamatie dat een van Wu's neven de nieuw benoemde opvolger was, en ze waren niet bereid dat risico te lopen.

Op de vastgestelde avond, 20 februari 705, arriveerden de samenzweerders bij het paleis van Zhongzong, de keizerlijke erfgenaam. Ze deelden hem mee dat honderden soldaten klaarstonden om Wu's residentie binnen te vallen en met de Zhangs af te rekenen. Zhongzong bewees onmiddellijk de nutteloosheid die zijn hele politieke carrière had getekend, door te vragen of dit wel de juiste beslissing was. Hij wist dat er een plan in de maak was en had het stilzwijgend goedgekeurd, maar nu het moment daar was, met soldaten die al onderweg waren en agenten die niet meer konden worden teruggeroepen, vroeg hij of het niet mogelijk was om de revolutie een poosje uit te stellen.

'Hare Majesteit voelt zich niet goed,' zei hij stuntelig, 'en we moeten haar niet aan het schrikken maken.'

Het was voor de samenzweerders simpelweg onmogelijk om de aanval af te blazen; Zhongzong vroeg feitelijk aan iedereen die zich nog niet had gecompromitteerd om de zaak af te blazen, naar huis te gaan en iedereen die al onderweg was aan zijn lot over te laten. Uiteindelijk werd de impasse doorbroken door ene Li Zhan, een minister die een gladde tong had geërfd van zijn vader, de beruchte Li 'Glimlachend Zwaard' Yifu.

Liegend tot hij barstte, meldde hij Zhongzong dat als hij dit voor elkaar wilde krijgen, hij persoonlijk naar het paleis moest rijden om de coup een halt toe te roepen. Dit sprak de kroonprins duidelijk wel aan, hij zag dit waarschijnlijk als de ideale kans om van twee walletjes te eten – hij zou deel uitmaken van de opstand, maar eventueel overlevende vijanden zouden zien dat hij had geprobeerd om de coup tegen te houden. Wat Zhongzong niet wist, was dat zijn aanwezigheid het startsein was – veel van de samenzweerders hadden hun medewerking slechts toegezegd als ze het bewijs kregen dat ze het deden voor de keizerlijke erfgenaam en niet voor de zoveelste samenzwering.

Zodra men Zhongzong aan zag komen gingen de soldaten tot actie over. Ze braken de poort naar Wu's paleis open en haastten zich naar binnen. Wu's wachters werden vastgebonden, waarna de Zhangs naar de binnenplaats werden gesleept en onthoofd. Wu zelf verscheen vanuit haar slaapkamer, suffig van de slaap en verzwakt door haar ziekte. Ze zag haar oudst levende zoon in het licht van de fakkels en herkende de gezichten van haar ministers in de menigte.

'Dus jij was het,' zei ze, alsof ze nu eindelijk antwoord had op een vraag die haar allang had beziggehouden. 'De invallers hebben hun werk gedaan. Je kunt wel weer terug naar het oostelijke paleis.'[1]

Deze woorden geven aan dat ze nog steeds dacht dat ze de baas was – ondanks het feit dat haar favorieten voor haar neus waren terechtgesteld, was het nog steeds niet tot haar doorgedrongen dat Zhongzong niet naar zijn residentie zou terugkeren, aangezien hij op het punt stond om het einde van haar bewind af te kondigen. De revolutionairen bevonden zich in de bizarre situatie waarin ze hun missie met succes hadden uitgevoerd, hoewel Wu nog niet had begrepen dat ze was verslagen. Uiteindelijk moest een minister het aan haar uitleggen en naar het zich liet aanzien ook aan Zhongzong, die op het punt had gestaan om te gehoorzamen en naar huis te gaan. Nee, zei de minister, Zhongzong had nu de troon, zoals zijn overleden vader Gaozong het altijd had gewild, om de traditie van de keizerlijke familie voort te zetten: het huis Li.

Wu antwoordde met een aantal uitgelezen beledigingen aan het adres van haar oude medewerkers, waarbij ze vroeg wat hun vaders zouden denken van hun deelname aan zo'n moedige militaire operatie: bijna duizend soldaten die twee ongewapende jongens doodden op de binnenplaats van een paleis. Met achterlating van een aantal rode hoofden ging ze terug naar bed. Volgens een volksvertelling over de coup werden de lichamen van de Zhangs op straat gegooid, waar ondernemende burgers ze roosterden en opaten en beweerden dat ze naar lekker sappige varkens smaakten.[2]

Twee dagen later trad Wu formeel af. De dag daarna werd Zhongzong tot keizer gekroond en hij kondigde onmiddellijk een algemeen pardon af voor letterlijk iedereen behalve de nog levende Zhangs. Het is opvallend dat zelfs Wu's favoriet, prinses Taiping, tijdens de naweeën van de paleiscoup nieuw aanzien verwierf – klaarblijkelijk had ze ruzie gehad met de Zhangs over haar laatste minnaar en als gevolg daarvan de kant van de samenzweerders gekozen.

Slechts vier dagen na de paleismoorden verliet de voormalige keizerin Wu haar keizerlijke residentie en verruilde die voor het relatief afgelegen Paleis van de Dageraad, gelegen aan de westelijke rand van Luoyang, waar ze elke morgen de zon kon zien opkomen over de stad die eens haar had toebehoord. Als een symbool van het einde van meer dan vijf decennia onder haar invloed, was het een gespannen en emotionele dag – er wordt beweerd dat zelfs een van de voormalige samenzweerders huilde bij de aanblik van haar vertrek.

Gedurende de volgende maanden, waarin Wu langzaam achteruitging, bezocht haar zoon, de nieuwe keizer, haar eenmaal in de veertien dagen voor een audiëntie die voor beiden onplezierig was. Hij vertelde haar over zijn laatste beslissingen, waarbij zij hem uitlachte en hem vertelde dat het allemaal fout zou gaan. Wu mocht dan door haar eigen hovelingen zijn afgezet, zelfs de vele zuiveringen die zij had uitgevoerd hadden niet geleid tot de volledige uitbanning van vijandschap binnen de heersende familie.

Kort voor haar dood bracht Wu haar zaken op orde. Ze schreef een testament waarin ze haar goddelijke status herriep en zelfs de postume titel *huangdi* afwees. In plaats daarvan gaf ze er de voorkeur aan bij haar geliefde Gaozong te worden begraven en niet te worden herinnerd als Wu de levende godheid, zelfs niet als Wu de vrouwelijke keizer, maar simpelweg als Gaozongs trouwe echtgenote. Voor het geval het haar in het hiernamaals iets zou helpen, verleende ze ook nog gratie aan een aantal personen die ze kwaad had gedaan – onder wie verscheidene ministers en de twee vrouwen die ze de ledematen had laten afsnijden en daarna had laten verdrinken.

Wu's lijst van mensen die zij meende kwaad te hebben gedaan was aanmerkelijk korter dan men zou verwachten. In de hoop aan vergelding in het hiernamaals te ontkomen, beperkte ze haar eigen slachtofferlijst tot de twee concubines en een handjevol hovelingen van wie ze nu geloofde dat ze hun executies onterecht had bekrachtigd. Er was geen vermelding van de dochter die ze zou hebben gewurgd. Evenmin zocht Wu naar vergeving voor de zuster die ze vergiftigd zou kunnen hebben, of de nicht die tijdens een familiediner voor haar ogen stikkend in elkaar zakte. Er werd ook weinig gemeld over de tientallen leden van de keizerlijke familie die gedurende Wu's regime de dood hadden gevonden, beschuldigd van samenzwering en gedwongen te kiezen tussen zelfmoord of een vrijwel zekere dood in barre, door ziektes geplaagde oorden als Hanoi of Hainan.[3]

Betekent dit dat Wu niet schuldig was aan de misdaden die latere generaties haar in de schoenen schoven? Gedurende haar laatste dagen, met naar men mag aannemen niets te verliezen, scheen ze niet het idee te hebben dat ze verantwoordelijk was. Anderen mogen in haar naam vreselijke misdaden hebben gepleegd, maar haar lijst van berouw was opmerkelijk kort.

De historicus die keizerin Wu bespreekt is soms geneigd te denken dat hij begint te klinken als iemand die de holocaust ontkent. Wu geloofde dat, hoewel ze indirect verantwoordelijk kon zijn geweest voor de dood van duizenden bij grensconflicten en hongersnood, dit nu eenmaal deel uitmaakte van elke politieke carrière. En als ze de gelegenheid heeft om vergeving te vragen, lijkt ze slechts verantwoordelijkheid te willen dragen voor een handjevol zaken. Is dit een teken van de zelfmisleiding die haar op haar oude dag schijnt te hebben verward, of geloofde ze dit altijd al?

Wu heeft ongetwijfeld fouten gemaakt. Het valt niet te ontkennen dat ze een genadeloze ambitie had; toen ze gedwongen werd te kiezen tussen een leven van feitelijke gevangenschap in een afgelegen klooster en de weelde en afleiding van het leven als de alleenheerser over de hele wereld, was haar keuze snel gemaakt en deed ze wat ze dacht te moeten doen. Een leven was weinig waard aan het Tang-hof en er is geen enkele reden om aan te nemen dat Wu's leven voor haar vijanden een hogere prijs had. Was het doden of gedood worden? In sommige gevallen wel, ja.

Als we haar met een mes naar Shangguan Wan'er zien uithalen, zien we tevens de bevestiging van iets anders. De geboorte van de Tang-dynastie mag dan te vuur en te zwaard zijn bevochten, het bedaarde leven aan het

keizerlijk paleis was verre van veilig. Een klimaat van voortdurende span-
ning, kwetsbare gedragsregels en ijskoude samenzweringen brachten een
keizerlijke familie voort die net zo genadeloos was als zij. Nergens is dit
meer duidelijk dan in de zeven jaar na haar dood.

In plaats van terug te keren naar een harmonieus bestaan, ging het leven in het paleis op de oude voet verder, compleet met vergiftiging, moord
en executie. Kort na de dood van keizerin Wu hadden haar nabestaanden
elkaar zo goed als uitgeroeid. Zhongzongs vrouw, keizerin Wei, zette haar
verhouding met Wu's neef Sansi voort en regelde het huwelijk tussen zijn
zoon en haar dochter prinses Anle.[4] Geïnspireerd door het voorbeeld van
keizerin Wu, hoopten Wei en haar dochter een vrouwelijke overname te
bewerkstelligen, maar deden dit door bij hun mannen aan te dringen voor
hen te handelen. Het resultaat was een impasse aan het paleis tussen de ge-
wapende aanhangers van keizer Zhongzong en diens zoon – deze laatste
werd uiteindelijk vermoord door zijn mannen. Prinses Anle had er veel
plezier in om zijn hoofd naar hun tombe te brengen en aan de geesten van
haar man en schoonvader te laten zien, die tijdens de onlusten waren gedood. Daarna haastte ze zich om met Yanxiu, de neef van haar overleden
man, te trouwen, met wie ze al enige tijd een verhouding had – hij was dezelfde man die ooit naar de Turken werd gestuurd als bruidegom voor Qapagans dochter, en hij vermaakte Anle kennelijk met de exotische dansen
en de Turkse liedjes die hij gedurende de jaren van zijn gevangenschap
had geleerd.

In 710, vijf jaar na de dood van keizerin Wu, plande haar dochter Taiping een coup, gebruikmakend van Xuanzong, de derde zoon van voormalig keizer Ruizong. In de hoop haar voor te zijn, organiseerden keizerin
Wei en prinses Anle hun eigen coup, vergiftigden de ongelukkige Zhongzong en plaatsten zijn vijftienjarige zoon Chongmao op de troon terwijl
ze hun *werkelijke* overname planden – hetgeen de installatie van prinses
Anle moest zijn als China's tweede vrouwelijke heerser, in navolging van
keizerin Wu.

Prinses Taiping doorzag het plan en ging tot actie over. Tijdens een herhaling van de paleisrevolte die vele jaren geleden tot het bewind van Gaozong had geleid, vochten twee takken van de familie hun geschil uit op het
terrein van de keizerlijke residentie. Prinses Anle deed er nogal lang over
om te vluchten en werd onthoofd terwijl ze voor de spiegel haar ogen op-

maakte. Shangguan Wan'er, het wonderkind met het litteken, die een machtige minister voor zowel keizerin Wu als keizer Zhongzong was geweest, bood de rebellen een voorlopig decreet aan dat hen steunde, maar werd door Ruizongs zoon Xuanzong neergesabeld voordat ze hun zijde kon kiezen. Het was prinses Taiping zelf die laat in juli 710 de ongekroonde keizer Chongmao van de troon sleepte en regelde dat deze ten tweeden male aan Ruizong werd aanboden.

Ruizong accepteerde het aanbod met grote tegenzin – hij was nu over de veertig en had zijn hele leven doorgebracht als stroman of gevangene van keizerin Wu. Hij was zeker niet van plan de rest van zijn dagen te slijten onder de duim van haar dochter.

Hij kreeg zijn wraak door middel van een nieuw en vernieuwend wapen. Hij deed afstand van de troon, maar niet voordat hij resoluut zijn derde zoon Xuanzong als zijn opvolger had aangewezen. Toen Taiping haar medestanders verzamelde om hem af te zetten, werden ze door Xuanzong verrast, waarbij verscheidene hooggeplaatste militairen die haar steunden, werden gedood. Taiping vluchtte naar een boeddhistisch klooster, maar keerde terug toen ze inzag dat ze was verslagen. Ze kreeg toestemming om een einde aan haar leven te maken.

Eindelijk zat er dus een kleinzoon van Gaozong op de troon, een die bovendien een aantal karaktertrekken van zijn overgrootvader Taizong leek te hebben. Zijn oudere broers hadden afstand van hun recht op de troon gedaan door te verklaren dat Xuanzongs actieve deelname aan de coup het bewijs was van zijn verlangen en recht om de volgende keizer te worden.

De Tang-dynastie zou nog tweehonderd jaar voortduren, totdat Chang'an, ooit de belangrijkste stad van de wereld, was afgebroken, ontruimd en verlaten voor een nieuwe hoofdstad ver naar het oosten.

En hoe werd Wu door haar familie behandeld bij haar begrafenis? Volgden ze haar wensen en werd ze bijgezet met een karige ceremonie en minimale grafgiften? Of handelden ze zoals trouwe nakomelingen al duizend jaar hadden gehandeld en trotseerden ze de matriarch van de familie in een daad van goedhartige overmoed, door haar met een grootse ceremonie en ongekende rijkdommen te begraven?

De tombe van Wu moet nog worden geopend – het zou een soort anticlimax zijn als zou blijken dat die zo kaal en leeg is als de gedenksteen die er voor staat. Het lijkt waarschijnlijker dat de tombe schatten bevat van zowel Gaozong als zijn beruchte vrouw. Wat de gevoelens van de familie ook waren, het was niet waarschijnlijk dat ze het risico durfden lopen haar in het hiernamaals kwaad te maken.

Het bewind van Wu werd door de kroniekschrijvers opgetekend tijdens het bewind van Xuanzong. Ze baseerden hun archiefstukken op documentatie en verslagen van bijeenkomsten aan het hof, maar ook op herinneringen van degenen die haar hadden gekend. Om die reden is het waarschijnlijk niet verrassend dat het officiële archief van Wu's bewind haar in zo'n kwaad daglicht stelt, samengesteld door mannen die zich de fouten en uitspattingen van haar latere jaren herinnerden en nog steeds de pijn voelden van de onwaardige machtsstrijd tussen mindere vrouwen na haar dood. Maar als zelfs zij niet in staat waren haar te beoordelen, hoe zouden wij het dan kunnen? Dynastiearchieven kunnen verslag doen van historische gebeurtenissen, invasies, grootse ceremoniën en feesten, maar ze zeggen weinig over de minuten en de uren – de druk van maand na maand voortdurende hofintriges. Tachtig jaar lang klauwde Wu zich een weg vanuit het duister naar een machtspositie, omzeilde geweldige tegenslagen, zette de wet van een dynastie naar haar hand, behekste twee keizers en riep zich uit tot een levende godheid; dat alles in een maatschappij die eiste dat vrouwen machteloos en onzichtbaar zouden blijven.

Ze was waarschijnlijk verantwoordelijk voor de dood van vele anderen, hoewel we niet weten welke kwellingen ze moest verduren als Talent, verpleegster of machteloze pion in de intriges van een wanhopige keizerin. Ze bewees net zo intelligent, berekenend en, inderdaad, meedogenloos te zijn als haar mannelijke opponenten. Er zijn bewijzen dat ze een slechte, harteloze tiran was, maar bestaat er wel een ander soort? Was er werkelijk enig verschil tussen haar gedrag en dat van Taizong of Gaozong, die beiden als held werden gezien? Keizerin Wu was een vrouw en het blijft aanlokkelijk te geloven dat dit in de ogen van de kroniekschrijvers haar enige ware zonde was.

Appendix I: Andere verzinsels over Wu

De verzonnen avonturen van keizerin Wu begonnen met het werk van de veertiende-eeuwse schrijver Luo Guanzhong, wereldberoemd met *The Romance of the Three Kingdoms* en *The Water Margin*. Luo maakte Wu een belangrijk personage in zijn minder bekende werk *Investigations of the Sui-Tang Era* (*Sui-Tang Yanyi*). Dit zou later de basis vormen voor een serie romans met dezelfde naam door de twintigste-eeuwse Japanse schrijver Yoshiki Tanaka. Wu blijft een populair onderwerp in Japan en een van de bestsellerversies van haar verhaal, zelfs in haar geboorteland China, is een roman in meerdere delen van een andere Japanse schrijver, Momoyo Hara.

Rechter Tie, de magistraat die kort voor 690 het vertrouwen en respect van Wu won, werd het onderwerp in een serie Chinese detectiveverhalen die spelen gedurende de Ming dynastie. Sommige daarvan werden vertaald door Robert van Gulik, die tevens zijn eigen *Rechter Tie Mysteries* schreef, met Wu als een achtergrondfiguur. Verscheidene van Tie's latere zaken zijn verbonden met de intriges van de 'gruwelbeambten' en de machtsstrijd tussen de families Wu en Li, hoewel andere historische elementen minder juist zijn. Van Gulik hield met opzet de met de Ming-dynastie verbonden anachronismen aan, zoals staartvlechten. Tientallen jaren na Van Guliks dood dook Tie op in de mysteries van de Franse schrijver Frédéric Lenormand. Hij speelt ook een belangrijke rol in de romans van Eleanor Cooney en Daniel Altieri: *Iron Empress* (1991) en *Deception: A Novel of Mystery and Madness in Ancient China* (1994).

De film van Fang Peilin uit 1938, *Wu Zetian: A Queen*, kiest als begin

Wu's terugkeer naar het paleis vanuit het Ganye-klooster. Het toont Gao-zong als een dikkige hansworst, die smoorverliefd is op Wu, maar zich makkelijk laat manipuleren door keizerin Wang. In deze film, die gemaakt werd in een tijd waarin het onmogelijk was om Wu's seksschandalen of - geschiedenis openlijk weer te geven, werd ze neergezet als een soort onschuldige die door haar omgeving tot extreme intriges werd gedreven. Bij de naamgevingsceremonie van haar eigen dochter wordt ze door Gaozong verlaten, terwijl het keerpunt in de film komt als Wu met gestrekte armen boven de wieg van haar pasgeboren dochter staat, als om haar te grijpen, hoewel de feitelijke wurging niet wordt getoond. Voortekenen verschijnen in de vorm van kunstmatige bliksem, die direct op filmbeelden van overtrekkende wolken is gekrast en het duurt niet lang voordat Gaozong wordt getroffen door zijn ziekte en Wu op de troon komt als zijn hoofdvrouw. Dit schijnt te moeten voldoen als samenvatting van haar overige intriges, want het verhaal maakt daarna een sprong naar Wu's nadagen. Rechter Tie, Xue Huaiyi en de gebroeders Zhang maken allen even hun opwachting, totdat Wu dreigende blikken van geesten in de vlammen van het brandende Paviljoen der Verlichting ziet, waarna ze op het moment van de coup bedroefd naar bed gaat en haar hofdames een gordijn voor het podium trekken, alsof het de buiging aan het eind van een theatervoorstelling betreft.

De roman *She Was the Emperor* (1951) van Keith West (waarvan wordt aangenomen dat het een pseudoniem is voor Kenneth Westmacott Lane) is een dappere poging om het aantal personages in Wu's leven tot een behapbaar niveau terug te brengen – zoals het aantal halfbroers reduceren tot één – al moet als gevolg daarvan de historische precisie hier en daar een veer laten. West geeft zijn bronnen niet prijs, maar de door hem gekozen latinisering van sommige namen geeft aan dat hij de beschikking had over materiaal dat was vertaald door iemand die Kantonees sprak, mogelijk een onbekend, in Hong Kong gepubliceerd werk. Dit levert een aantal interessante, achteloze aantekeningen op die nergens anders worden herhaald, zoals zijn overweging dat Wu niet op de loop ging met de Feng-Shan-ceremonie, maar deze terugbracht tot de man-vrouwsplitsing die in de oudheid had bestaan, totdat een legendarische keizer (die toevallig Wu heette) haar voor zichzelf had geclaimd en vanaf dat moment alle vrouwen had buitengesloten. Het boek van West is rijk aan poëtische citaten, hetgeen een redelijk beeld oproept van de gesprekken van de aristocratie in die tijd. De schrijver volhardt er echter in om veel van deze gedichten om te zetten in kreupelrijmen. Hij negeert ook uitdagend elke vorm van 'romance' tussen Gaozong en Wu – het begint met de dood van Taizong en Wu's daaropvolgende ballingschap en vermeldt dat de traditionele rouwperiode van drie jaar (feitelijk 25 maanden) is verstreken voordat Wu wordt teruggeroepen. In de hoop de positie van haar rivale Xiao Liangdi te ondergraven, wordt Wu vermomd met een pruik door keizerin Wang het paleis binnen gesmokkeld. Gaozong laat zijn irritatie blijken over de doorzichtige intriges van vrouwen, maar het weerhoudt hem er niet van om Wu op te dragen zich uit te kleden en toch maar bij hem in bed te stappen.

Het boek *Lady Wu: A True Story* (1957) van Lin Yutang is een van de historisch meest accurate weergaven van haar leven. Ik geloof dat het zijn vertaling is van zijn eigen *Nühuang Wu Zetian*. Geschreven tijdens het hoogtepunt van de koude oorlog en met een voorwoord van de schrijver, die Wu met Jozef Stalin vergelijkt, is het opgezet als een gedenkschrift over Wu, na haar dood geschreven door haar kleinzoon of achterneef de prins van Bin (672-741), zoon van de zelfmoordenaar prins Xian. Deze kunstgreep geeft de schrijver de mogelijkheid om veel dieper in te gaan op Wu's wreedheden – er is geen noodzaak om haar weer te geven als een sympathieke persoon en de schrijver laat dan ook tevreden een stroom van tegenbeschuldigingen de revue passeren, onderbouwd met grafieken en tabellen. Dit waren trouwens geen loze veronderstellingen – Lin was een professionele historicus en citeert in bijna elk geval direct uit bestaande geschiedkundige bronnen, wat maakt dat dit boek minder op een roman en meer op een docudrama lijkt. Hij introduceert tevens een aantal onbevestigde, maar intrigerende ideeën, zoals de suggestie dat Huaiyi op het idee kwam dat zij Maitreya was toen hij Wu naakt zag en uitriep dat haar dikke buik op die van de Lachende Boeddha leek. Aangezien hij echter zwaar leunt op wat door Wu's historici is geschreven, neemt hij ook hun negatieve houding over – het decennium dat op de publicatie van zijn boek volgde, zou de eerste pogingen zien om Wu voor het grote publiek te rehabiliteren.

De roman *I Am Heaven* (1973) van Jinsie Chun geeft de gevaren weer die je loopt als je Wu afschildert als de Chinese Assepoester, met een heldin die door een rancuneuze halfbroer wordt voorgedragen als dienstmeisje in het keizerlijk paleis, waar zij een leeg bestaan leidt en wordt gedwongen een miezerige, grimmige binnenplaats te delen met een mooipratende vriendin, wachtend tot ze de aandacht van de prins op het witte paard trekt. Chang'an, zoals Chun het beschrijft, is een plaats van tegenstellingen, waar overmatig vermaak aan het hof wordt opgevoerd voor een ongeïnteresseerde Taizong en waarvoor de hofdames moesten repeteren onder leiding van hardvochtige en streng straffende regisseurs. In de roman van Chung is Wu volkomen onschuldig – ze ontmoet Taizong nauwelijks en er is geen slaapkamerintrige of afspraak met Gaozong. In plaats daarvan hoort ze dat Taizong dood is, wordt naar het klooster gestuurd en daarmee bevrijd van elke onplezierige verbintenis die anders haar romantische relatie met Gaozong zou kunnen besmetten. Keizerin Wang speelt de rol van de lelijke stiefzuster die haar vervolgt om haar schoonheid en nadien om het dragen van een zoon. Dat is allemaal leuk en aardig, maar maakt de plotselinge omslag in haar karakter ten tijde van de dood van keizerin Wang en Xiao Liangdi niet erg geloofwaardig. De schrijver komt ook met nieuwe schandalen, beweert dat Wu's neef Minzhi 'in zonde leefde' met zijn grootmoeder en dat Wu een gepassioneerde verhouding had met haar dokter, om te voorkomen dat ze constant aan haar afwezige geliefde Xue Huaiyi moest denken die op een militaire veldtocht was. Bij zijn terugkeer steekt Huaiyi in een vlaag van verbolgenheid het Paviljoen der Verlichting in brand, omdat het leven terug in Luoyang saai lijkt na al het plezier dat hij had met het 'verkrachten van Mongoolse vrouwen'. Het resultaat is een onbedoeld tweeslachtig portret van de keizerin, als de heldin in een kasteelromannetje die op onverklaarbare wijze zo af en toe moordneigingen heeft. Op de juiste manier toegepast zou dit een interessante geromantiseerde manier zijn om de tegenstrijdigheden in het karakter van de historische Wu te verklaren, maar hier lijkt het alleen maar dwaas.

De film *Empress Wu* (*Wu Zetian*) van Li Han-hsiang uit 1960, met Li Lihua in de hoofdrol, begint met de aankomst van keizerin Wang bij het Ganye-klooster en haar plan om Wu terug te brengen naar het paleis om zodoende Gaozongs aandacht van de Pure Concubine af te leiden. En alsof Wu's leven nog meer schandalen en verwarring nodig had, komt de film ook met het nieuwe idee dat Gaozong en Wu al twee kinderen hadden terwijl Taizong nog leefde en dat werd beweerd dat het Helans kinderen waren, om geen gezichtsverlies te lijden. De film suggereert eveneens dat Wu's naam als non Ming Kong of 'Stralende Leegte' was en daarmee een inspiratie voor een van de karakters die ze in haar latere leven ontwierp. Andere afwijkingen van de geschiedenis, hoewel klein en vaak aannemelijk, omvatten dat keizerin Wangs hekserij direct verantwoordelijk was voor Gaozongs aanvallen van duizeligheid en de zelfmoord van Helan nadat Wu er achter komt dat ze Gaozong in het geheim ontmoet. Gaozong realiseert zich kort voor zijn dood welke fouten hij heeft gemaakt, als een van zijn zonen hem vertelt dat hij als kind Wu heeft geholpen om valse bewijzen in keizerin Wangs vertrekken te verstoppen, zonder zich te realiseren dat dit 'spel' tot Wangs dood zou leiden. De film brengt ook een volksliedje ten gehore dat in heel China wordt gezongen en volgens sommigen inhoudt dat Pei Yan was voorbestemd om de troon te erven en ertoe bijdraagt dat Wu hem verdenkt van betrokkenheid bij de rebellie van Li Jingye. De film vliegt door de gebeurtenissen tijdens de eerste veertig jaar van Wu's leven en vertraagt pas tot een acceptabel tempo bij het verhaal van Wu en Shangguan Wan'er – ongetwijfeld een vooroordeel van die periode, aangezien het ook een belangrijke rol speelt in een toneelstuk uit 1959 van Guo Moruo.

Veruit de vermakelijkste belichaming is de ATV-serie *Wu Zetian* uit 1984, met Petrina Fung in de hoofdrol. Hier begint de heldin als eenvoudig plattelandsmeisje, dat nog geniet van een laatste feestje op het platteland voordat ze als Talent naar Taizongs paleis wordt geroepen. Onderweg wordt ze opgewacht door huurmoordenaars die door Taizong zijn gestuurd om haar te doden voordat ze haar profetie kan waarmaken. In deze versie is Taizong zich er volledig van bewust dat Wu zijn dynastie omver kan werpen. Ze wordt gered door twee doldrieste zwaardvechters die haar naar het paleis escorteren en haar eeuwige trouw zweren, zelfs als ze moeten toezien hoe de deuren van het paleis zich achter haar eenzame gestalte sluiten. Gedurende de veertig afleveringen mist *Wu Zetian* nooit de gelegenheid voor acrobatische kungfugevechten – de homoseksuele 'Turkse' prins wordt ten tonele gevoerd te midden van een vechtsportsessie annex afspraakje met zijn minnaar, dat door de ongelukkige Wu wordt onderbroken als ze achter haar ontsnapte konijn aan zit. Ondertussen is Taizong vastbesloten om haar kwijt te raken en stuurt haar naar een klooster waar ze drie jaar soetra's voor de overleden keizerin Wende moet zingen. Na verdere belevenissen met haar dappere zwaardvechters als beschermers, komt het verhaal uiteindelijk knarsend op het historische pad terecht. Verveling komt aan het Tang-hof niet voor, men schuift regelmatig de politiek opzij voor dansscènes, acrobatiek of vechtsportdemonstraties. Gaozong en zijn makkers worden afgeschilderd als een stel bovenmenselijke krijgers, evenals Shangguan Wan'er, die uiteindelijk in het geheim trouwt met een van Wu's beschermers. Historische accuratesse is duidelijk geen sterk punt in deze versie, maar menig saai moment wordt opgeleukt door het middeleeuws Chinese equivalent van een aanval door ninja's. Deze serie werd later op de Britse televisie vertoond door de BBC.

De roman *Empress: A Novel* (1994) van Evelyn McCune bevat verscheidene unieke interpretaties van Wu's leven. Zelf een weduwe, concentreert McCune zich op Wu's liefhebbende relatie met Taizong, een gedesillusioneerde heerser, wiens leven nieuwe betekenis krijgt nadat hij voor haar valt. McCune verwerpt elke vorm van ongepastheid tussen Wu en Gaozong, maar handhaaft de beruchte 'regen en mist'-flirt, die ze afdoet als een grap in het bijzijn van Taizong. Na Taizongs dood omarmt Wu het leven in het klooster van Ganye, in de hoop ooit abdis te worden en keert slechts met grote tegenzin terug naar het hof als keizerin Wang haar dit opdraagt. Een romance met Gaozong volgt pas veel later, na een lange en platonische vriendschap. McCunes tekst oppert een aantal interessante ideeën, waarbij ze zich aan de historische verslagen houdt, maar deze verfraait met nieuwe mogelijkheden. Zo biedt ze de aanlokkelijke oplossing dat Wu's kort na de geboorte gestorven babydochter prematuur was, wat een verklaring zou zijn voor haar minieme overlevingskansen én de mogelijkheid dat Wu twee kinderen kreeg in hetzelfde kalenderjaar. Om haar hoofdpersoon menselijker af te schilderen schuift McCune de verantwoordelijkheid voor alle begane wandaden stevig op het bordje van anderen.

De CCTV-serie *Wu Zetian* uit 1995 besteedt ook veel aandacht aan historische nauwkeurigheid. Met Liu Xiaoqing in de hoofdrol begint het verhaal met de aankomst van Wu in Taizongs paleis, waar ze na de plezierige aandacht van aankleders en baders, trillend naar de kamers van de keizer wordt gebracht, waar hij haar vervolgens verkracht. Hoewel ze haar best doet om het zonder klagen te ondergaan, weet hij als ze elkaar de volgende keer ontmoeten niet eens wie ze is. Er wordt veel ophef gemaakt over de eentonigheid van het hofleven en de rivaliteit onder de concubines, die vaker als schoonmaaksters dan als gemalin worden weergegeven. Men dient zijn ongeloof enigszins te vergeten – waar de eerdere films Wu neerzetten als in de twintig, verwacht men bij deze versie dat het publiek niet weet dat ze bij haar aankomst een jonge tiener was. Wu wordt voorgesteld als een deugdzame heldin (wie wil er tenslotte dertig afleveringen lang naar een sluw kreng van een wijf kijken?), die diepbedroefd is over de minachtende manier waarop Taizong haar als niet meer dan een bedwarmer behandelt, maar met haar charme en gevatheid al snel de meisjes in het paleis aan haar kant krijgt. Vroege afleveringen laten een leven aan het paleis zien dat bijna lijkt op een modern bedrijfsdrama, waar de geüniformeerde hofdames overdag vegen en stoffen, ruziemaken en 's avonds hun bed in kruipen in de hoop dat ze naar de slaapkamer van hun keizerlijke meester worden ontboden. Ondertussen ontwikkelt kroonprins Gaozong, met frisse snuit en gekleed in onberispelijke witte gewaden, binnen de kortste keren een hevige verliefdheid die Wu als keurige confuciaanse concubine plichtmatig probeert af te wimpelen. Pas bij de dood van Taizong realiseert Wu zich dat ze zich tegen haar lot moet verzetten – de verbanning naar het klooster heeft veel weg van een militaire operatie, terwijl Gaozongs hofhouding de leefruimten van zijn vaders regime inneemt, Wu en de overige vrouwen van lage rang door anonieme wachters worden weggesleept om te worden kaalgeschoren en opgesloten in het klooster. Met een totaaltijd die tienmaal langer was dan die van een gemiddelde speelfilm, kon de tv-serie zich veel meer verdiepen in bijkomende details uit Wu's leven. Haar tijd in het klooster wordt weergegeven als een vuurdoop, waarin Wu kwellingen en vervolging (plus een poging tot lesbische aanranding) moet doorstaan van verbitterde, haatdragende nonnen en mede-novices. Uiteindelijk realiseert ze zich dat de rest van haar leven er zo uit zal zien, tenzij ze op de een of andere manier de aandacht van Gaozong weet te trekken en weer terugkeert naar het paleis.

De tv-serie *Palace of Desire* (*Da Ming Gong Ci*) uit 1998 met Gui Yalei als Wu, kiest een heel ander uitgangspunt, door de standaardweergaven van Wu's leven los te laten en de aandacht te richten op haar latere jaren. Het begint met Wu, op bovennatuurlijke wijze veertien maanden zwanger, die bang is dat het kind dat ze draagt de boze geest is van de dochter die ze heeft gewurgd. Wanneer ze hoort dat de Tang-dynastie de Turkse invallers heeft verslagen, bevalt ze eindelijk en de rest van de serie concentreert zich op haar relatie met haar favoriete kind Taiping, de Vredesprinses – in eerste instantie gespeeld door Zhou Xun en later door Chen Hong. Deze versie maakt Taiping het middelpunt van alle intriges, door haar te laten zien als de loyale dochter die haar moeder tegen ontelbare opstanden beschermt. Uiteindelijk wordt ze na Wu's dood zelf verraden als gevolg van de afgewezen incestueuze verlangens van haar eigen broer.

Allysa Chia speelde Wu in *Lady Wu (Zhizun Hongyan Wu Meiniang)* in 2003, een GTV-serie die de nadruk legde op Wu's vis-op-het-drogestatus tussen de edelen van China. In deze versie realiseert Taizong zich dat Wu de voorspelde *wu wang* kan zijn die zijn nalatenschap zal vernietigen en zijn familie vermoorden. Hij neemt zich voor haar te doden, maar komt daar uiteindelijk op terug als hij zich realiseert dat ze bij zijn dood naar een klooster zal worden gebracht, temeer daar hij weigert te geloven dat een vrouw ooit de noodzakelijke macht kan vergaren. De serie volgt Wu's leven zoals het in de geschiedenisboeken staat, maar legt constant de nadruk op hoe geliefd ze was bij het gewone volk. Haar tegenstanders worden afgeschilderd als verbitterde en jaloerse aanhangers van de Li-clan – een keizerlijke familie die weigert toe te geven dat Wu een betere heerser is dan om het even wie zij kunnen leveren. Wu keert in 2003 ook terug naar de opera van Beijing met de opera van Wu Rujun, *Wu Zetian*. Zoals in vele voorgaande dramatiseringen wordt ze afgespiegeld als de onschuldige, besmet door de onderdrukking van anderen. Ook hier is de centrale scène het verstikken van haar pasgeboren dochter, waar Wu wordt verscheurd tussen moederliefde en haar haat voor keizerin Wang.

Empress (Impératrice, 2003) van Shan Sa is de recentste roman over keizerin Wu. Het begint met Wu in haar moeders baarmoeder en doet verslag van een kindertijd vol kwellingen – haar vader is hevig teleurgesteld dat ze een meisje is en na zijn dood zijn haar halfbroers harteloos en oneerbiedig tegen Wu, haar moeder en haar zusters. Shan Sa's tekst valt op door de inbreng van openlijk lesbische elementen, waarbij Wu's vroegste periode in Taizongs paleis wordt bekeken vanuit een lesbische relatie met een andere concubine. De keizerin is in de voorstelling van Shan een schepsel van sensueel genot, verrukt over de aandacht van de Zhang-broers en kleine 'wonderen' zoals het krijgen van een nieuwe tand. Ze is ook een workaholic die vindt dat politiek en bestuur een betere manier zijn om ouderdom buiten de deur te houden dan medicijnen voor onsterfelijkheid die haar doktoren voorschrijven. Passend bij een verhaal dat voor Wu's geboorte begint, gaat het ook verder na haar dood, waar ze ten eerste met de intriges rond de opvolging wordt geconfronteerd en vervolgens op zoek gaat naar de plaatsen uit haar jeugd, die nu allemaal zijn ingenomen door fabrieken en krachtcentrales. Samenvattend stelt ze aan het eind: 'Met het voortschrijden van de tijd werd de waarheid onduidelijk en wortelde de leugen zich.'

In 2006, enige tijd voor het verschijnen van dit boek, werd er wederom een tv-serie met de titel *Wu Zetian* aangekondigd, geregisseerd door de beroemde Tsui Hark, met in de hoofdrol de 55-jarige Liu Xiaoqing, die de rol weer oppakt om ditmaal Wu in haar latere jaren te spelen.

Er deden tevens geruchten de ronde dat regisseur Xu Jinglei *Days in the Palace* weer zou oppakken, een filmproject dat ze eerder had afgebroken, maar waarvan ze nu vond dat het met Amerikaanse financiële steun weer kon worden hervat. Ondertussen had Zhang Yimou, een regisseur die al eerder vijf Chinese schrijvers ieder een boek over Wu had laten schrijven, er op gokkend dat één ervan geschikt zou zijn voor een film, eveneens aangekondigd dat hij in de startblokken stond om een speelfilm over Wu te maken met daarin Gong Li en Chow Yun-fat. Shan Sa, die *Empress* schreef, liet zich tijdens een interview in Korea ontvallen dat ze naar Japan was geweest om te praten over een op haar boek gebaseerd project, terwijl een televisiebedrijf in Londen met de ontwikkeling van een eigen tv-serie over Wu was begonnen, ditmaal met een 'educatieve' invalshoek. Het is opvallend dat het bovenstaande allemaal naar buiten kwam in de periode die dit boek nodig had om van manuscript tot drukproef te komen. Misschien dat geen van alle doorgaan, of sommige, of wellicht allemaal. Wat de waarheid over keizerin Wu ook is, haar leven doet vertellers over de hele wereld watertanden, zelfs 1300 jaar na haar dood.

Appendix II: Aantekeningen over namen

Chinese namen geven problemen voor de niet-deskundige lezer, in het bijzonder bij dit soort onderwerpen, waarin een tiental personen met de eenlettergrepige achternaam Li in een machtsstrijd verwikkeld zijn met een tiental leden van het geslacht Wu. Dienovereenkomstig heb ik het principe overgenomen dat door veel historici van China's keizerlijke periode wordt gehanteerd en verwijs ik naar keizers en keizerinnen met de namen waaronder ze in de kronieken van hun dynastie bekend zijn, zelfs als zulke titels hun postuum werden verleend. In sommige gevallen heb ik getracht onderscheid tussen verschillende personen aan te brengen door hun voornaam te gebruiken, zoals bij Xue Huaiyi. Ik riskeer een zekere vrijpostigheid door hem Huaiyi te noemen, maar voorkom in elk geval dat hij wordt verward met verscheidene andere Xue's.

Een opmerkelijke uitzondering is de hoofdpersoon van dit boek, Wu zelf, naar wie ik door het hele verhaal met haar achternaam heb verwezen. Het werd in het traditionele China onbeleefd geacht om een dame met haar voornaam aan te spreken, vandaar dat voornamen niet of nauwelijks zijn opgetekend. De dochter van Wu Shihou stond dus bij haar omgeving waarschijnlijk bekend als Vrouwe Wu. Maar met dank aan het verbod om de voornamen van keizers tijdens hun bewind te gebruiken, wordt het mogelijk erachter te komen wat Wu's voornaam kan zijn geweest, door de karakters onder de loep te nemen die de bevolking niet mocht gebruiken. De grootste kans maakt Zhao, wat 'helder' of 'stralend' betekent, ruwweg gelijk aan *Fotini* in het Grieks of *Claire* in het Frans. De moderne Franse schrijfster Shan Sa geeft de voorkeur aan *Lumière* (*Heavenlight* in de Engelse vertaling, ofwel Hemellicht) in haar boek *Impératrice* (*Empress*).

In Wu's dagen als dienares in het paleis van Taizong, kreeg ze van de keizer de bijnaam *Mei* – een combinatie van de karakters voor 'vrouw' en 'wenkbrauw' om te komen tot de term die letterlijk 'Flirtje' betekende, vandaar Verleidelijke Vleister Wu. Enkele verzonnen verslagen suggereren dat ze tijdens haar korte verblijf in het Ganye-klooster de naam *Ming Kong* (Stralende Leegte) gebruikte. Jaren later zou ze de karakters voor *Ming* en *Kong* combineren om tot het nieuwe woord *Zhao* te komen, dat ze gebruikte om haar voornaam te vervangen nadat ze tot keizerin was verheven. Als keizerin stond ze ook vaak bekend als *Wu Zetian* (Wu die de hemel volgt) en ze heerste als *Shengshen,* Heilige Godin. Postuum kende men haar als *Wuhou* (keizerin Wu), of *Zetian Shunsheng* (Wijze die de Hemel volgt).

ANDERE NAMEN DIE IN DIT BOEK VOORKOMEN

Anshi. In het Chinees *Anshi Cheng;* in het Koreaans *Ansi Song.*

Baiyan. In het Chinees *Baiyan Cheng;* in het Koreaans *Paekam Song.*

Chang'an. Letterlijk 'lange vrede'. De stad werd vaak Daxingcheng genoemd en kreeg officieel de naam Chang'an in 654, in een nagalm van de titel uit de oude Han-dynastie. Tegenwoordig bekend als Xi'an.

Gaozong. Zijn voornaam was prins Li Zhi. Zijn naam Gaozong, 'Hoge Voorouder', kreeg hij pas als keizer.

Getaande Vuist. *Quanmogua.* Letterlijk 'Vuist-Haar-Taan'. Een paard met zwarte lippen en geel haar, dat gedurende een slag in 622 negenmaal werd getroffen. De betekenis van 'vuisthaar' is moeilijk te bevatten – misschien was zijn naam in werkelijkheid wel zoiets als Klontje.

Gevlekte Leeuw. *Shizicong.* De naam van het paard combineert de karakters *shizi* (leeuw) met *cong,* een obscure term voor een kleur paard dat soms wordt vertaald als 'blauwschimmel'. Maar dit is een nogal moderne, Amerikaanse benaming – en aangezien Wu zelf het dier grijs noemt, heb ik voor het traditionelere 'gevlekt' gekozen.

Helan. Om precies te zijn was 'Vrouwe Helan' de naam van de *getrouwde* zuster van Wu. Haar feitelijke naam is onbekend. Haar meisjesnaam was Wu, net als die van haar zuster. Helan was ook de achternaam van haar kinderen, in dit boek Minzhi en Guochu genaamd.

Keizerin Wende. Haar achternaam was Zhansung (Ch'ang-sun), maar ze was beter bekend onder haar titel Wende (Wen'te), 'Beschaafd en Trouw'.

Oost Liao-fort. In het Chinees *Liaodong Cheng*; in het Koreaans *Ryotong-Song*.

Paarse Storm. *Saluzi*, wat de karakters voor 'het geluid van de wind' en 'dauw' of 'zweet' combineert, wellicht een verwijzing naar hinniken en de kleur paars of violet, mogelijk een paardenkleur die bekendstaat als 'blue dun' of *grulla*. Ik heb de verleiding weerstaan om de naam te vertalen als Paarse Snuiver, ook een mogelijkheid. Het paard werd gewond door een pijl in de borst tijdens een slag bij Henan in 620, maar een van Gaozongs generaals trok de pijl uit de wond en het paard vocht desondanks verder. In Fitzgeralds *Son of Heaven*, pp. 76-7, wordt als vertaling de voorkeur gegeven aan 'Vliegende Wind' (Rushing Wind).

Qapagan. De Chinezen noemden hem Mo Chuo (Mo Ch'üeh).

Qianjin. (Ch'ien Chin).

Rode Streep. *Shifachi*. Shifa betekent 'meerdere sneden'; *chi* is een soort rood, maar kan ook 'kaal' of 'naakt' betekenen. Aangezien wordt beweerd dat hij door vijf pijlen werd getroffen tijdens de slag bij de Hulao Pas (een bewering die verdacht veel lijkt op die van Zwartgevlekte, zie daar), kan dit slaan op zijn littekens, hoewel andere bronnen in China vermelden dat het haar van het paard rood was (d.w.z. kastanjebruin). Gezien het feit dat pijlwonden in veel Chinese teksten in veelvouden van vijf lijken voor te komen, ben ik geneigd te denken dat zulke aantallen een hoge mate van dichterlijke vrijheid kennen. Zie bijvoorbeeld de verwonding van Zhou Quanbin in mijn boek *Coxinga and the Fall of the Ming Dynasty*, p. 168, waarin ik nauwgezet nog een vijfvoudig salvo uit een Chinese kroniek vermeld.

Ruizong. Ruizongs voornaam was Li Dan (Li Tan). Hij werd later bekend als Ruizong, de 'Vooruitziende Voorvader'.

Taizong. Zijn voornaam was Li Shimin; hij kreeg de naam Taizong ('Opperste Voorvader') pas later.

(Rechter) Tie. Zijn voornaam was Di Renjie (Ti Jen-chie), maar ik heb gekozen voor de naam en spelling waaronder hij in latere verhalen bekend werd.

Tripitaka. Zijn voornaam was Chen Yi of Chenhui, hoewel hij als monnik de naam Xuanzang aannam. Sanzang, of 'Drie Manden', was een aanspreektitel voor een monnik die werd geacht zich de drie canons van het boeddhisme eigen te hebben gemaakt. Er werd soms ook naar Xuanzang verwezen met deze beleefdheidstitel, in het buitenland beter bekend in de Sanskriet-versie, Tripitaka. Een geromantiseerde versie van Xuanzang komt voor in de Chinese roman *Reis naar het Westen*, bron van de meeste hedendaagse legenden over zijn mythische reisgenoot, de Apenkoning. In dit boek heb ik uitsluitend zijn titel gebruikt om hem aan te duiden, deels om zijn fictieve faam aan te geven, maar voornamelijk om verwarring met Wu's kleinzoon Xuan*zong* te voorkomen.

Witvoetige Raaf. *Baitiwu.* Letterlijk 'witgehoefde raaf', genoemd naar zijn zwarte haar en de witte vlammen op zijn vetlokken.

Xian. Voluit Li Xian (Li Hsien). Sommige bronnen verwijzen naar hem met de onorthodoxe spelling Li Hsian, in een poging hem te onderscheiden van een andere prins met dezelfde naam.

Xuanzong. Ook bekend als Li Longji (Li Lung-chi) of prins Xian. Xuanzong (Hsüan-tsung) of 'Wijze Voorvader' werd ook Ming Huang ('Stralende Keizer') genoemd. Na de intriges in de jaren direct na Wu's dood, regeerde hij tot 756.

Xue Huaiyi. (Hsüeh Huai-i) werd geboren als Feng Xiaobao, maar nam de achternaam Xue van prinses Taipings echtgenoot aan, in de bizarre adoptie met terugwerkende kracht die door Wu werd gebruikt om hem voor het publiek een acceptabeler imago te geven. Hij werd soms ook de abt van *Baima-si* genoemd (Witte Paard-klooster).

Yide. De voornaam van prins Yide was Li Chongrun (Li Ch'ong-jun).

Zhangsun Wuji. (Chang-sun Wu-chi).

Zhongzong. (Chung Tsung). Zijn voornaam was Li Zhe, in zijn jeugd was hij ook bekend als de prins van Ying. Zijn keizerlijke titel Zhongzong betekent 'Gematigde Voorvader'. Gedurende zijn jaren in ballingschap, 684-98, werd naar hem verwezen als de prins van Lu Ling.

Zwartgevlekte. *Qingzhui.* Qing is hier zwart, maar kan ook blauw en soms groen betekenen. Een *zhui* is een gevlekt paard. Volgens de museumteksten in de Tempel van Confucius in Xi'an raakte dit paard vijfmaal gewond in de slag bij de Hulao Pas – zie Rode Streep.

Zwoegende Held. *Teqinbiao.* *Teqin* is een 'erg harde werker', terwijl *biao* zoveel kan betekenen als een galop, of heldhaftig, of een geelwitte kleur, wat we nu een 'palomino' zouden noemen.

Appendix III: Chronologie

618	Stichting van de Tang-dynastie door een groep hertogen, ministers en burgers die hebben gerebelleerd tegen de Sui-dynastie.
620	Huwelijk van Wu Shihou en Vrouwe Yang, de ouders van Wu.
625 (mogelijk 623)	Geboorte van Wu.
626	Een schermutseling bij de Poort van de Donkere Strijder leidt tot de dood van de keizerlijke erfgenaam en zijn broer. In de nasleep hiervan wordt de zittende keizer 'aangemoedigd' om af te treden.
627	Kroning van Taizong tot keizer. Zijn vader, de teruggetreden keizer, gaat in afzondering.
628	Geboorte van de toekomstige keizer Gaozong.
629	Tripitaka sluipt China uit op zijn reis naar het Westen.
630	De Chinese generaal Li Jing behaalt een imponerende overwinning tegen de oostelijke Turken, die vrede brengt in de regio en een periode van Chinese welvaart inluidt.
635	Dood van de vader van keizer Taizong, de voormalige keizer Gaozu.
	Dood van Wu's vader, Wu Shihou.
636	Dood van keizerin Wende. Haar zoon Gaozong is acht jaar oud. De keizer geeft opdracht om basre-

liëfs van zijn zes favoriete paarden te maken voor de Poort van de Donkere Strijder; deze worden jaren later naar zijn tombe verplaatst.

638 (mogelijk 636) Wu wordt 'aan het hof ontboden' door keizer Taizong. Ze krijgt de bijnaam 'Verleidelijke Vleister Wu'.

639 Een gezantschap van Kashgar brengt geschenken voor Keizer Taizong, ; dit wordt gezien als een teken van hun nieuwe schatplicht.

Chinese, Koreaanse en Japanse annalen vermelden een 'opmerkelijk fonkelende ster' aan de hemel.

642 In Koguryo (Korea) vermoordt minister Yon Kaesomun de koning en grijpt de macht. Hij bereidt de invasie van twee koninkrijken in Zuid-Korea voor en legt ondertussen ongewenste belastingen op aan zijn onderdanen.

643 Ontmaskering van twee keizerlijke samenzweringen en daaruit voortvloeiende ongenade van prins Li Cheng-qian, 'De Turk', en verscheidene van zijn medeplichtigen.

644 Taizong verklaart Korea de oorlog, draagt de leiding over aan zijn ministers in Chang'an, terwijl hij naar Luoyang reist en zich daar bij de veldtocht voegt.

645 Taizong bereikt het Koreaanse front en brengt de zomer door met het belegeren van steden op het schiereiland Liaodong.

Tripitaka keert terug uit het Westen.

646 Tripitaka begint aan het samenstellen van zijn *Grote Tang Kroniek van het Westen*.

647 Kroonprins Gaozong geeft opdracht tot de restauratie van een Chang'an-tempel ter ere van zijn moeder, de overleden keizerin Wende. Het wordt de Tempel van de Grote Genade genoemd.

648 De planeet Venus verschijnt gedurende de dag voor langere perioden aan de hemel, hetgeen leidt tot de voorspelling dat een vrouw keizerlijke macht zal

verwerven en binnen veertig jaar het risico zal nemen de Tang-dynastie omver te werpen.

Een gezantschap van de 'Jiegu' uit het Westen arriveert, met rood haar en blauwe ogen.[1]

649 Taizong sterft na een langdurige ziekte. Hij wordt op zijn ziekbed verzorgd door zijn plichtsgetrouwe zoon de kroonprins en zijn verpleegster Wu. Gaozong wordt keizer en heeft moeite om zijn gevoelens voor zijn vaders 'weduwe' te onderdrukken.

Wang Xuande, een Chinese ambassadeur, wordt beroofd door Alanashun, de koning van Tinafuti in Noord-India. Hij vlucht naar Nepal, brengt een leger van 1200 Tibetanen en 7000 Nepalezen op de been en trekt vervolgens India binnen waar hij Alanashun verslaat, in het huidige Bihar.

650 Wu wordt samen met de andere haremvrouwen van de overleden keizer naar het klooster van Ganye gestuurd.

651 Wu keert terug naar het paleis als Gaozongs concubine.

652 De Grote Gans Pagode wordt toegevoegd aan de Tempel van de Grote Genade, als een brandvrije opslagruimte voor heilige rollen. Hij is oorspronkelijk vijf verdiepingen hoog, maar tegen het eind van haar bewind voegt Wu er nog vijf aan toe.

653 Wu bevalt van Gaozongs zoon, Li Hong.

Samenzwering van prinses Gaoyang en haar echtgenoot Fang Yi'ai – nadat dit is ontdekt, mogen ze zelfmoord plegen

654 Wu bevalt van een dochter, waarvan de tragische vroege dood in de schoenen van Gaozongs hoofdvrouw wordt geschoven.

Tang-diplomaten zenden een boodschap aan de Japanners, waarin ze hen opdracht geven om het koninkrijk van Paekche – het huidige Korea – aan te vallen. Als bondgenoot van Paekche negeert Japan de boodschap

655	Tijdens de naweeën van het schandaal over de dood van haar dochter en beschuldigingen van hekserij, neemt Wu de plaats van de keizerin over als Gaozongs hoofdvrouw.
	Dood van de keizerin en de Pure Concubine.
656	Wu's oudste zoon krijgt de status van kroonprins.
	Wu benoemt haar halfbroers op afgelegen posten.
	Wu bevalt van de toekomstige keizer Zhongzong, van wie ze oorspronkelijk had beloofd dat hij monnik zou worden. Tripitaka schenkt de zuigeling hoopvol religieuze verjaardagscadeaus.
657	Han Yuan en Lai Zhi vallen in ongenade en worden naar het verre zuiden verbannen. Een Keizerlijk decreet ontslaat boeddhistische en taoïstische geestelijken van hun plichten ten opzichte van hun ouders. Het hof verhuist naar Luoyang.
658	Dood van Chu Suiliang, een belangrijke tegenstander van Wu.
	Eind van effectief ministerieel verzet voor de eerstvolgende twintig jaar.
659	Zhangsun Wuji is betrokken bij het bibliothecarisschandaal en wordt verbannen naar een verre buitenpost.
660	Gaozong wordt getroffen door een onbekende ziekte, naar alle waarschijnlijkheid een beroerte. Wu begint hem met officiële zaken te 'helpen'.
661	Chinese invasie van Korea.
662	Wu bevalt van de toekomstige keizer Ruizong.
663	Chinese eenheden verslaan Japanse versterkingen in Korea.
	Een eenhoorn wordt geacht te zijn waargenomen in het zuiden – het voorteken van de op handen zijnde opstanding van een groot heerser.[2]
664	Wu bevalt van de Vredesprinses (Taiping), haar jongste kind.
	Ze raakt bijna haar positie kwijt als gevolg van haar

gesuggereerde betrokkenheid bij een complot van hekserij dat tegen Gaozong gericht zou zijn. Wellicht toevallig, sterft de vroegere kroonprins, geadopteerde zoon van oud-keizerin Wang, dat jaar in het verre zuiden.

In zijn laatste preek vertelt de beroemde pelgrim Tripitaka zijn volgelingen dat zij Maitreya dienen te aanbidden.

665   Vrede in Korea.

Wu's stiefbroer beledigt haar moeder aan een banket, hetgeen leidt tot de zuivering tegen haar halfbroers en hun zonen. Geboorte in gevangenschap van Shangguan Wan'er.

666   Het ultieme Feng-Shan-offer wordt uitgevoerd bij de berg Tai, hetgeen aangeeft dat het bewind van Gaozong het hoogtepunt in de Chinese geschiedenis is.

Wu's nicht Helan Guochu sterft stuiptrekkend na het eten van wat geacht wordt vergif te zijn.

667   Gaozong krijgt een tweede beroerte waarvan de gevolgen veel schadelijker en blijvender blijken te zijn dan die van de eerste.

669   Wu celebreert de voorstedelijk offerplechtigheid – de eerste keer dat dit door een vrouw wordt gedaan.

670   Dood van Wu's moeder, Vrouwe Yang.

Dood van Xu Jingcong.

Een aantal 'slechte voortekenen', waaronder een verschrikkelijke droogte, leidt ertoe dat Wu haar ontslag aanbiedt.

671   Dood van Li Zhi.

672   De eerste vrouw van Zhongzong, een dochter van prinses Changlo, sterft de hongerdood in de gevangenis – latere schrijvers beweren dat ze daar was opgesloten door Wu, die vreesde dat ze anders de amoureuze aandacht van Gaozong zou trekken.

China wordt getroffen door hongersnood.

673	China wordt getroffen door droogte.
674	Wu presenteert een aantal hervormingsvoorstellen, waaronder de uitbreiding van de rouwperiode voor een moeder tot dezelfde lengte als die voor een vader.
675	Plotselinge dood van Wu's oudste zoon, kroonprins Li Hong, op 23-jarige leeftijd. Vermoedelijk omdat hij inziet dat zijn gezondheid achteruitgaat, probeert Gaozong ministeriële instemming te krijgen voor de benoeming van Wu als regent, maar stuit op hevig verzet. Li Rengui krijgt na terugkeer uit Korea een hoge functie aan het hof. De eerste vrouw van Zhongzongs zoon sterft in de gevangenis, waarschijnlijk op bevel van Wu.
676	Kroniekschrijvers over de hele wereld vermelden laat in de zomer een enorme komeet aan de hemel.
677	Oorlog met Tibet. Vreemde lichten leiden tot de ontdekking door Chinese boeren van boeddhistische relikwieën op de toekomstige locatie van de Guangjai-tempel.
678	Het Chinese leger wordt verslagen door de Tibetanen bij Ching hai.
679	De nieuwe kroonprins, prins Li Xian, regelt de moord op een waarzegger die heeft verteld dat hij niet het gezicht van een keizer heeft.
680	Kroonprins Li Xian (Wu's neef, maar in alle documenten vermeld als haar zoon), wordt naar de provincies verbannen.
681	Bruiloft van Wu's dochter Taiping, de Vredesprinses. Hongersnood in China.
682	Geboorte van prins Li Chungrun (d.w.z. prins Yide). Overstromingen in Luoyang vernielen drie bruggen voor Wu's paleis. Er wordt melding gemaakt van vele duizenden doden in de regio.

	Droogte gedurende de zomer, gevolgd door een sprinkhanenplaag en de uitbraak van verscheidene epidemieën.
	Aardbeving in oktober
683	Dood van keizer Gaozong. Keizerin Wu wordt verondersteld al enige tijd in zijn naam te regeren.
	Plannen voor een tweede Feng-Shan-offer worden afgelast.
684	Wu's zoon, keizer Zhongzong, regeert zes weken, maar wordt afgezet en vervangen door zijn broer Ruizong. Rebellie van Li Jingye. Prins Li Xian pleegt zelfmoord in de provincie.
685	Geboorte van de toekomstige keizer Xuanzong – Wu's kleinzoon.
686	Xue Huaiyi begint meer invloed te krijgen aan het hof.
	Di Renjie (rechter Tie) is magistraat in Gansu.
687	Vervolging van Tang-loyalisten bereikt zijn hoogtepunt.
	Een boer beweert dat een van zijn kippen in een haan is veranderd.
688	Opstand van de Tang-prinsen.
	Bouw van het Paviljoen der Verlichting in Luoyang.
	Taipings eerste echtgenoot sterft in de gevangenis.
	Rechter Tie wordt ontslagen, maar kort daarna tot burgemeester van Fuzhou benoemd.
	Een gegraveerde steen met de 'voorspelling' van een Wijze Moeder der Mensheid wordt gevonden in de Luo.
689	Executie van de Tang-prinsen.
	Wu ontwerpt twaalf nieuwe karakters.
690	Wu zet haar zoon Ruizong af en benoemt zichzelf tot hoogste heerser van China.
	Taipings tweede huwelijk, met haar verre neef Wu Yuji.
691	Vervolgingen door Lai Chunchen.

	Bloemen bloeien laat in januari in het Shanglin-park – later wordt beweerd dat dit gebeurde bij keizerlijk decreet.
692 (mogelijk 693)	Vrijspraak van Di Renjie (rechter Tie).
693	Ruizongs vrouwen worden gedood na een aanklacht wegens hekserij. In de Tang-annalen wordt melding gemaakt van 'sneeuwval buiten het seizoen'.
695	Het Paviljoen der Verlichting wordt door brand vernield – vermoedelijk aangestoken door Xue Huaiyi. Dood van Xue Huaiyi. Wu verbiedt voor de tweede maal 'bijgelovige praktijken'. Wu voert een variant van het Feng-Shan-offer uit bij de berg Song in Henan. Het keizerrijk krijgt een jaar vrijstelling van belasting.
696	Ming Tang wordt herbouwd. Een tweede monument, een ruim dertig meter hoge ijzeren pilaar gekroond door een vuurbol, wordt voor Wu ontworpen en gebouwd door Mao Polo. Rechter Tie wordt benoemd tot burgemeester van Weizhou. Het slaafmeisje Shangguan Wan'er wordt Wu's tekstschrijver.
698	Zhongzong keert terug uit ballingschap en wordt voor de tweede maal kroonprins. Hij wordt benoemd tot legeraanvoerder van twee legers die met buitenlandse invallen moeten afrekenen. Zijn vice-commandant is rechter Tie.
699	Het ministerie van de Kraanvogel wordt in het leven geroepen.
700	Dood van rechter Tie.
701	Dood van prins Yide en prinses Yongtai. Het hof keert voor de eerste keer sinds jaren terug naar Chang'an.

705	Na het lynchen en de moord op de gebroeders Zhang wordt Wu afgezet door Zhang Jianzhi (geen familie – een door rechter Tie benoemde minister). Ze trekt zich terug in het Paleis van de Dageraad en overlijdt enige maanden later. Wu's zoon, keizer Zhongzong, keert terug op de troon.
710	Keizer Zhongzong wordt vergiftigd door zijn vrouw Wei, die korte tijd daarna sterft. Een vermeende opvolger wordt al snel afgezet door aanhangers van prinses Taiping, die haar broer Ruizong overhaalt om opnieuw de troon te bestijgen.
712	Geconfronteerd met de toenemende druk van prinses Taiping, verslaat Ruizong haar op de hem enig overgebleven manier, namelijk een tweede troonsafstand, maar niet voordat hij resoluut zijn zoon Xuanzong tot zijn opvolger heeft benoemd.

Bibliografie

(De Nederlandse vertaling tussen aanhalingstekens is slechts de vertaling van de Chinese titel – het wil niet zeggen dat het desbetreffende boek of geschrift in het Nederlands verkrijgbaar is, vert.)

Primaire Bronnen

Verwijzingen naar dynastiegeschiedenis, het *Oude Boek van Tang* (*Jiu Tang Shu – JTS*) en het *Nieuwe Boek van Tang* (*Xiu Tang Shu – XTS*), hebben betrekking op de onlineversies op www.hoolulu.com/zh/. Deze waardevolle archiefstukken over de tijd waarin Wu leefde, bevatten kronieken over regeringsperioden en biografieën over tal van personen. De meest relevante onderdelen zijn:

JTS 1	Gaozu (vader van Taizong, stichter van de Tang-dynastie)
JTS 2-3	Taizong
JTS 4-5	Gaozong
JTS 6	Keizerin Wu
JTS 7	Zhongzong en Ruizong
JTS 55-6	Keizerinnen en concubines
JTS 67	Li Jingye
JTS 69	Zhangsun Wuji
JTS 80	Minder belangrijke zonen van Taizong
JTS 86	Xu Jingcong (onder anderen)
JTS 90	Minder belangrijke zonen van Gaozong en Zhongzong

JTS 91	Pei Yan (onder anderen)
JTS 93	Rechter Tie (onder anderen)
XTS 1	Gaozu
XTS 2	Taizong
XTS 3	Gaozong
XTS 4	Keizerin Wu en Zhongzong
XTS 5	Ruizong en Xuanzong
XTS 89-90	Keizerinnen en concubines
XTS 92	Minder belangrijke zonen van Gaozu
XTS 93	Zonen van Taizong
XTS 94	Zonen van Gaozong
XTS 96	De levens van minder belangrijke prinsessen
XTS 204	Yuan Tian-gang (onder anderen)
XTS 209	'De gruwelbeambten'

Een andere waardevolle bron voor Wu is Sima Guang, *Comprehensive Mirror to Aid in Government* (*Zizhi Tongjian* – *ZT*), geschreven in de elfde eeuw. Het leven van Wu wordt behandeld in *ZT* 174-201, haar regeringsperiode als *huangdi* in *ZT* 202-8.

Secundaire Bronnen

Adshead, S., *T'ang China: The Rise of the East in World History*, Basingstoke, Palgrave Macmillan, 2004

Benn, C., *China's Golden Age: Everyday Life in the Tang Dynasty*, Oxford, Oxford University Press, 2002

Bingham, W., *The Foundation of the T'ang Dynasty: The Fall of Sui and Rise of T'ang: A Preliminary Survey*, New York, Octagon Books, 1970

Bullough, V., *Sexual Variance in Society and History*, Chicago, University of Chicago Press, 1976

Chang, K., en Haun Saussy, *Women Writers of Traditional China: An Anthology of Poetry and Criticism*, Stanford, Stanford University Press, 1999

Chen, A., *Tang Shiba Ling* ('*De Achttien Tang Tombes*'), Beijing, China Youth Press, 2001

Chen, H., *Yidai Nühuang* ('*Leven van een Keizerin*'), Shenyang, Liaoning People's Press, 2004

Chun, J., *I Am Heaven*, Philadelphia, Macrae Smith, 1973

Clements, J., *Confucius: A Biography*, Stroud, Sutton Publishing, 2004

——, *Coxinga and the Fall of the Ming Dynasty*, paperback edn., Stroud, Sutton Publishing, 2005

——, *A Brief History of the Vikings*, Londen, Robinson, 2005

——, *The First Emperor of China*, Stroud, Sutton Publishing, 2006

Devahuti, D., *The Unknown Hsüang-tsang*, Oxford, Oxford University Press, 2001

Dien, D., *Empress Wu Zetian in Fiction and in History: Female Defiance in Confucian China*, New York, Nova Science Publishers, 2003

Eckfeld, T., *Imperial Tombs in Tang China 618-907: The Politics of Paradise*, Abingdon, Routledge Curzon, 2005

Fitzgerald. C., *Son of Heaven: A Biography of Li Shih-Min, Founder of the T'ang Dynasty*, Cambridge, Cambridge University Press, 1933

——, *The T'ang Dynasty in Communist Historiography*, Ditchley Manor, Conference on Chinese Communist Historiography, 1964

——, *The Empress Wu*, Vancouver, University of British Columbia, 1968

Garnaut, A., 'Hui legends of the Companions of the Prophet', *China Heritage Newsletter*, nr. 5, 2005

Ge, X., *Wu Zetian Dadi ('Grote "Keizer" Wu Zetian')*, 2 dln., Beijing, Beijing Library Press, 2001

Gernet, J., *A History of Chinese Civilisation*, Cambridge, Cambridge University Press, 2e ed., 1982

Giles, H., *A Glossary of Reference on Subjects Connected with the Far East*, Londen, Curzon, 3e ed., 1900

Graff, D., *Medieval Chinese Warfare: 300-900*, Londen, Routledge, 2002

Guisso, R., *Wu Tse-T'ien and the Politics of Legitimation in T'ang China*, Bellingham, Western Washington University, 1978

Gulik, R. van, *Sexual Life in Ancient China: A Preliminary Survey of Chinese Sex and Society from ca. 1500 BC till 1644 AD*, Leiden, E.J. Brill, 1974

——, *Moord in Canton. Een Rechter Tie Mysterie*, Den Haag, Van Hoeve, 1964. Oorspr. titel: *Murder in Canton*

Guo, M., *Selected Works of Guo Moruo: Five Historical Plays*, Beijing, Foreign Languages Press, 1984

Hayashi, R., *The Silk Road and the Shosoin*, New York, Weatherhill, 1975

He, J., e.a., *Hair Fashions of Tang Dynasty Women*, Hong Kong, Hair and Beauty Co. Ltd., 1987

Hopkins, J., *Buddhist Advice for Living & Liberation: Nagarjuna's Precious Garland*, Ithaca, NY, Snow Lion Publications, 1998

Hu, J., *Wu Zetian Benzhuan ('Biografie van Wu Zetian')*, Xi'an, Sanqin Publishing, 1986

Kcgasawa, Y., *Sokuten Bukô ('De Keizerin Wu')*, Tokyo, Hakuteisha, 1995

Kronk, G., *Cometography: A Catalog of Comets, vol. 1, Ancient-1799*, Cambridge, Cambridge University Press, 1999

Legge, J., *The Sacred Books of Confucianism: The Texts of Confucianism, Part I. The Shu King, the Religious Portions of the Shih King, the Hsiao King*, Oxford, Clarendon Press, 1879

Levy, H., *Harem Favorites of an Illustrious Celestial*, Taichung, Chung T'ai Printing Company, 1958

Li, R., *Flowers in the Mirror*, vert. Lin Tai-yi, Londen, Arena, 1985

Li, T., *Wu Zetian*, Hong Kong, Won Yit Book Co., 1963

Lin, Y., *Lady Wu: A True Story*, Londen, William Heinemann, 1957

Matsumoto, N., *The Glory of the Court: Tang Dynasty Empress Wu and her Times*, Tokyo, Tokyo National Museum, 1999

Mooney, P., Maudsley, C., en Hatherly, G., *Xi'an, Shaanxi and the Terracotta Army*, Hong Kong, Odyssey Books and Guides, 2005

Paludan, A., *Chronicle of the Chinese Emperors: The Reign-by-Reign Record of the Rulers of Imperial China*, Londen, Thames & Hudson, 1998

Peng, S., *Wu Zetian Waizhuan ('Legenden over Keizerin Wu')*, Hong Kong, Boyi Publishing, 1983

Reed, C., *A Tang Miscellany: An Introduction to Youyang Zazu*, New York, Peter Lang, 2003

Schafer, E., *The Golden Peaches of Samarkand: A Study of T'ang Exotics*, Berkeley en Los Angeles, University of California Press, 1963

Shan, S., *Empress: A Novel*, New York, Regan Books, 2006

Shi, M., en Liang Fen, *Huosui, Suihuo: Baigong Wu Zetian Xilarui ('Beroering: Hillary R. Clinton – Keizerin Wu in het Witte Huis')*, Hong Kong, Ming Jing, 1996

Stone, C., *The Fountainhead of Chinese Erotica: The Lord of Perfect Satisfaction (Ruyijun zhuan)*, Honolulu, University of Hawaii Press, 2003

Waley, A., *The Real Tripitaka and Other Pieces*, Londen, George Allen & Unwin, 1952; herdruk Routledge, 2005

Wang, Z., *Ambassadors from the Isles of the Immortals: China-Japan Rela-*

tions in the Han-Tang Period, Honolulu, Association for Asian Studies and University of Hawaii Press, 2005

Wechsler, H., *Offerings of Jade and Silk: Ritual and Symbol in the Legitimation of the T'ang Dynasty*, New Haven, Yale University Press, 1985

Wright, A., en Denis Twitchett (red.), *Perspectives on the T'ang*, New Haven, Yale University Press, 1973

Wu, C., *Journey to the West*, vert. W.J.F. Jenner, 3 delen, Beijing, Foreign Languages Press, 1986

Wu, Q., *Female Rule in Chinese and English Literary Utopias*, Liverpool, Liverpool University Press, 1995

Xiong, V., *Sui-Tang Chang'an: A Study in the Urban History of Medieval China*, Ann Arbor, Center for Chinese Studies, University of Michigan, 2000

———, *Emperor Yang of the Sui Dynasty: His Life, Times and Legacy*, Albany, NY, State University of New York Press, 2006

Yan, Z., *Family Instructions for the Yen Clan*, Leiden, E.J. Brill, 1968

Zhang, Y., en Hu Ji, *Wu Zetian yu Qianling* (*'Wu Zetian en de Tombe van Qianling'*), Xi'an, Sanqin Publishing en de Empress Wu Research Society (Wu Zetian Yanjiu Hui), 1986

Zhao, K., *Tang Taizong Zhuan* (*'Biografie van Tang Taizong'*), Beijing, People's Press, 1984

Noten

Inleiding

1. Chen, *Tang Shiba Ling*, pp. 50-2. De plaatselijke bewoners noemen de heuvels *Naiton Shan* – letterlijk betekent dat de Tepel Bergen. Eckfeld, *Imperial Tombs in China*, p. 23, stelt dat de traditionele feniksen door struisvogels zijn vervangen als uiting van Wu's verstrekkende macht.

2. Guisso, *Wu Tse-T'ien and the Politics of Legitimation*, p. 2; aardig dat Zhongzong dat over zijn moeder zegt; vooral als je bedenkt dat ze zijn eerste vrouw had laten vermoorden, hem had beschuldigd van verraad en opdracht had gegeven zijn eerste twee kinderen te laten doden.

3. Wechsler, *Offerings of Jade and Silk*, p. 158, beweert dat de tweede gedenksteen bedoeld was als zwijgend eerbetoon aan Gaozong en dat hij op aandringen van Wu leeg was gelaten. Als we kijken naar andere tekenen van valse bescheidenheid onder de Tang-heersers, ligt het meer voor de hand dat Wu had verwacht dat haar rouwende familieleden de steen ondanks haar 'bevelen' met passende loftuitingen aan haar zouden wijden. Vele eeuwen na Wu's dood hebben tactloze bezoekers hun eigen inscripties in de ooit lege gedenksteen gekerfd.

4. Guisso, *Wu Tse-T'ien*, p. 9.

5. Van Gulik, *Sexual Life in Ancient China*, pp. 201-2.

6. Clements, *Confucius: A Biography*, p. 84.

7. Legge, *The Sacred Books of Confucianism*, pp. 302-3.

8. Yan, *Family Instructions for the Yen Clan*, p. 19, uit de inleiding door Deng Siyu.

9. Stone, *The Fountainhead of Chinese Erotica; Wu, Female Rule in Chinese and English Literary Utopias*, p. 85.

10. Lin, *Lady Wu*, p. 170.

11. Giles, *A Glossary of Reference*, p. 278.

12. Guisso, *Wu Tse-T'ien*, p. 6. Opmerkelijk genoeg wordt Wu in de biografie *Wu Zetian* van Li Tang, geschreven op het hoogtepunt van het communistische tijdperk, zo geprezen om haar politieke wapenfeiten, dat de auteur amper aandacht besteedt aan de schandalen.

Hoofdstuk Een

1. Toen ik de tombe begin 2006 bezocht, was deze zelfs zo bescheiden dat er niet eens elektriciteit was aangelegd. Nadat ik mijn entreegeld had afgedragen, moest ik mijn weg vinden met behulp van een zaklantaarn. Taizongs tombe lijkt nu mede zo bescheiden, doordat er gebruik is gemaakt van de natuurlijke eigenschappen van het terrein – er is geen opvallende grafheuvel, aangezien zijn graf in een bestaande berg is aangebracht. Tegen de tijd dat je bij de tombe aankomt, heb je al ruim een uur tegen de berg op gereden.

2. Zie bijvoorbeeld Wechsler, *Offerings of Jade and Silk*, p. 60, waarin Taizong het gunstige voorteken van een nest albino-eksters in de paleistuinen lachend als onzin afdoet.

3. Hier is het bijzonder lastig folklore van geschiedenis te scheiden. De roman van Wu Ch'eng-en, *Journey to the West*, deel 1, pp. 176-210, bevat een uitgebreid verslag dat nog het best kan worden gezien als een allegorische beschrijving van een oudere Taizong, die wordt geplaagd door nachtmerries en hallucinaties, waarna hij wegzakt in een coma en daar nauwelijks uit ontwaakt.

4. Het beroemdste moderne voorbeeld daarvan is waarschijnlijk Bruce Lee, die als kind Kleine Feniks werd genoemd en naar een meisjesschool werd gestuurd met een gaatje in een oor, naar verluidt om de aandacht van een kwade geest, die het op de eerstgeboren zonen van de familie Lee had voorzien, van de jonge Bruce af te leiden.

5. Fitzgerald, *Empress Wu*, p. 214.

6. Guisso, *Wu Tse-T'ien*, p. 43.

7. Deze datum staat ter discussie. *Sokuten Bukô* van Kegasawa, p. 10, vergelijkt aanwijzingen uit het verhaal over de voorspelling aan de wieg met die van een stenen plaat die in 1954 in Sichuan is opgegraven, en verwacht ook het nodige gezond verstand bij het beantwoorden van de vraag of Wu's moeder haar op haar 48ste nog had kunnen baren, laat staan haar jongere zus op haar 50ste. Om alles nog ingewikkelder te maken noemt het *Oude Boek van Tang* 623 als geboortejaar, terwijl het *Nieuwe Boek van Tang* de voorkeur geeft aan 625. Voor keizerin Wu maakt die marge van drie jaar weinig verschil: hoe we ook tellen, ze is hoe dan ook begin tachtig als ze overlijdt. Het is alleen relevant met betrekking tot de vraag hoe oud ze was toen ze naar het paleis kwam en naar verluidt betrekkingen met keizer Taizong onderhield. Het is immers moeilijk, maar niet ondenkbaar, je voor te stellen dat keizer Taizon seks had met een elfjarig meisje. Wu had echter tien jaar de tijd om zijn aandacht te trekken, dus misschien maakt haar leeftijd in dit opzicht evenmin veel verschil. We hoeven zelfs niet aan te nemen dat Wu überhaupt seks had met Taizong. Integendeel, als haar huwelijk met hem niet werd geconsummeerd, hadden Gaozong en zij des te meer reden zich niets van de traditie aan te trekken, aangezien ze dan alleen in naam 'incest' pleegden.

8. XTS 204, geciteerd in Kegasawa, *Sokuten Bukô*, p. 17.

9. Benn, *China's Golden Age*, p. 81. Het kuuroord zou beroemder worden in de tijd van Taizongs achterkleinzoon, keizer Xuanzong, toen zijn tragische romance met Yang Guifei zich daar afspeelde.

10. Ze bleven daar niet. Na zijn dood werden de reliëfs in zijn tombe geplaatst, waar moderne archeologen ze weer vandaan haalden. Ze bestaan nog steeds, al zijn er twee in stukken geslagen door schatzoekers zonder scrupules, om ze gemakkelijker naar Amerika te kunnen vervoeren.

11. Kegasawa, *Sokuten Bukô*, p. 99, hoewel Fitzgerald, *Empress Wu*, p. 13, stelt dat er geen zes maar negen dames van de tweede klasse zijn. Merk op dat de door mij beschreven structuur alleen betrekking heeft op het bewind van keizer Taizong. Andere Chinese heersers hielden er hun eigen systemen en benamingen op na, zodat de verschillende dynastieën in dat opzicht niet te vergelijken zijn.

12. *ZT* 178, geciteerd in Kegasawa, *Sokuten Bukô*, p. 100.
13. Fitzgerald, *Son of Heaven*, p. 174.
14. Idem, p. 184.

Hoofdstuk Twee

1. Kegasawa, *Sokuten Bukô*, pp. 124-8.
2. Graff, *Medieval Chinese Warfare*, pp. 195-6
3. Fitzgerald, *Son of Heaven*, p. 191.
4. *ZT* 198, geciteerd in idem, p. 196.
5. Idem.
6. Stone, *The Fountainhead of Chinese Erotica*, p. 204, n. 34. Xiong, *Emperor Yang of the Sui Dynasty*, pp. 29-30, 139. De grote leeftijdsverschillen tussen oudere en jongere vrouwen van rijke mannen, waardoor de jongere vrouwen vaak even oud waren als de zonen van de oudere, maakten zulke incestueuze bekoringen (ofwel *nei-luan*) tot een zeldzaam, maar steeds terugkerend element in de Chinese geschiedenis; zie bijv. Clements, *Coxinga and the Fall of the Ming Dynasty*, pp. 11, 233-4.
7. Fitzgerald, *Empress Wu*, p. 17; zijn Chinese bron is integraal afgedrukt op p. 248; Kegasawa, *Sokuten Bukô*, pp. 106-7. De langere variant komt uit *The Lord of Perfect Satisfaction* (*Ruyijan Zhuan*), in Stone, *The Fountainhead of Chinese Erotica*, p. 134 (Chinese tekst p. 162).
8. Zie ook Fitzgerald, *Empress Wu*, p. 17, waarin gewag wordt gemaakt van een latere beschuldiging dat zij de kroonprins verleidde terwijl hij 'zich omkleedde', een eufemisme zoals 'het toilet bezoeken'.
9. Stone, *The Fountainhead of Chinese Erotica*, pp. 134-5 (Chinese tekst p. 163).

Hoofdstuk Drie

1. Chang en Saussy, *Women Writers of Traditional China*, p. 47. Het Chinees vindt u in Stone, *The Fountainhead of Chinese Erotica*, p. 172.
2. Kegasawa, *Sokuten Bukô*, p. 110, geeft weer hoe Gaozong het paleis uit sloop om Wu in Ganye te bezoeken en impliceert dat dit meer dan eens plaatsvond. Fitzgerald, *Empress Wu*, pp. 18-19, stelt duidelijk dat keizer Gaozong de tempel van Ganye bezocht 'op de verjaardag' van keizer Taizongs dood, wat impliceert dat de geest van de overleden keizer op een of andere manier in verband werd gebracht met de tempel en dat Wu daar na zijn dood voor hem moest zorgen zoals ze tijdens zijn leven had gedaan.
3. Wu's zoon Li Hong werd geboren in 653. Voor de kinderen van concubines werden geen precieze data gegeven, alleen voor de kinderen die de keizer bij zijn echte vrouwen verwekte.
4. Kegasawa, *Sokuten Bukô*, pp. 109-10.
5. Laten we echter niet vergeten dat de geschiedenissen van de Tang door mannen zijn geschreven en dat het nogal handig uitkomt dat een ramp van dergelijke omvang aan een vrouw kon worden toegeschreven. De kans bestaat dat het Gaozongs eigen beslissing was, die later keizerin Wang in de schoenen is geschoven om hem vrij te pleiten van deze rampdaad.
6. Kegasawa, *Sokuten Bukô*, p. 118, wekt de indruk dat Wu al zwanger was toen ze aan het hof terugkeerde; Fitzgerald, *Empress Wu*, p. 20, stelt echter dat ze pas zwanger werd toen ze weer in het paleis woonde. Hoe het ook zij, haar identiteit was officieel bekend vanaf het moment dat haar zoon geboren werd.

7. Zhao-yi was een gebruikelijke naam voor iemand in de tweederangspositie. Voor Wu was het mogelijk des te toepasselijker aangezien Zhao (Helder/Lichtgevend) waarschijnlijk ook haar voornaam was.

8. Kegasawa, *Sokuten Bukô*, p. 118.

9. *ZT* 178, geciteerd in idem, p. 120.

10. Fitzgerald, *Empress Wu*, p. 22.

11. *ZT* 178.

12. Kegasawa, *Sokuten Bukô*, p. 134.

13. *JTS* 69, idem, p. 135.

14. *XTS* 76, *ZT* 178.

15. *ZT* 178, geciteerd in Fitzgerald, *Empress Wu*, p. 26.

16. *XTS* 89, geciteerd in Kegasawa, *Sokuten Bukô*, p. 140.

17. Idem, p. 103.

18. Idem, p. 143.

19. *ZT* 178.

20. De betekenis van het woord 'familie' wordt hier opgevat als hun ouders, broers, zussen en neven, maar niet hun kinderen. Xiao Liangdi had twee dochters bij Gaozong en zij werden ontheven uit hun rang en verscheidene jaren onder huisarrest gesteld, voordat Wu ze uithuwelijkte aan laaggeplaatste functionarissen.

21. *ZT* 178, geciteerd in Fitzgerald, *Empress Wu*, p. 29. Fitzgeralds vertaling is een leesbare vereenvoudiging van het oorspronkelijke decreet. Dat is geschreven in zulke bloemrijke taal, met zulke vage toespelingen, dat het bijna geen betekenis had zonder toelichting per regel. Zie voor een variant van *ZT* 200 ook Chen, *Yidai Nüwang*, p. 37.

Hoofdstuk Vier

1. Fitzgerald, *Empress Wu*, p. 30.

2. Guisso, *Wu Tse-t'ien*, p. 21.

3. *JTS* 51, geciteerd in Hu, *Wu Zetian*, p. 31; Kegasawa, *Sokuten Bukô*, p. 148. Fitzgerald, *Empress Wu*, p. 31, haalt soortgelijk material aan uit *XTS* 76, dat een biografie bevat van keizerin Wang. Van de niet-Chinese bronnen Kegasawa en Fitzgerald vertaalt de eerste Wu's scheldwoord als 'oude vrouw', de tweede als 'heksen'. 'Oude vrouw' is feitelijk een iets meer letterlijke vertaling van het oorspronkelijke Chinese scheldwoord *yu*. Dien, *Empress Wu Zetian in Fiction and in History*, p. 35, geeft de voorkeur aan 'oude wijven'.

Fitzgerald laat de ex-keizerin naar haar kwelgeest verwijzen als 'Wu Zhao', waarmee ze in strijd was met de etiquette door de vrouw van een keizer bij haar voornaam te noemen. Hoewel zo'n vergissing heel begrijpelijk is voor een vrouw die op het punt staat te worden terechtgesteld, staat er in de oorspronkelijke tekst 'Wu Zhaoyi' – d.w.z. Stralend Deugdzame Wu, Wu's officiële titel die toevallig hetzelfde karakter bevatte als haar echte naam. In boeken over dit onderwerp zijn de terechtstellingen door auteurs aanzienlijk verfraaid. Over de precieze omstandigheden van hun opsluiting en de manier waarop ze werden gestraft, wordt stevig gediscussieerd, vooral omdat hun uiteindelijke lot verdacht veel lijkt op dat van de twee rivales van de historische keizerin Lü uit de Han-dynastie. Met betrekking tot hun verminking hebben sommige auteurs geopperd dat hun handen en voeten werden gebroken, maar niet afgehakt. Sommige auteurs stellen dat ze zaten opgesloten in een cel, andere dat hun gevangenis een vrijstaand paviljoen was, maar in het Chinees is de *slang*-uitdrukking 'Koud Paleis' bewaard gebleven, wat naar verluidt oorspronkelijk verwees naar het verblijf van een concubine die in ongenade was gevallen. Door te vragen om hun gevangenis om te dopen in een *Hof* van Heroverweging (*Huixin*

Yuan), geven de dames de indruk dat hun gevangenis vrij groot was – waarschijnlijk een ommuurde binnenplaats met één of meer gebouwen, waarbij de gebarricadeerde 'deur' de poort was, niet de voordeur. Ze waren waarschijnlijk niet opgesloten in één kamer, zoals sommige Chinese schrijvers hebben gesuggereerd.

4. Lin, *Lady Wu*, p. 41.
5. Idem, p. 171, oppert Cobra en Gier als alternatieve vertaling van de twee postume achternamen en merkt ook op dat de naar het zuiden verbannen nabestaanden van beide vrouwen eveneens werden gedwongen deze achternamen aan te nemen.
6. Li Zhong leidde een teruggetrokken bestaan tot de zuivering van Zhangsun Wuji in 659. Toen hij ervan werd beschuldigd dat Zhangsuns belangengroep hem in oude luister wilde herstellen, begon de voormalige kroonprins voor zijn leven te vrezen. Hij geloofde dat iedereen die uit Chang'an kwam een doodseskader vormde dat was gestuurd om met hem af te rekenen. De stress nam zulke vormen aan dat hij de kleren van zijn vrouw ging dragen om eventuele belagers te misleiden. De aanhangers van keizerin Wu gebruikten dit gedrag later als aanleiding om hem al zijn adellijke titels af te nemen, zodat hem slechts de burgerstatus resteerde, en hem te verbannen naar het verre zuiden. Hij belandde in hetzelfde verbanningsoord waar prins Cheng-qian, 'de Turk', enkele jaren eerder was overleden. De ex-kroonprins pleegde uiteindelijk zelfmoord in de nasleep van de 'samenzwering' van Shangguan Yi in 664.
7. *ZT* 178, geciteerd in Fitzgerald, *Empress Wu*, p. 38. Wu's medeplichtigheid aan de vervalsing wordt behandeld in Kegasawa, *Sokuten Bukô*, p. 151.
8. Kegasawa, *Sokuten Bukô*, p. 153.
9. Lin, *Lady Wu*, p. 164, merkt op dat gevangenen vaak in open wagens werden vervoerd en dat een melding van een dodelijk ongeluk onderweg vaak kon worden toegeschreven aan blootstelling aan de elementen.
10. Kegasawa, *Sokuten Bukô*, p. 154, rept over 'zijn lichaam opgegraven'. Fitzgerald schrijft in *Empress Wu*, p. 41, 'zijn kist geopend', al impliceert het laatste gewoonlijk het eerste, tenzij Han Yuans familie hoopte hem dichter bij de beschaafde wereld te begraven.
11. Kegasawa, *Sokuten Bukô*, p. 154.
12. Wu's zuivering van de oude garde was zelfs zo compleet dat Gaozong tijdens een bezoek aan Chang'an tot zijn afgrijzen merkte dat alleen Xu Jingcong de rol van gids naar de historisch belangrijke plaatsen op zich kon nemen. Blijkbaar wist verder niemand er veel vanaf. *JTS* 86, geciteerd in Fitzgerald, *Empress Wu*, p. 43.

Hoofdstuk Vijf

1. Helaas mocht ik er geen foto's van nemen, vandaar dat ik ze hier gedetailleerd heb beschreven.
2. Keizerlijke annalen vermelden alleen de geboorte van zonen, zodat we moeten gissen naar de geboortedatum van Taiping, de Vredesprinses.
3. *XTS* 20, *ZT* 200.
4. Van Gulik, *Sexual Life in Ancient China*, p. 208.
5. *ZT* 178, *XTS* 76, *XTS* 105, geciteerd in Fitzgerald, *Empress Wu*, p. 44.
6. Van Gulik, *Sexual Life in Ancient China*, p. 201. Anderen hebben echter geopperd dat het stel op het schilderij niet Wu en Gaozong zijn, maar hun kleinzoon Xuanzong en zijn legendarische minnares Yang Guifei.
7. Idem, p. 194. Het citaat is afkomstig uit *Fangnei Buyi*, dat hij vertaalt als *Gezond Sex Leven*, al is een meer letterlijke vertaling *De Geneugten van de Slaapkamer*.
8. Idem, p. 190.

9. Fitzgerald, *Empress Wu*, p. 46. Shangguans kleindochter die in 665 als paleisslavin werd geboren, was het wonderkind en keizerlijk adviseur Shangguan Wan'er. Fitzgerald citeert uit het *Nieuwe Boek van Tang*, al bevat het *Oude Boek van Tang* vergelijkbare passages; zie Hu, *Wu Zetian*, p. 33.

10. *JTS* 5, geciteerd in Hu, *Wu Zetian*, p. 33.

11. Feng-Shan-offers waren tweemaal tijdens de Han-dynastie gebracht en daarvoor bij een beruchte gelegenheid tijdens de Qin-dynastie, toen de Eerste Keizer probeerde een kortere weg te nemen en vervolgens onder een dennenboom moest schuilen voor een onweersbui. Zie ook Clements, *First Emperor of China*, pp. 113-15.

12. Wechsler, *Offerings of Jade and Silk*, p. 181; Kronk, *Cometography*, pp. 103-4.

13. Guisso, *Wu Tse-T'ien*, p. 217.

14. Wechsler, *Offerings of Jade and Silk*, p. 187.

15. *ZT* 201, aangehaald op www.guoxue.com/shibu/zztj/content/zztj–201.htm, idem 665/10.

16. Na Wu zouden er nog maar twee mensen Feng-Shanoffers brengen. Een van hen was haar kleinzoon, keizer Xuanzong. Het tweede offer werd pas in 1008 gebracht. In 725 stelde de geleerde Zhang Yue dat Wu's deelname in de Feng-Shan het moment tekende waarop de Tang-dynastie tot staan werd gebracht en Wu's tussenregering (Zhou) voor het eerst tot bloei kwam. Zie Guisso, *Wu Tse-T'ien*, p. 29.

Hoofdstuk Zes

1. Eckfeld, *Imperial Tombs in Tang China*, p. 25.

2. Graff, *Medieval Chinese Warfare*, p. 205. Binnen twee generaties zou het Tang-leger een beroepsleger worden, waarbij mannen een aanstelling voor het leven kregen en in een periode van drie jaar op alle grensposten dienden. Tegen de tijd dat Wu's kleinzoon keizer was, maakte het leger aan de grenzen gebruik van buitenlandse officieren – een beleidskeuze die een rol zou spelen in de opstand van An Lushan in 755.

3. *XTS* 206, geciteerd in Kegasawa, *Sokuten Bukô*, p. 187.

4. Guisso, *Wu Tse-T'ien*, p. 21.

5. Lin, *Lady Wu*, p. 58, is bereid te stellen dat Helan eveneens door Wu werd vergiftigd, al lijkt zijn bewering meer te zijn gebaseerd op Gaozongs *achterdocht*, zoals hier wordt aangegeven, dan op eerder bewijs.

6. Kegasawa, *Sokuten Bukô*, p. 185. Voor wie van speculeren houdt, hebben we hier nog een mogelijk voorbeeld van Gaozongs perversie – was Guochu Gaozongs eigen geheime liefdesdochter bij Helan en zo ja, hoopte hij een *derde* incestueuze generatie te verwekken? Bovendien, als moedermelk echt een obsessie was voor Gaozong, kreeg hij misschien weer meer belangstelling voor Wu toen zij hem rond 664 prinses Taiping schonk. Tegen 666 zou die belangstelling weer zijn verflauwd, wat hem ertoe aanzette op zoek te gaan naar een nieuwe bron. Zie voor de heilzame effecten die aan moedermelk werden toegeschreven Benn, *China's Golden Age*, p. 236.

7. Chang en Saussy, *Women Writers of traditional China*, p. 48.

8. Guisso, *Wu Tse-T'ien*, p. 21, 215. Voor de beschuldigingen tegen Minzhi, zie Benn, *China's Golden Age*, p. 23.

9. Hu, *Wu Zetian*, p. 45.

10. Fitzgerald, *Empress Wu*, p. 79.

11. Hu, *Wu Zetian*, p. 53.

12. Lin, *Lady Wu*, p. 97. De ouders van het meisje zouden later worden terechtgesteld, nadat ze (begrijpelijkerwijs) waren betrokken bij de 'Opstand van de Tang-prinsen' in 688; zie Fitzgerald *Empress Wu*, p. 123.

13. Guisso, *Wu Tse-T'ien*, p. 215; Eckfeld, *Imperial Tombs in Tang China*, p. 59, merkt op dat Li Hongs dood verdacht snel volgt op zijn voorstel dat Wu de dochters van de Pure Concubine Xiao Liangdi aan de man moest brengen. Zie echter Fitzgerald, *Empress Wu*, p. 84, over het vraagstuk van de natuurlijke doodsoorzaak.

14. Lin, *Lady Wu*, p. 100.

15. Guisso, *Wu Tse-T'ien*, p. 23; Fitzgerald, *Empress Wu*, p. 87.

16. *JTS* 191, geciteerd in Hu, *Wu Zetian*, p. 59. Het oorspronkelijke Chinees, bestaande uit beknopte zinnen van vijf karakters, geeft gewoon *qin* voor de slachtoffers van Xians complot – wat letterlijk 'beminnen' of familieleden betekent. Het was duidelijk dat ze hem niet 'dierbaar' waren als hij van plan was ze te doden, vandaar mijn aanvulling 'zouden moeten zijn'.

17. Lin, *Lady Wu*, p. 108, geeft als datum voor deze gebeurtenis vrij precies januari 683.

18. *XTS* 81, in Fitzgerald, *Empress Wu*, p. 88. Het was een oud trucje waar vooral Li Si en Zhao Gao, de sluwe ministers van de Eerste Keizer, beroemd mee zijn geworden. Zij hielden de dood van hun vorst geheim totdat er een kneedbare vervanger in stelling was gebracht. Zie ook Clements, *First Emperor of China*, pp. 139-44.

Hoofdstuk Zeven

1. Guisso, *Wu Tse-T'ien*, p. 51.

2. *XTS* 76, geciteerd in Hu, *Wu Zetian*, pp. 62-3.

3. *JTS* 87, geciteerd in Hu, *Wu Zetian*, p. 64.

4. Guisso, *Wu Tse-T'ien*, p. 52; zie voor hun uniformen Schafer, *Golden Peaches of Samarkand*, p. 96.

5. Hu, *Wu Zetian*, p. 64. Hu's Chinese tekst hanteert gewoon 'gij' (Chinees: *Ru*); daarom heb ik het hier laten staan. Andere schrijvers, zoals Kegasawa, *Sokuten Bukô*, p. 207, drukken zich minder esoterisch uit.

6. Kronk, *Cometography*, pp. 109-10. Dit is de laatst waargenomen komeet die in de Tang-annalen wordt opgenomen tot 707, zelfs al zijn er in Japanse en Koreaanse bronnen verschillende meldingen. Zie voor de kip met drie poten Guisso, *Wu Tse-T'ien*, p. 218.

7. Lin, *Lady Wu*, p. 60.

8. Guisso, *Wu Tse-T'ien*, pp. 55-7. Omdat ik het grotendeels met hem eens ben, herhaal ik hier Guisso's prikkelende suggestie dat Wu 'helemaal geen aanzet gaf tot wederrechtelijke inbezitneming... maar zich bewust was van een dynastieke crisis waar de wettelijke opvolging niet tegenop kon, een uitdaging/wraking door de familie van de gemalin van de nieuwe keizer en machtige ministers als [Pei Yan], en ze nam extreme tegenmaatregelen.'

9. Fitzgerald *Empress Wu*, p. 94

10. Idem, p. 95.

11. Lin, *Lady Wu*, p. 116.

12. Zie Kegasawa, *Sokuten Bukô*, p. 224, voor een meer diepgaande analyse van de rebellencampagnes en de vergelding van de Tang.

13. *JTS* 67, geciteerd in Hu, *Wu Zetian*, p. 68. Ik heb naar eigen inzicht interpunctie aangebracht, aangezien die in het origineel ontbreekt. Lacunae geeft ook verscheidene lijsten van weinig bekende klassieke parallellen. Zie ook *JTS* 71.

14. Guisso, *Wu Tse-T'ien*, p. 59.

15. *JTS* 67, aangehaald in Hu, *Wu Zetian*, p. 68.

16. Guisso, *Wu Tse-T'ien*, p. 60.

17. Idem, p. 233.

18. Schafer, *Golden Peaches of Samarkand*, p. 176.
19. Benn, *China's Golden Age*, p. 204.
20. XTS 209, geciteerd in Hu, *Wu Zetian*, p. 88.
21. Guisso, *Wu Tse-T'ien*, p. 61.

Hoofdstuk Acht

1. Waley, *The Real Tripitaka*, p. 93.
2. Voor details over wat dit inhield, zie Clements, *First Emperor of China*, pp. 15-17.
3. Lin, *Lady Wu*, p. 156. In 689 zouden nog twee boeren melding komen maken van transseksuele kippen, maar in dat jaar maakte Wu een einde aan gesprekken over dat soort vreemde verschijnselen.
4. Fitzgerald, *Empress Wu*, p. 119.
5. Waley, *The Real Tripitaka*, p. 115.
6. Idem, p. 119.
7. Paludan, *Chronicle of the Chinese Emperors*, p. 78.
8. Waley, *The Real Tripitaka*, p. 129.
9. Benn, *China's Golden Age*, p. 107. Zie ook Schafer, *Golden Peaches of Samarkand*, vooral de hoofdstukken X, XI en XIII.
10. Benn, *China's Golden Age*, pp. 107, 114.
11. Guisso, *Wu Tse-T'ien*, p. 36. De aanbeveling van Qianjin luidde letterlijk dat Huaiyi *feichang caiyong* was, wat zou kunnen betekenen dat hij zijn intelligentie en wetenschappelijke kennis prees, maar wat door sommigen wordt uitgelegd als verwijzing naar zijn vaardigheden in bed. Zie ook Kegasawa, *Sokuten Bukô*, p. 244.
12. Fitzgerald, *Empress Wu*, p. 131.
13. Wechsler, *Offerings of Jade and Silk*, pp. 196-7. Sommige eerdere verslagen over keizerlijke excentriciteit kunnen zijn opgebouwd uit vertekende observaties van pogingen om zoiets als een Zaal der Verlichting op te zetten. Zie bijv. Clements, *First Emperor of China*, p. 132.
14. Schafer, *Golden Peaches of Samarkand*, pp. 238-9. Ik hou Schafers datum aan. Fitzgerald, *Empress Wu*, p. 132, hanteert 24 december 688.
15. Zie bijvoorbeeld Clements, *First Emperor of China*, p. 39.
16. Hu, *Wu Zetian*, p. 79; alsook Chen, *Yidai Nühuang*, pp. 99-101.
17. Hopkins, *Buddhist Advice for Living & Liberation*, pp. 20-2.
18. Guisso, *Wu Tse-T'ien*, p. 37.
19. Idem, p. 41.
20. Idem.

Hoofdstuk Negen

1. Fitzgerald, *Empress Wu*, p. 120.
2. Idem, p. 117. Fitzgerald merkt op dat de onderdrukkingsmaatregelen op miraculeuze wijze ophielden nadat Wu keizerin was geworden, wat de indruk wekt dat hun doel was bereikt.
3. Benn, *China's Golden Age*, pp. 202-4. Benn plaatst de Poort van het Mooie Landschap in het 'zuidwesten' van Luoyang, maar blijkbaar heeft deze in het zuidwesten van de 'noordelijke stad' gestaan, d.w.z. het zuidwesten van het keizerlijk domein, bij de Brug van het Hemelse Wad (*Tianjin-qiao*) en net iets ten noorden van de centrale waterweg Luo, die de stad op een horizontale as in tweeën splitste. Zie ook de kaart in Kegasawa, *Sokuten Bukô*, p. 234.

4. Lin, *Lady Wu*, p. 144. Niet-slachtoffers hoorden pas in 692 details over de martelwerktuigen, tijdens een rechtszaak tegen leden van het ministerie van Rechtsvervolging. Jaren na Wu's dood maakte de prins van Bin, zoon van prins Xian, indruk op het hof met zijn vermogen het weer te voorspellen; vervolgens bracht hij het hof in verlegenheid door te vertellen dat zijn ogenschijnlijk magische kracht te danken was aan de pijn die werd veroorzaakt door de littekens van de verwondingen die het ministerie van Rechtsvervolging hem had toegebracht.

5. Fitzgerald, *Empress Wu*, p. 120. Lin, *Lady Wu*, p. 150, beweert dat de geheimen wel waren onthuld en dat ze betrekking hadden op Wu's relatie met Xue Huaiyi.

6. Hu, *Wu Zetian*, p. 82. Lin, *Lady Wu*, p. 160, stelt dat het valse onderwerp van Huangs brief zijn 'oude vrouw' was en niet hijzelf.

7. Guisso, *Wu Tse-T'ien*, p. 65; Fitzgerald, *Empress Wu*, p. 123.

8. Lin, *Lady Wu*, p. 172.

9. Guisso, *Wu Tse-T'ien*, p. 62.

10. Fitzgerald *Empress Wu*, p. 125.

11. Kegasawa, *Sokuten Bukô*, p. 297, merkt op dat Tie's dood in het jaar 700 op zeventigjarige leeftijd algemeen bekend is en dat daarom zijn geboortejaar waarschijnlijk 630 is.

12. Kegasawa, *Sokuten Bukô*, p. 299. In werkelijkheid was de weg die Tie aflegde niet zo direct. Om geen gezichtsverlies te lijden, werd hij eerst in de provincie benoemd, maar vervolgens naar de hoofdstad teruggeroepen.

13. Lin, *Lady Wu*, p. 178.

Hoofdstuk Tien

1. Lin, *Lady Wu*, p. 155.

2. Kronk, *Cometography*, p. 112.

3. Chang en Saussy, *Women Writers of Traditional China*, pp. 48-9. Volgens de auteurs dateert deze proclamatie uit 691, maar de 'twaalfde maanmaand' van 691 was in feite kort voor het Chinese Nieuwjaar, met andere woorden, de eerste dagen van 692.

4. Schafer, *Golden Peaches of Samarkand*, p. 114. Zie voor de tand, die, naar ik aanneem, gewoon een erg late verstandskies was, Guisso, *Wu Tse-T'ien*, p. 285.

5. Zie voor de kat: Fitzgerald, *Empress Wu*, p. 139, en voor de hond: Schafer, *Golden Peaches of Samarkand*, p. 77.

6. Fitzgerald, *Empress Wu*, p. 136; Schafer, *Golden Peaches of Samarkand*, p. 238.

7. ZT 178 in Fitzgerald, *Empress Wu*, p. 133.

8. Lin, *Lady Wu*, p. 153, doet een vermakelijke poging om de tegenstrijdige berichten over dit incident in de Tang-annalen te ordenen, door te suggereren dat Huaiyi zich in het openbaar in zijn vlees sneed om zijn publiek ervan te overtuigen dat voor een met stierenbloed besmeurde beeltenis van Boeddha eigenlijk Huaiyi's eigen bloed werd gebruikt.

9. Fitzgerald, *Empress Wu*, p. 135.

10. Idem.

11. Idem, pp. 135-6.

12. Lin, *Lady Wu*, p. 169.

13. XTS 209, geciteerd in Kegasawa, *Sokuten Bukô*, p. 301. Zie ook, Fitzgerald, *Empress Wu*, p. 139, die het vergelijkbare verhaal vertelt van Tie's medegevangene Wei Yuanzhong, die tegen de mannen die hem gevangen hadden genomen, zei: 'Als jullie mijn hoofd willen, waarom hakken jullie het dan niet af? Waarom maak je je druk om bekentenissen?'

14. Twee medegevangenen van Tie begingen de grote fout een verweer te houden en de mannen die hen gevangen hadden genomen te beschuldigen van staatsondermijnende acti-

viteiten. Het duurde niet lang voor de 'gruwelbeambten' met een *tegen*-verweer kwamen aanzetten, waarna de onfortuinlijke functionarissen van samenzwering werden beschuldigd en terechtgesteld. Zie Fitzgerald, *Empress Wu*, p. 141.

15. ZT 204, geciteerd in Guisso, *Wu Tse-T'ien*, p. 131, en Fitzgerald, *Empress Wu*, p. 141.

16. Lin, *Lady Wu*, p. 195, stelt dat de twee vrouwen gewoon 'verdwenen' en dat Ruizong met zijn moeder aan tafel werd genodigd. Omdat hij geen melding maakte van de verdachte afwezigheid van zijn vrouwen, mocht hij blijven leven. Na Wu's dood begroef Ruizong twee gewaden – de lichamen werden nooit teruggevonden.

17. Guisso, *Wu Tse-T'ien*, p. 132. Lin, *Lady Wu*, p. 197, suggereert in plaats daarvan dat de man zijn eigen buik open sneed en noemt het een wonder dat de Tang-artsen zijn leven konden redden. Het lijkt erop dat, naast architectuur, mode en sport, *seppuku* misschien een zoveelste uitvinding van de Tang-dynastie was die in het verre Japan tot bloei kwam.

18. Dit argument is afkomstig uit Guisso, *Wu Tse-T'ien*, pp. 133-4

19. De geldstroom uit het Westen zwol in de daaropvolgende eeuw verder aan, vooral nadat de zilvermijn bij Benjahir in Afghanistan open ging, een rijke ader waarmee het kalifaat van Abbasid zijn fortuin maakte en die de vraag naar zowel Chinese zijde als buitenlandse slaven stimuleerde. Als gevolg daarvan stroomde het geld niet alleen oostwaarts, richting China, maar ook westwaarts, richting Europa. Zie Clements, *A Brief History of the Vikings*, p. 105. Ook de verbreiding van de islam zou de Chinese invloed in Centraal-Azië rond 750 aan banden leggen, waardoor een minder groot gedeelte van de Zijderoute onder Chinees toezicht bleef.

20. Gernet, *History of Chinese Civilization*, pp. 257-8, spreekt dit ten stelligste tegen en noemt het Tang-tijdperk een 'periode van verspilling' waarin 'de kleine boeren… werden bedolven onder belastingen en accijnzen. Het aantal pachtboeren nam toe.' Hierbij moet echter worden aangemerkt dat een 'pachtboer' die zijn land officieel had overgedragen aan een niet-belastingplichtig boeddhistisch klooster, in de overheidsarchieven als straatarm zou worden aangemerkt, terwijl hij in werkelijkheid misschien een handige belastingontduiker was.

21. Fitzgerald, *Empress Wu*, p. 144; Guisso, *Wu Tse-T'ien*, p. 134, die JTS 6 citeert.

22. Fitzgerald, *Empress Wu*, p. 161. Fitzgerald deelt zijn verslag over de droom in na een aantal gebeurtenissen die ik voor het volgende hoofdstuk heb bewaard. Maar als deze dramatische ontmoeting plaatsvond, zou dat toch zeker zijn gebeurd *voordat* Zhongzong terugkwam op de troon. Een schaakstuk is een *qizi*, wat letterlijk 'schaak zoon' betekent.

Hoofdstuk Elf

1. Guisso, *Wu Tse-T'ien*, p. 137.

2. Fitzgerald, *Empress Wu*, p. 157.

3. ZT 176. Fitzgerald, *Empress Wu*, p. 158, plaatst hetzelfde verhaal zodanig dat het impliceert dat Tie's waarschuwing pas na de brief kwam.

4. Stone, *The Fountainhead of Chinese Erotica*, p. 89.

5. Fitzgerald, *Empress Wu*, p. 162.

6. Zie bijvoorbeeld Fitzgerald, *Empress Wu*, p. 163, die de suggestie uit de annalen dat 'Wu hen haar gunsten verleende' interpreteert als bewijs dat ze seks met hen had.

7. Guisso, *Wu Tse-T'ien*, p. 148. De opschepperij dateert uit 700. Tegen die tijd was het ministerie van de Kraanvogel al omgedoopt tot het ministerie van de Keizerlijke Dienaren. Vermeldenswaardig is dat sommige bronnen, bijvoorbeeld Stone, *The Fountainhead of Chinese Erotica*, p. 139, de gebroeders Zhang aanduidt als 'neven van vaderszijde', niet als broers. De erotische roman *The Lord of Perfect Satisfaction*, die ten dele is gebaseerd op de

Tang-annalen en verder bestaat uit loze speculatie, suggereert dat de broers om de beurt de prinses geriefden, waarbij Changzong en zijn 'grote vlezige instrument' haar de ene nacht bezighield, en Yizhi de nacht erop in actie kwam. De broers gingen seks met de bejaarde Wu echter beschouwen als een bezoeking, waarna ze uiteindelijk haar aandacht richtte op Xue Aocao, een (waarschijnlijk) fictief personage met zo'n reusachtige penis dat alleen de levende godheid Wu ertegen opgewassen was. Zie Stone, *The Fountainhead of Chinese Erotica*, pp. 142-60, waarvan een groot gedeelte bestaat uit beschrijvingen van hun uiteenlopende seksuele activiteiten.

8. Benn, *China's Golden Age*, p. 130. De vraag die zich opdringt is, hoe *luidruchtig* zo'n spektakel zou zijn en hoe het vermakelijk het zou kunnen zijn voor de toeschouwers?

9. Lin, *Lady Wu*, p. 223.

10. Zie bijvoorbeeld Guisso, *Wu Tse-T'ien*, p. 218, waar het verhaal staat over de ontdekking van 'Boeddha's voetafdruk' ergens in China.

11. ZT 178, geciteerd in Fitzgerald, *Empress Wu*, p. 168.

Hoofdstuk Twaalf

1. ZT 178, geciteerd in Kegasawa, *Sokuten Bukô*, p. 332.

2. Benn, *China's Golden Age*, p. 130.

3. Zie Lin, *Lady Wu*, pp. 171-5, voor een vijf pagina's lange lijst van Wu's vermeende slachtoffers – in kleine lettertjes en niet eens compleet!

4. Anle was zelfs het enig nog levende kind van keizerin Wei. Terwijl Zhongzong misschien heeft gehoopt een van zijn bij concubines verwekte kinderen op de troon te kunnen zetten, had keizerin Wei gezworen de dood van Yongtai en Yide op hen te wreken.

Appendix III

1. Fitzgerald, *Son of Heaven*, p. 200, suggereert dat dit proto-Vikingen uit de Oeral zijn, maar dat lijkt onwaarschijnlijk.

2. Wechsler, *Offerings of Jade and Silk*, p. 75. Wu en Gaozong probeerden het voorteken voor zichzelf op te eisen door zijn regeringsperiode om te dopen tot 'Deugd van de Eenhoorn'. Anderen kunnen deze zogezegde waarneming echter hebben beschouwd als een oproep om in opstand te komen.

Register

Altieri, Daniel 202
Anding *zie* prinses Anding
Anshi 48, 49

Baiyan 47
Berg van het Zwarte Paard 33
Bianji 63
Bihar 218
Bijbel der Geschiedenis 22
Biografieën van de Godinnen 88
Boeddha 85-86, 135, 141, 148, 149, 164, 168, 180, 190
boeddhisme 21, 56, 86, 107, 121, 135, 137-141, 148, 165, 167, 190
Boek der Rituelen 50, 96
Boek van het Latere Han, Het 112

Chang'an 56, 77, 78, 82, 83, 112, 115, 126, 134, 190, 200
Chengsi 126, 148, 151, 154, 172-175
Chongfu *zie* prins Chongfu
Chongmao *zie* prins Chongmao
Chu Suiliang 66-70, 78-79
Chun, Jinsie 204
Clinton, Hillary 25
concubines 41
 – rangen onder 35, 65
confucianisme 20-22, 107-110, 136-138, 140
Confucius 21-23, 28, 50, 96, 117, 136, 137, 164, 168, 192
Constantinopel 17
Cooney, Eleanor 202
cosmetica 141-144

Days in the Palace (filmproject) 210
Deception 202
Deugd van de Eenhoorn 123
Dien, Dora 25
Dingzhou 47
Dunhuang 148
Dzjengis Khan 24

Empress (Impératrice) 209
Empress: A Novel 207
Empress Wu (Wu Zetian) (film) 205
Empress Wu Zetian in Fiction and in History 25
Empress Wu, The 24

Famen-tempel 85-86, 180
Fang Peilin 202
Fang Yi'ai 62
Feng-Shan-ceremonie/offer 95-99, 115, 136, 137, 145, 150
Fitzgerald, Charles Patrick 24
Flowers in the Mirror 24

Gandhara 139
Gansu 159
Gansu-corridor 181
Ganye, klooster/tempel van 53, 56, 75
Gaoyang 64
Gaozong, keizer
 – als keizer 53-57, 60-61, 65-66, 69, 74-84
 – als prins 43-44
 – als troonopvolger 47-52

– decreet van 73
– dood van 115-116
– nalatenschap 118-124, 129-130, 155, 164, 175-177, 180, 183, 186, 195-197, 200-201
– ziekte 83-89, 102-106, 110-116
Gaozu, keizer 86, 95
Gele Rivier 182
Gele Zee 44, 87
Gobiwoestijn 183
Grote Gans Pagode 134, 139
Grote Kanaal 126
Grote Wolk Soetra 148, 150, 161, 163, 165
gruwelbeambten 132, 153, 157-158, 171-175, 189, 202
Guangjai-tempel 221
Guisso, Richard 25
Gulik, Robert van 202
Guo Moruo 206
Guochu 93-94, 101-103, 130

Hainan 79, 198
Halley, komeet 121
Han-dynastie 23, 95, 126
Han Yuan 68-69, 74, 78, 79, 82
Hanoi 198
Hao Chujun 110, 155
Hara, Momoyo 202
Hart Soetra 140
hekserij 64
Helan 32, 34, 59, 93, 111, 112, 129
Hemelse Pilaar 168
Hemelse Weg 15, 17
hertog Huang 156
Hof van Heroverweging 75
Huaiyun 101
Hulao Pas 213

I Am Heaven 204
Inauguratie van de Draak 123
India 139
Investigations of the Sui-Tang Era 202
Iron Empress 202

Japan 83, 88
Jiang Qing 25

Kanton 166, 172
Kasjmir 83
Kegasawa, Yasunori 25

keizerin Cixi 23
keizerin Lü 23, 126
keizerin Wang 43, 54-70, 77, 92, 94, 130
keizerin Wei 118, 122, 184, 189, 199
keizerin Wende 33, 37, 43, 61, 139
keizerin Wu *zie* Wu Zetian
Kitan 181, 182
Klassieker van de Gevangenschap 133, 153, 171
Koguryo (Korea) 44, 46, 88. 100-101
Korea 44- 49, 80, 83, 87, 88, 96, 100-101, 123, 181
Kum-rivier 87-88

Lady Wu 24
Lady Wu (GTV-serie) 209
Lady Wu: A True Story 204
Lai Chunchen 133, 158, 170-175
Lai Ji 74, 78, 79, 82
Lao Tse 108, 164
Lenormand, Frédéric 202
Li Han-hsiang 205
Li Hong *zie* prins Lihong
Li Jingye 150, 154, 157
Li Shiji 47, 101
Li Shimin *zie* Taizong, keizer
Li Yifu 66, 78, 90, 195
Li Yingye 126-127, 128, 130
Li Zhan 195
Li Zhaode 174-175
Li Zhi 69-70, 126
Li Zhong 54
Liaodong 44, 47, 49, 101
Liao-rivier 44, 46, 47, 101
Lied van de Komkommerplant 127
Lin Yutang 24, 204
Liu Rengui 87-91, 100, 124-127
Lizhou 32
Longmen 130, 168
Lord of Perfect Satisfaction, The 23
Luo Bingwang 129
Luo Guanzhong 202
Luo-rivier 161
Luoyang 46-47, 77-79, 83-84, 97, 113, 115, 122, 125, 132, 141, 149, 150, 151, 153, 155, 165, 168, 179, 190, 197

maarschalk Hao 154-155
Maitreya 141, 148-150, 167
Mao Polo 168

Mao Zedong 24, 25, 86
martelingen 153-154
McCune, Evelyn 207
Min Tang *zie* Paviljoen der Verlichting
Ming-dynastie 85
Ming-pagode 86
ministerie van de Kraanvogel 186-188
ministerie van Rechtsvervolging 131, 133, 153,
  157, 172, 189
Minzhi 102, 103, 104, 105

Nalanda 139
Nanjing 127
Negen Driepoten 147
Nepal 83
Nieuwe Boek van Tang 19, 64, 104, 111, 121
Nühuang Wu Zetian 204
Nürnberger Chronik 121

Oorlogskoning (wu wang) 164
Oost Liao 47
Oude Boek van Tang 19, 64

Paekche 44, 88
Palace of Desire (tv-serie) 208
Paleis van de Dageraad 197
Paviljoen der Verlichting 145-150, 156-157, 161,
  165, 167, 169, 178
Pei Yan 116, 119, 121, 122, 130-131
Peshawar 139
Poort van de Donkere Strijder 28, 33, 39, 80, 81
Poort van het Mooie Landschap (Lijing-
  men) 153, 160, 173
prins Cheng-qian 36-40
prins Chongfu 192
prins Chongmao 199-200
prins Han 38, 40
prins Lihong 58, 74, 77, 93, 110-112, 139
prins van Langya 156, 158, 159
prins Xian 15, 18, 60, 111-115, 118, 127-128
prins Yide 192
prins Zhi 39-40
prinses Anding 61
prinses Anle 199
prinses Changlo 110
prinses Gaoyang 62, 63
prinses Qianjin 143, 167, 172
prinses Taiping 91, 104, 120, 143, 157, 170, 186-
  189, 197, 199-200

prinses Yongtai 192
Pyongyang 44, 48, 87, 88, 101

Qapagan 181-185, 199
Qin Qiong 29
Qing-dynastie 23

rechter Tie (Di Renjie) 159-160, 170, 173-174,
  177-179, 182-185, 189-190, 194, 202
Romance of the Three Kingdoms, The 202
Ruizong, keizer
  – aftreden 163-164, 174-177, 183-186
  – als keizer 120-123, 131, 137, 147, 152-161
  – als prins 114
  – weer op de troon 199-200

Sabi 87
Samarkand 139
Sansi 177, 189, 199
Schedel, Hartmann 121
Shan Sa 209-211
Shandong 39, 42, 87, 156
Shangguan Wan'er 189, 198, 200
Shangguan Yi 91-93, 189
Shaolin 103
She Was the Emperor 203
Shengdu 125
Silla 44, 87, 88
Sokuten Bukô 25
Stalin, Jozef 24
Stonehenge 146
Su Dingfang 87, 88
Sui-dynastie 22, 28, 44, 46, 63, 65, 81, 95, 177
Sun Wei 88

Taedong-rivier 87
Tai Shân (berg) 95, 97, 98, 115
Taiping *zie* prinses Taiping
Taizong, keizer 20, 27-41, 42-51, 53-59, 62, 67,
  68-72, 80, 83, 95, 96, 100, 109, 120, 125, 128,
  135, 138, 146, 150, 161, 201
  – en Korea 46-50, 87
  – ziekte en dood 50-56
Taklamakanwoestijn 183
Tanaka, Yoshiki 202
taoïsme 21, 56, 190
Tempel van de Grote Genade 134, 139
Thanh Hoa 79
Tibet 181, 183

Tie, rechter *zie* rechter Tie
Tripitaka 135, 138-141, 148
Tsui Hark 210
Turken 33, 36, 37, 83, 138, 167, 181-185, 199
Turkestan 167

Udayana 149

Vietnam 79
Vimalaprabha 149
voortekenen 114-115, 121, 123, 137-138, 156, 161, 165-167, 168, 190
Vrouwe Yang 31-32, 103, 105, 107, 129

Wan Guojun 172
Water Margin, The 202
Wei-dynastie 61, 64
Wei Jifeng 79, 80
Wei Xuanjen 118, 119, 120
Wei Zheng 95, 112
Weichi Jingde 28-29
Weilang 101
West, Keith 203
Witte Paard-klooster 143, 168-170
Wu Chengsi 167
Wu Niang 29
Wu Rujun 209
Wu Shihou 31-32, 161
Wu Tse-T'ien and the Politics of Legitimation in T'ang China 25
Wu Yanji 192
Wu Zetian (keizerin Wu) 17-21 *et passim*
Wu Zetian (ATV-serie) 206
Wu Zetian (CCTV-serie) 207
Wu Zetian (opera) 209
Wu Zetian (tv-serie) 210
Wu Zetian: A Queen (film) 202

Xian *zie* prins Xian
Xiao Liangdi 43, 54, 55, 56, 57, 58, 59, 61, 65, 70, 74, 75, 76, 77, 110, 130, 166
Xu Jingcong 70, 79-82, 92, 96, 109

Xu Jinglei 210
Xu Yugong 158-160, 170
Xuanzang 135 *zie ook* Tripitaka
Xuanzong, keizer 153, 176, 199-201
Xue 191
Xue Huaiyi 141-149, 157, 167-170, 178, 181, 187

Yalu-rivier 44
Yangdi, keizer 46, 50
Yangtze-rivier 126, 127, 194
Yanxiu 182, 199
Yi'ai 63, 64
Yide *zie* prins Yide
Yon Kaesomun 101
Yongtai *zie* prinses Yongtai
Yuan Tian-gang 32
Yulin-gardisten 120
Yuning 177

Zaal der Hemelen 167
Zhang Changyi 191
Zhang Changzong 186-189, 191-193, 194, 195, 196, 197
Zhang Jianzhi 194-195
Zhang Yimou 210
Zhang Yizhi 186-189, 191-197
Zhangsun 22
Zhangsun Wuji 43, 47, 61, 62, 63, 64, 66, 68, 69, 80, 81, 82
Zhangsun, geslacht 33, 177
Zhongzong, keizer 110-111, 114-122, 177
 – afgezet als keizer 122, 126-127, 131, 152
 – als keizer 117-120
 – als prins 97-98, 140
 – als troonopvolger 114-115
 – in ballingschap 165
 – in ere hersteld 184-186, 191, 195-200
Zhou-dynastie 164, 185
Zhou Quanbin 213
Zhou Revolutie 173
Zhou Xing 133, 170-171
Zijderoute 77-78, 83, 85, 138, 178, 181